ペンギン・ハイウェイ

森見登美彦

角川文庫
17684

目次

episode 1

海辺のカフェ

ぼくはたいへん頭が良く、しかも努力をおこたらずに勉強するのである。

だから、将来はきっとえらい人間になるだろう。

ぼくはまだ小学校の四年生だが、もう大人に負けないほどいろいろなことを知っている。

ぼくはまだ小学校の四年生だが、もう大人に負けないほどいろいろなことを知っている。

とだ。一日一日、ぼくは世界について学んで、昨日の自分よりもえらくなる。たとえばぼくが大人になるまでは、まだ長い時間がかかる。今日計算してみたら、ぼくが二十歳になるまで、三千と八百八十八日かかることがわかった。そうするとぼくは三千と八百八十八日分えらくなるわけだ。その日が来たとき、自分がどれだけえらくなっているか見当もつかない。えらくなりすぎてタイヘンである。みんなびっくりすると思う。結婚してほしいと言ってくる女の人もたくさんいるかもしれない。けれどもぼくはもう相手を決めてしまったので、結婚してあげるわけにはいかないのである。

もうしわけないと思うけれども、こればかりはしょうがない。

○

ぼくが住んでいるのは、郊外の街である。丘がなだらかに続いて、小さな家がたくさんある。駅から遠ざかるにつれて街は新しくなり、レゴブロックで作ったようなかわいくて明るい色の家が多くなる。天気の良い日は、街全体がぴかぴかして、甘いお菓子の詰め合わせのようなのだ。

駅から始まるバス路線は、毛細血管のように街をおおっている。

ぼくの家のある一角はバス路線の終着駅のそばで、駅から広がってきた新しい街の最前線にあたる。規則正しく区切られた街には、まだ家が建っていない空き地がいくつもある。風が吹き渡ると、正方形の空き地に生えた草がなびいて、ぼくはそれを見るたびになんとなくサバンナみたいだと思う。でもぼくは本物のサバンナを見たことがないので、これはあくまで推測である。ぼくはいつかサバンナも探検に行くだろう。草原をかけまわる本物のシマウマを見たら、どんなものだろう。おそらく目がちらちらすると思う。

県境の向こうにある街から引っ越してきたのは、ぼくが七歳と九ヶ月の時だ。父と母と妹とぼくの四人でやってきた。その頃は今よりも家が少なかった。喫茶店「海辺のカフェ」もなかったし、ぼくらが週末に出かけるショッピングセンターもなかった。あたりはまるで生命が誕生する前の地球のように、からっぽで淋しい場所だった。

当時、父は会社から電車で帰ってきて、駅前からバスに乗ってくると、あたりがどんどん暗くなってくるので、たいへん不安に思ったそうだ。バス停に降りた瞬間、ずっと向こうに、ぼくらの家の明かりがまるで荒野の一軒家みたいにぽつんと見える。その小さな明かりに向かってまばらな街灯の下を歩いて、ぼくや妹の笑い声がもれ聞こえてくると、ようやく父は安心した。

でも今、街はずっと明るくなった。

空き地はかわいい住宅でうまってゆき、おいしいパンのある喫茶店「海辺のカフェ」ができ、駐車場にたくさんの車がならぶショッピングセンターができ、評判のいい学習塾ができ、コンビニエンスストアができ、きれいなお姉さんたちが働く歯科医院もできた。ぼくはその宇宙ステーションみたいな歯科医院がとくに好きだ。

ぼくは毎朝その歯科医院の前を通って、小学校まで通う。時間はおよそ二十二分かかる。

ここまではためし書きである。

○

ぼくは毎日ノートをたくさん書く。みんながびっくりするほど書く。おそらく日本で一番ノートを書く小学四年生である。あるいは世界で一番かもしれないのだ。先日、図書館でミナカタ・クマグスというえらい人の伝記を読んでいたら、その人もたくさんのノートを書いたそうだ。だから、ひょっとするとミナカタ・クマグスにはかなわないかもしれない。でも、ミナカタ・クマグスみたいな小学生はあまりいないだろう。

ぼくはこの習慣のおかげでずんずんえらくなって頭角を現してきた。

父はそのことを知っている。この文章を書いている赤くて硬い表紙のついた方眼ノートは、父に買ってもらったものである。なぜならば、ノートの書き方を教えてくれたのは父だからである。この文章を書いているのは父だからだ。父はぼくが書きこみでノートをいっぱいにするとほめてくれる。チョコレートをくれることさえある。

ところで、こういう日記みたいな文章は今まであまり書いたことがなかった。なぜ急に書こうと思い立ったかというと、昨日、父と喫茶店で話をしていて、ぼくが人生におけるたいへん重要な局面にあると気づいたからだ。

「毎日の発見を記録しておくこと」と父は言った。

だから、ぼくは記録する。

○

ぼくが初めてペンギンを目撃したのは五月のことだった。

ノートには「午前六時半起床。ぼくと妹が起きてくるのを見てから父は出勤。快晴。湿度は六十%。やわらかい風」というメモがある。

妹を連れて家を出たのは七時三十五分である。七時四十分、住宅地の中央にある公園の前に近所の子どもたちが集まって、方眼ノートのように区切られた住宅地を抜けていく。あちこちで雨戸を開ける音がする。犬の吠(ほ)える声がする。道路わきにある自動販売機が、朝の光にきらきらする。風が電線をゆらして、ぼくらの太ももをスゥスゥさせる。

ぼくはこの季節がたいへん好きである。頭脳がメイセキになるからだ。

登校している間も、妹はずっとにぎやかである。なんにでも平気で口を出すのだ。おしゃべりは妹にまかせて、ぼくはノートを読みながら歩く。

ぼくらはカモノハシ公園に向かうバス通りを歩く。そして歯科医院のある角で南に曲がり、そこからはケヤキ並木に沿って歩いていく。歯科医院と道路をはさんだ向かいには、「海辺のカフェ」がある。「海辺のカフェ」は朝早くから開いているので、窓辺の席でコーヒーを飲みながら、ぼくらを眺めている人もある。できたてのフランスパンのあたたかさと、いい匂いをぼくは想像する。

朝が早いから、歯科医院はまだ開いていなかった。ぼくはその日の夕方に予約を入れたことを思い出して、ノートを確認した。ぼくは自分で予約するのだ。歯科医院にはぼくが親しくお付き合いしているお姉さんがいるのだが、彼女はまだ給水塔のそばにある白いマンションでぐうぐうねむっているだろう。お姉さんはねむるのが好きだ。

ぼくはお姉さんに話すべきことのリストを見直して、いくつか書きたした。ぼくは歩きながらノートを読むばかりか、字を書くことさえできる。

そのとき、先頭を歩く六年生が「あれ」と声をあげ、班のみんなが立ち止まった。ぼくはノートに夢中になっていたので、うっかり妹のクツのかかとを踏んづけた。ふだんならぶうぶう怒る妹が、その日は何も言わなかった。

歯科医院を過ぎた左手には、車道に面して空き地が広がっている。電信柱に囲まれて、コンクリートに小さく区切られた草原が、ずっと続いているのだ。大勢の子どもたちが一列になって、しんと息をのんで立っていた。みんな空き地の向こうを見つめていた。妹が「お兄ちゃん」と言った。彼女は両手をお腹の前で握りしめて、ただでさえ大きな目を転げ落ちそうなほど見開いていた。

風が吹き渡ると、朝露にぬれた草がきらきら光った。キウキウキシキシと学校の床を鳴らすような音が聞こえてきた。広々とした空き地のまんなかにペンギンがたくさんいて、よちよちと歩きまわっている。

なぜぼくらの街に、ペンギンがいるのか分からない。
子どもたちはだれ一人、身動きしない。

ぼくはしっかりと観察するために、そばに行くことにした。それが本当にまじりっけなしのペンギンなのかどうか、あるいは遺伝子に突然変異を起こしてずんぐりむっくりしたカラスなのか、それを研究する必要があったのだ。ほかの子どもたちは見ているだけ。ぼくが草を踏みしめる音と、風が電線をゆらす音と、ペンギンらしいものたちが立てるヘンテコな音が聞こえるばかりだ。

ぼくがそばへ寄っても、ペンギンたちは逃げなかった。

本物のペンギンをそばで見たことはないけれども、その鳥たちはペンギンそっくりだった。翼をパタパタしたり、思いついたようによちよち歩き出して転びそうになったりする。とてもちぐはぐで、遠い惑星から地球にやってきたばかりの宇宙生命体みたいだった。

捨てられたバイクがころがっていて、そのとなりにペンギンが立っていた。ぽかんとして青空を眺めている。オモチャのような目はほとんど動かない。白くてふわふわしていそうなお腹に、ひとすじの泥がこびりついていた。お腹を下にしてごろごろしたのかもしれない。ぼくはノートの新しいページを開いて、日付と時刻を書き、さっそくスケッチした。

やがて近所の大人たちが集まってきて、子どもたちを追い立てた。

ぼくはもう少し研究したかったのだけれど、学校に遅刻するわけにはいかないので、しぶしぶノートをとじた。班のみんなといっしょに歩きながら、ぼくはふりかえった。大勢の大人たちがペンギンの群れを前にして、先ほどの子どもたちのようにぼうぜんとして立っていた。

あとからしらべてみると、それはアデリー・ペンギンだった。学名ピゴスケリス・アデリアエ。南極とその周辺の島々に生息していると本には書いてあった。郊外の住宅地には生息していない。

○

朝の教室は、住宅地のまんなかに現れたペンギンの話題でもちきりだった。

ぼくがノートのペンギン・メモをにらんでいると、ふだんはあまり話さない子たちまでが、見せて見せてと寄ってきた。通学途中にペンギンを目撃した子たちは、おどろくべき現象を目撃したのだから、たいへん得意だ。あんまりうるさいので、ペンギンを見そこねたスズキ君が怒りだした。スズキ君は動物園でペンギンを見たことがあるという話をして、「ペンギンなんてめずらしくもなんともない」と主張した。ぼくらはペンギンそのものをめずらしがっているのではなくて、住宅地にペンギンが現れたことをふしぎがっているのだから、彼の批判は間違っている。でも彼が怒ると、みんなこわいものだから、教室は静かになった。

スズキ君はぼくのノートをのぞきこんで、「ふん」と鼻で笑った。「そんなの書いておもしろい?」

「スズキ君も見たかったんだね」とぼくは言った。

「俺はもう見たことあるしな」と彼はいばるようにした。「興味ない」

ハマモトさんがやってきて、「興味ないの?」と言った。スズキ君は「興味ない」と言ったけれど、いくぶん自信がぐらついたようだった。ハマモトさんは自信家で、スズキ君でさえ一目おいている。彼女はぼくのノートをのぞきこんで、「なるほど」とつぶやいた。「ペンギンかわいい」とも言った。

ハマモトさんは肌の色がたいへん白いし、髪は明るい栗色なので、ヨーロッパの国から来た女の子のように見える。この四月から同じクラスになった人で、ぼくとはほとんど話したことがない。わざわざ彼女がぼくのノートをのぞきにくるのはたいへんめずらしいことである。それほどペンギンのニュースはみんなを驚かせたのだ。

ぼくは一日中、ペンギンのことを考えていた。

ペンギンはどこから来たのか。それが問題だ。

授業を受けながら、六つのペンギン出現仮説をノートに書いて検討した。ぼくがボールペンを走らせていると、先生が歩いてきてノートをのぞきこんで微笑んだ。先生はぼくが何について書いているか分からなかったと思う。ぼくは自分で考えた速記法を使っているからである。

午後になると、スズキ君が怒ってまわったせいか、ペンギン熱もだいぶ落ち着いた。教室の隅では、ハマモトさんがほかの子たちとチェスをしている。ハマモトさんはチェスを普及させるのに熱心である。スズキ君はコバヤシ君たちと教室の後ろの方であばれている。

ぼくがノートに書いたペンギン出現仮説を眺めていると、ウチダ君が歩いてきた。ウチダ君とは、この春に初めて同じクラスになった。ぼくと彼は探検隊を組織している。この探検隊の任務は、街を探検して秘密地図を作ることである。社会の授業でウチダ君といっしょに発表したのがおもしろかったので、ぼくらは地図を作ることを自分たちの任務にすることに決めた。

ウチダ君は「学校終わったら丘の給水塔にいく？」と言った。

「今日はだめなんだよ。学校が終わったら歯医者に行くから」とぼくは言った。「日曜日の午前中はスケジュールがあいているから、どうせなら日曜日にちゃんとやろう」

「うん。いいよー」

そうしてウチダ君はまたふわふわと自分の机にもどっていった。

ウチダ君がペンギンに興味があるのかないのか、それはわからなかった。彼はときどき寡黙になるのだ。

ぼくは彼としゃべるたびに、自分はおしゃべりすぎると反省の念がわいたりする。それだから、これからは寡黙になるぞと決意をあらたにするのだが、がまんできないのは困ったことである。ぼくはどうしてもしゃべりすぎる。えらい人というのは、もう少し寡黙であるべきだとぼくは考えるものだ。

○

学校からの帰り、ぼくは歯科医院によった。

ぼくが歯科医院へ通う理由は、ぼくの脳がたいへんよく働くからである。

ぼくの脳はエネルギーをたくさん使う。脳のエネルギー源は糖分だ。そういうわけで、甘いお菓子をついつい食べすぎてしまう。それなら寝る前にきちんと歯をみがけばよいのだけれど、なにしろ脳をよく働かすから、夜になると歯ブラシも持てないぐらい眠くなって、歯をみがいているひまがないのである。

でも、歯科医院に出かけるのはいやではない。ぼくはそこがとても好きなのだ。

歯科医院の待合室はいつもシンとして、薬の匂いがしている。魚のかたちをした銀色のモビールが天井からぶら下がっている。窓辺には人工の観葉植物があって、エアコンの風にいつもゆれている。白いソファは触るとひんやりするし、白い床は清潔でぴかぴかしている。透明のマガジンラックには、きれいな写真のたくさんのっている大きな雑誌がきちんとならんでいる。

宇宙船の発着所はこのような雰囲気だろうと、ぼくはいつも想像する。

○

歯科医院の待合室には一人だけお客さんがいて、治療室から聞こえてくる機械の音に耳をすましていた。それはスズキ君だった。彼はぼくを見てギョッとしたようだけれども、すぐになんでもない顔になった。

ぼくはいつも通りマガジンラックから雑誌を取り出し、ガラスのテーブルに広げて読んだ。

スズキ君は、ぼくらのクラスでもっとも声が大きくて力が強い。スズキ君配下の男子たちはスズキ君に絶対服従である。その仕組みが興味深いので、ぼくは「スズキ君帝国観察記録」をつけて研究を重ねている。

スズキ君はウチダ君やほかの男子にいじわるをすることがある。机に雑巾をつめこんだり、トイレに行くのをじゃましたり、口をきかないように子分に命令したり、ノートを落書きでめちゃくちゃにしたりする。スズキ君にとって、それが楽しいことであるようだ。でもスズキ君は間違っているとぼくは思う。なぜならば、自分の満足のためにほかの人にがまんしてもらうには、それなりの理由と手続きが必要だが、スズキ君たちは正当な理由も持たず、またその手続きを踏んでもいないからだ。

ぼくは雑誌をパタンと閉じた。スズキ君がびくりとした。

「スズキ君」とぼくが声をかけると、彼はもっとびくりとした。眉を寄せ、「なんだよ」と言った。

「君もあの病気？　顔色を見ればぼくには分かるな」

「あの病気って？」

「スタニスワフ症候群さ。歯の中にばい菌がいっぱいになって、歯をぜんぶ抜かないと治らないやつ」

「なんだよそれ。知らない」

「え？　知らないの。ぼくはもうぜんぶ抜いたよ。一度にぜんぶ抜くとごはんが食べられなくて死んでしまうから、毎週少しずつ抜くんだ。そうして抜いたところに人工の歯を差していく。君も同じ病気だな、おそらく」

「俺はそんな病気じゃないってば」

彼は怒った。「歯のつめものがとれちゃったんだ！　母さんが言ったぞ」

「母親はみんなそう言って安心させるものだよ。なぜならば、歯をぜんぶ抜くって言ったら、子どもがこわがって歯医者に行こうとしないから。でもこれから何をされるか、君には知る権利があるとぼくは考える」

「まじかよ……」

「病気の進行を食い止めるためには、歯を抜くしか方法はない。ばい菌が歯茎から体の中に入ると、顔がおまんじゅうみたいに腫(は)れ上がるよ。高熱が出て、歯の隙間から苦い味のエノキダケみたいなものが生えてくる。顔も別人みたいに変わってしまって、苦しんだあげく死んでしまうんだ。ヨーロッパから来た奇病で、今政府は大騒ぎをしているんだよ。新聞に毎日のってるじゃないか」

「俺、新聞なんか読まないもん……」

「だから先生に頼んで、早めに歯をぜんぶ抜くことを勧める。口にキノコが生えるよりマシだろ。一ヶ月ぐらい痛いのをがまんすればいいんだからカンタンだ」

　窓口から「スズキ君、どうぞ」と呼ばれた時、スズキ君帝国初代皇帝の顔は凍りついたように固まっていた。彼が診察室へ入っていった後、しばらくするとお姉さんが出てきた。閉じかけたドアの向こうから、スズキ君がしくしく泣く声が小さく聞こえていた。ぼくが雑誌を読んでいると、お姉さんはぼくのとなりに腰かけた。良い匂いがした。「こら、少年」と言い、お姉さんはぼくから雑誌を取り上げた。「なんであんなことを言うの、君という少年は」

「あんなこととは、なんですか？」

「このウソつき野郎。スズキ君に変なこと吹きこんだね。かわいそうじゃないの」

「かわいそう？　かわいそうなのはウチダ君です」

「だれ？　ウチダ君ってだれよ」

「教えてあげません。これはぼくらだけの問題だからです」

「この根性ワルが。はぐらかし方を覚えてきたな」

お姉さんは「ああナマイキナマイキ」と言うと、ソファにどっかりと腰を下ろして、雑誌を太ももの上でめくった。受付の人が「ねえ」とささやくと、誌面に目を落としたまま「ちょっと待って」と言う。「今この子に教育的指導をしてるとこ」

そのまま彼女は雑誌を読んでいる。

ぼくは手を膝（ひざ）に置いて、背筋をのばした。それからお姉さんの横顔をのぞき見た。彼女はいつも「海辺のカフェ」で本を読んでいるときのように、ふんふんと繰り返しうなずきながら、雑誌の記事を読んでいる。まるでぼくのことなど忘れているかのようである。時計がコチコチ鳴っている。受付の人は心配そうな顔をしている。ぼくはこのままお姉さんがサボっていると先生に叱られるのではないかと考えた。

「ぼくは少しおとなげないことをしたかもしれません」と言った。

「いや、君、オトナじゃないだろ」

お姉さんは顔を上げずに言った。「だから、好きにすればいいんじゃない？」

「スズキ君はウチダ君にひどいことをするんだけれども、でもウチダ君はぼくに何かしかえしをしてくれと言ったわけではないです。だからスズキ君に対してぼくがウチダ君の代わりにしかえしする権利はなかったんです。少なくともぼくはウチダ君と話し合ってから、こういうことをすべきでした」

「君もややこしい子だねえ……おお、あったあった。ねえ、見てごらん、これ」

お姉さんがじっと見つめているページには、岩場をうめつくしてならんだペンギンたちの写真がのっていた。お姉さんは鼻を鳴らし、「ペンギンってのも謎だね。わけが分からんねえ」と言った。その時、ぼくは朝のペンギン事件について、お姉さんに話してみようと思った。なにしろ事件現場は歯科医院のおとなりの空き地なのだ。けれどもお姉さんが「私はペンギンが好きよ。シロナガスクジラも好き。カモノハシもね」と言ったので、思わず「カモノハシ科カモノハシ属ですね」と言ってしまった。

「なにが？」とお姉さんはけげんそうな顔をした。

「カモノハシが」

「カモノハシが何だって？」

「ふうん、そなの。でもまあそんな事実も、彼らの妙なかわゆさの前ではどうでもよくなるよ」

「そうですね」

「これ、今のうちにもらっとこ」

彼女は雑誌のページをびりりと音を立てて破った。そうして、自分のものにした写真を眺めながら「これ、ちょっと君に似てるねえ」と言った。「ちっちゃいくせして気取っちゃって」

○

歯の治療が終わるころには夕陽がさして、街は金色になった。

歯科医院を出たあと、ぼくはとなりの空き地に入った。ペンギン出現地点をもう一度調査してみようと思ったのだ。サバンナみたいに草が風にゆれているだけで、ペンギンは一羽もいない。大人たちがトラックにのせて、どこかへ運んでしまったのだろう。空き地はいっそうからっぽになったみたいに感じられた。

空き地の真ん中までいって空を見上げると、自分がサバンナにころがっている石ころになったような気がした。とはいっても、これはあくまでたとえである。石ころの気持ちは、さすがのぼくにも分からない。

空はクリーム色のまじった水色で、宇宙科学館のプラネタリウムで見た空に似ていた。ドームのようにまるい空を、くっきりした飛行機雲が横切っている。飛行機雲の先端には小さな旅客機があった。じっと見つめていると、旅客機はすべすべした曲面を滑るように動きながら、今も飛行機雲をちょっとずつ延長しているのだ。

小さな銀色の粒がゆっくり動いて線を描いていくのがおもしろいので、ぼくはずいぶん長いこと空を見上げていた。おかげで首が痛くなった。飛行機雲があると、ついずっと見てしまう。ぼくはウチダ君といつの日かスペースシャトルの発射を見にいく約束をしたことがあったけれど、そんなに面白いものを見物したら、ぼくの首は当分もとに戻らないだろうと思う。

ペンギンたちは今ごろどうしているだろうか。なぜ彼らは急にこの街にやってきたのだろう。ひとつ、この事件を研究してみなくてはならない。

ぼくは名探偵シャーロック・ホームズみたいに手を後ろで組んで、ゆっくり歩いた。空き地の向こうには歯科医院の窓が見えていた。ふいにお姉さんが窓から顔をのぞかせて、ニッと笑った。

彼女はぼくのことを「ナマイキ」と言う。ぼくが小学生だと思って、油断しているのだろう。ぼくが日頃の努力の結果、めきめきと頭角を現していることを知らないのだ。

「なめてもらっちゃ困るな！」とぼくはつぶやいてみる。

草をゆらすひんやりとした風にのって、どこかの台所からおいしそうなカレーの匂いがただよってきた。それはひょっとすると、ぼくの家の台所からただよってきた匂いかもしれなかった。裏口のドアを開けて手をふる母の姿が見えるような気がした。

そのとたん、ぼくはお腹がすいてしまい、そのうえねむくなりさえした。

○

晩ごはんを食べながら母にたずねたら、やっぱりトラックがやってきて、ペンギンたちを連れていったそうだ。ペンギンたちが行儀良くならんでトラックに乗りこんでいく風景をぼくは想像した。

「お母さん、あのペンギンたちはどこから来たの？」と妹が言った。

「どこから来たのかしらねえ」と母はゆっくり言った。母はいつだってあわてないのだ。

「だれかが持ってきて捨てたのかしら。ペットを捨てる人がいるんでしょう？」

「捨てられたペンギンさんたちはかわいそうね」

妹はそんなことを言った。彼女には優しいところもあるのだ。

そうしてその日は終わったのだけれど、ペンギン事件は終わらなかった。

後日、トラックで運ばれたはずのペンギンたちが、途中で消えてしまったことが分かった。目的地に到着して、係員の人が荷台を開けると、ペンギンは一羽残らず消えていた。これはたいへんふしぎな事件だったので、新聞にものったぐらいである。ぼくはその記事を切り抜いて、ノートに貼りつけた。

そしておどろくべきことに、ペンギンたちはまたこの街に出現した。ぼくの記録によると、その週だけでも水曜日と金曜日にペンギンが目撃されている。

水曜日の事件はお昼に起こった。カモノハシ公園からペンギンたちが一列になって歩いてきて、車道を渡っているところに、乗用車が衝突した。ペンギンはボウンとはねてアスファルトをころころころがったけれども、平気で逃げていったそうだ。ペンギンたちはおそろしくがんじょうだということが明らかになった。

金曜日の事件は朝である。歯科医院と同じブロックのヨシダ家の庭にペンギンがたくさん入ってきたけれど、吠(ほ)えだした犬に怯(おび)えて逃げだした。ヨシダさんの犬はペンギンにかみついたけど、逆にきゃんきゃん鳴いたそうだ。初めてペンギンをかんだので、びっくりしたのだろう。

ぼくは学校の帰りにペンギン出現地点を何度もしらべたし、市立図書館でペンギンの生態について研究した。けれど有力な手がかりはつかめず、謎は深まるばかりだった。

○

土曜日は朝から多忙である。

ぼくはぐらぐらする乳歯を気にしながら机に向かい研究の整理をした。これまでに書いたノートを机に積んで、索引をつけたところを読み返す。これは重要だぞ、と思ったところを整理して、ノートにまとめる。これがぼくの研究のやり方である。そういうふうにすると、いろいろなことがわかってくる。索引は「スズキ君帝国」や「プロジェクト・アマゾン」「お姉さん」「妹わがまま記録」などたくさんある。

その日、ぼくはノートを点検して、新しい索引をつけた。「ペンギン・ハイウェイ」という項目だ。これはペンギンたちに関するメモにつける。ペンギンたちが海から陸に上がるときに決まってたどるルートを「ペンギン・ハイウェイ」と呼ぶのだと本に書いてあった。その言葉がすてきだと思ったので、ぼくはペンギンの出現について研究することを、「ペンギン・ハイウェイ研究」と名付けた。

午後はレゴブロックで宇宙ステーションを建造した。それからチェスの勉強をした。夜に「海辺のカフェ」で歯科医院のお姉さんとチェスをする約束をしていたからだ。

お姉さんはふざけたことを言ったりするけれども、本当はたいへん見どころのある努力家だ。なぜならば、土曜日の仕事を終えた後は、いつも勉強をしているからである。

何の勉強をしているのか分からないけれども、夕方から夜にかけて喫茶店の窓際に座り、ノートをとったり、本を読んだりしている。そういうときのお姉さんは少しまぶしそうに目を細めたり、眉(まゆ)をひそめたり、一人でうなずいたりする。

ぼくが「海辺のカフェ」へ出かける頃には、お姉さんの勉強もおしまいにさしかかっている。住宅地を抜けて道路に出て、明るく光っている「海辺のカフェ」が近づいてくると、いつもと同じ席にお姉さんの姿が見える。そういうとき、ぼくはなぜだかたいへんうれしくなるのである。

ぼくはきっちり一時間、お姉さんにチェスを教えてもらう。

同じクラスのハマモトさんはチェスを普及させようとしてがんばっている。ハマモトさんとチェスをしたことはないけれど、ぼくもずいぶん以前からチェスが好きである。正方形が規則正しくならんでいる盤も好きだし、城や馬のかたちをしている駒をつまんで動かすのも好きだ。そしてチェスをしながらお姉さんと話をするのも好きだ。ぼくはノートに書きためていたいろいろなことをお姉さんに教えてあげる。お姉さんは感心することもあるけれど、盤をにらんだまま「ふうん」と言う可能性が高い。「へえ」と言うことも時にはある。「すごいね」と言ってくれることはきわめてまれだ。

その日のお姉さんは空豆色のうすいセーターを着ていた。ぼくは盤から目を上げ、お姉さんのおっぱいを見ながら、まるで丘のように盛り上がっているなあと考えた。

「こら少年。チェス盤を見ろチェス盤を」

「見てます」

「見てないだろう」

「見てます」

「私のおっぱいばっかり見てるじゃないか」

「見てません」

「見てるのか、見てないのか」

「見てるし、見てません」

「将来が思いやられる子だよ、ホント」

チェスの一戦目はお姉さんが勝ち、二戦目はぼくが勝った。「伯仲してるね」とお姉さんは言った。

ぼくはペンギンについてお姉さんに講義をした。皇帝ペンギンやジェンツーペンギンなど、ペンギンにもいろいろな種類があること。ペンギンたちが卵をあたためるルッカリーのこと。ペンギン・ハイウェイのこと。お姉さんは「へえ」と言った。ペンギン事件のことはお姉さんも知っていて、「キソウテンガイだね」と笑った。「それで、君はどう推理するの？　ペンギンたちはどこから来たんだろ？」

「まだ情報が足りません」

「私は宇宙人が連れてきたんだと思う」

「可能性としては否定できないけれども、宇宙人がわざわざそんなことをする根拠が分かりません」

「侵略ね。ペンギンはかわいいから、それで地球人をたぶらかして、みんなが油断しているうちに国連本部を乗っ取るのだ」

「なるほど、筋は通りますね」

ぼくがそう言うと、お姉さんはこわい顔をした。「あんまり私を馬鹿にしないで。歯をひっこ抜くよ」

ぼくがもっと脳の働きをひかえて、夜おそくまで起きていられるようになればいいのだが、残念なことに、八時をまわると眠くてたまらなくなってくる。だんだんチェスの駒がぼやけてくる。ぼくがついウトウトすると、お姉さんは「こら」と言う。「眠いんでしょ？」

「眠くない」

「またウソをつく！」

「ぼくは脳をたくさん使うから、すぐ眠くなるのです」

「うらやましいなあ。私は眠れないことも多いからねえ」

「夜中まで起きてると、どんなふうですか」

「夜中というのはすごい神秘の世界よ。まあ、子どもは知らんでいいことよ」

お姉さんがチェスを片付け始めると、ぼくはたいへんかなしい気持ちになる。なぜだか分からないが、眠くなるとかなしくなる傾向がぼくにはある。

「早くおうちへお帰り。お迎えが今日は遅れてるね」

「まだいいんです。ぼくは起きてる」

「寝る子は育つって言うよ。眠れ、少年」

お姉さんは一人でうなずいている。「さっさと眠って、大きくおなり」

やがてカランとドアが開く音がして、父が迎えに来た。暗い夜の住宅地を一人で歩くのはあぶないので、ぼくは父が迎えに来るまで待つ約束になっているのだ。カランという音が聞こえると、ぼくのかなしさはますます大きくなるけれども、しかし眠さもまた大きくなる。もうどうしようもないしだいだ。

父はお姉さんに頭を下げ、お姉さんは微笑む。父を相手にするとき、お姉さんは大人になる。「お邪魔になりませんか」と父が言う。

「いえいえ。とんでもない。楽しいですよ。アオヤマ君はかしこいから」

「そうなんだ、ぼくは」

そしてお姉さんにオヤスミを言い、ぼくは父と二人で夜道をたどって帰った。

あんまり眠かったので、ぼくはその日、夜の歯みがきを忘れたようだ。まことに嘆かわしいことだ。もっと自律できるようになる必要があると思う。けれどぼくもいつかはこの眠さに耐えられる男になるだろう。そして歯みがきも怠らないようになって、白い永久歯をそなえた立派な大人になるだろう。

○

日曜日は朝八時に起きて、父といっしょに「海辺のカフェ」へ朝食のパンを買いに行った。

たいへん天気が良くて、まぶしい朝の陽射しでケヤキの葉が透きとおって見えた。父は四つの菓子パンと、大きなフランスパンを買った。紙袋に入ったあたたかいフランスパンをかかえるのはぼくの役割である。パンが湿気（しけ）てしまわないように袋の口が開いていて、いい匂いがする。

並木道を歩きながら、お姉さんはもう教会にいるのだろうかと考えた。お姉さんはカモノハシ公園のとなりにある小さな教会へ通っているからだ。ぼくは一度だけ中に入ったことがある。

家に戻って、父と母が朝食の支度をしているうちに、ぼくは妹を起こしに行った。彼女は放っておくといくらでも飽きずにねむっている。まだ赤ちゃんをきどっているのだろう。そうしてぼくが起こしに行くとわがままを言ってなかなか起きない。本当にあきれた子である。でも悪気はないのだ。

朝食のあと、父は仕事をすると言って「海辺のカフェ」に出かけた。そういうとき、父は方眼ノートや万年筆やいろいろな資料を詰めこんだ透明のケースを持って行く。ぼくもいつか、ああいう透明のケースに自分の研究をたくさん入れて、いろんな場所で自由に研究をしたいと考えている。

ぼくは二階の研究所（ぼくの部屋）にこもって、宇宙ステーション建造を続けた。本物の宇宙ステーションの写真を研究して、そっくりのものを作っている。しかし、ぼくの持っているブロックにかぎりがあることが悩みの種だ。もっと白いブロックが必要である。ぼくがいっしょうけんめいブロックを探していると、窓からあたたかい風が吹きこんできて、母と妹がいっしょに庭いじりをしている声が聞こえてきた。

母と妹と三人で昼食をすませた頃、探検に行く約束をしていたウチダ君が来た。

ぼくは探検に出かけるときにいつもリュックを背負っていく。方眼ノート、方位磁石、小さな毛布、折りたたみ傘、甘くした紅茶を母が入れてくれた魔法瓶、非常食が入っている。非常食は父がアメリカに出張したときに買ってきてくれた、たいへんおいしくて栄養豊富なビーフジャーキーが少し。でもこのおいしい非常食は本当に非常のときにしか食べてはいけないのである。非常食というものはさみしい。

「気をつけていってらっしゃい」

母と妹が見送ってくれた。

ぼくらは探検に出発し、住宅地を抜けていった。日曜日の午後の住宅地はたいへん静かで、太陽の光はあたたかい。生け垣の隙間から出てきた猫が足を止めて、ぼくらを見た。

歩きながら、ぼくらは宇宙のことについて語り合った。

ウチダ君は宇宙の誕生とか、インフレーション理論とか、ブラックホールとか、そういうことについてぼくに教えてくれる。ぼくはスペースシャトルや宇宙ステーションや宇宙エレベーターについてしゃべる。ぼくが丘の上の給水塔が好きなのは、給水塔が地球脱出船みたいに見えるからだ。ぼくが宇宙船で遠い星に行く話をしていると、ウチダ君はその宇宙船がブラックホールに飛びこむことを心配する。彼はブラックホールのことをいつも考えている。「お風呂(ふろ)の水を抜くときって、ブラックホールみたいでこわいなあ」と言っていた。ウチダ君はおもしろい。

住宅地の東には丘があって、そこに大きな給水塔がある。丘の周辺にはまだ開発されていない森が広がっている。森のまわりはどこに抜けられるか分からない小道が縦横に走っていた。その一帯の地図を作ることは、ぼくらの重要な任務でもある。

ぼくらは給水塔のある丘に続くコンクリートの階段を上っていった。高いフェンスが張り巡らされていて、給水塔と大きなまるいタンクが見えた。子どもが溺(おぼ)れている絵を描いた立ち入り禁止の札が、いたるところにぶら下がっている。ちょっとドキリとする札だ。

◯

給水塔の後ろは奥深い森である。

あたたかい風が丘をかすめていくたびに、森がゆれた。ゴウッとはげしい風が渡っていったあと、透きとおった緑の森は、さあさあといつまでも小さな音をさせていた。

ウチダ君が給水塔の写真を撮るというので、ぼくらはめいめい個別の調査活動に入ることにした。ウチダ君は撮影地点を求めてうろうろしだした。ぼくは丘から見渡せる街の様子をノートに記録することにした。

遠くには県境の山々が連なっている。あちこちに緑の丘が盛り上がっている。びっしりとならんだ家々の屋根が、陽射しを浴びてキラキラしている。山の斜面に建つショートケーキのようなマンションが見える。お姉さんがお祈りに通っている教会の尖った屋根も見える。とりわけ目立つのは、大きなショッピングセンターである。それらの間を縫うようにして道路が延びて、そこを流れる光の粒は自動車たちだ。丘の上から見ていると、街路樹や遠くの丘をおおう森がざわざわとゆれているのが見えた。音はこちらまで届かないけれども、風が街を渡っていく様子が明確に観察できる。

ぼくはこれらのことをノートに書きこんだ。

やがてウチダ君がぼくのとなりに来て座った。ぼくらは紅茶を飲んだ。

この街には丘がたくさんある。まるで青い空の下にやわらかに盛り上がる緑のおっぱいのようだとぼくは思った。抜けかけてぶらぶらする乳歯をつまみながら、おっぱいについて考えた。

おっぱいというものは謎だと、ぼくはこのごろ、しきりに思うのである。ぼくがしばしば考えてしまうのはお姉さんのおっぱいだが、なぜ彼女のおっぱいは母のおっぱいとはちがうのだろうか。物体としては同じであるのに、ぼくという人間に与える印象がなぜこんなにもちがうのだろう。母のおっぱいを思わず見ているということはないけれども、お姉さんのおっぱいを思わず見ていることがぼくにはある。いくら見ていても飽きないということがある。触ってみたらどんなだろうと思うことがある。考えれば考えるほど自分の気持ちがふしぎになる。これが自分を観察するということであろうか。

ぼくはそういうことをウチダ君にしゃべってみた。「どう思う、ウチダ君？」

「ぼくはなんにも知らないよ」

ウチダ君は給水塔を見上げながら少し耳を赤くした。

そこでぼくらは休憩を終えて、探検に出ようと立ち上がったのだが、どこからか聞こえてくるキウキウギシギシいう音に気づいた。風が森を鳴らす音とはちがっていた。なんだろうと二人であたりを見まわしていると、森へ通じる小道の奥から、ペンギンたちがよちよち歩いてきた。

「ふにゃ！」とウチダ君がヘンな声を出した。

○

給水塔の裏から、森をぐねぐねと抜けていく小道は、ペンギンだらけだった。

翼をパタパタさせて走ってくるペンギンもいれば、木漏れ日を浴びながらぽかんとしているペンギンもいる。ウチダ君といっしょに、「ペンギン・ハイウェイ」を逆向きにたどりながら、ぼくはいささか興奮した。最近住宅地を騒がせているペンギンたちはどこから来るのか、その謎を解くことができると考えたからだ。ぼくらの探検目的は、急遽「ペンギン・ハイウェイ調査」に変更された。ごうごうと風にゆれる森も、地図のことも、給水塔のことも、おっぱいのことも忘れて、ぼくらは歩いていった。

「七！　八！」とウチダ君が叫ぶ。

「九！　十！　あ、十一、十二、十三！」とぼくが叫ぶ。

ペンギン数はあっという間に二十を超えた。

ぼくらの足はだんだん速くなって、ほとんど駆けるようになった。小道が細くなっているところでは、たくさんのペンギンが押しくらまんじゅうをするように身を寄せ合っていた。そこまでくると、もう数え切れない。ぼくとウチダ君が駆けていくと、ペンギンたちはよちよちと道をあけた。

そこから先へ進むとペンギンの数はかえって少なくなってきた。

ぼくはこの森の奥に、ペンギンのルッカリーがあって、彼らはそこから街へ下りてくるのだと推理したのだけれども、そんな気配はなかった。小道は、ふいにまた折れ曲がって、スタンドのある大きな市営グラウンドのネット裏をのびていた。緑のネット越しに見えるグラウンドに人影はなくて、がらんとしていた。一羽のペンギンが木にもたれかかるようにして、ひとやすみしていたけれど、仲間の姿は見えなかった。

「こっちじゃないのかなあ」とウチダ君が言った。

ぼくらはあきらめきれずにグラウンドの裏を伝っていった。あたりはシンとしている。雑木林の奥に、どこから入ってきたのか分からない軽トラックの残骸が置き去りになっていた。

やがて草の生いしげった平坦な荒れ地へ出た。

高圧鉄塔が抜けるように青い空へそびえている。荒れ地の東は森に面している。草をかき分けて北側へ行ってみると、コンクリートで舗装された急斜面になっていて、長い階段が下へのびている。眼下には二車線道路があって、その道を渡った向こうにはバスが方向転換する広場がある。そこがバス路線の終着駅で、つまりぼくらの街の果てだ。ペンギンは一羽もいなかった。

ぼくらは荒れ地を見回してぽかんとした。夢中でペンギンを追いかけてきたのが、なんとなく恥ずかしい感じだ。流れてきた雲のかたまりが陽射しをさえぎって、あたりが薄暗くなった。ぼくとウチダ君は高圧鉄塔の前で、今後の方針を相談した。

「ペンギン、どこから来たんだろ」とウチダ君は高圧鉄塔を見上げて言った。

ぼくは荒れ地の向こうにある森を見た。「もしかするとぼくらは途中でペンギン・ハイウェイをはずれたかもしれない。ペンギンたちは森の奥から出てくるのかもしれない」

ぼくらは草の上に作りかけの地図を広げて、ペンギンたちがどこからやってくるのか議論した。

座りこんで夢中になっていたので、ぼくらはスズキ君とその配下二人が自分たちを取り囲んでいることに気づかなかった。ふと足音を聞きつけて顔を上げたウチダ君が、泣きそうな顔をした。

スズキ君はニヤニヤしながら、ぼくらの方へ寄ってきた。そうして「うわ、ウチダがいる」とイヤそうに言った。ウチダ君は何も言わずに後ずさりした。

スズキ君はぼくをにらむと、「おまえなあ」と言ってぼくの肩をつかんだ。彼の身長はぼくとほぼ同じだけれど、ちょっと太っている。「ウソつきめ。殺すぞ」

「ウソってなに？」

「歯医者でへんなこと言ったろ」

「それは君が歯医者さんで泣いたときの話かい？」

「こいつ！」

スズキ君は赤くなってぼくの肩を突き飛ばした。「ウソばっかり言うな！　殺すぞ！　死ね！」

ぼくは少しよろけて踏みとどまった。

「君は本当に殺したいぐらいぼくが憎いのか？　でもぼくを殺したって、君にはなんの得にもならないよ。ぼくはやすやすと殺されたりしないし、死ぬ前に君の目玉をえぐりとったり、耳を食いちぎるぐらいのことは可能だ。これはたいへん痛いと思うよ。それに君は警察につかまるだろう。君のお父さんやお母さんも泣くだろう。目と耳をなくして牢屋(ろうや)に入ってもかまわないというぐらい君がぼくを憎んでいるのなら、それはもうぼくもやむを得ないと思う。残念だけれど、ぼくだって全力でしかえしするぞ」

ぼくが意見を述べると、スズキ君は少しぼうぜんとしたみたいだった。それから「うるさい」と言った。「わけのわかんないことばっかり言うな」

「ぼくは君を説得しているのだ」

「うるさい」

「でも、たしかにこないだは悪いことをしたよ。だから君には謝る。ごめんなさい。君にも悪いことをしたし、ウチダ君にも悪いことをした」

ぼくが頭を下げると、ウチダ君がびっくりして「なんのこと？」と言った。

「歯科医院で、ついぼくはスズキ君をこらしめようとした。ぼくはウチダ君に頼まれてもいないのに、スズキ君にしかえしをしてやろうと思ってしまった。しかえしする権利をウチダ君から認められていないのに、ぼくが代理人としてスズキ君にいじわるをするのは、これは反則だった。ちゃんとウチダ君に認めてもらって、スズキ君にそのことを宣言した上で、いじわるをすべきだったと反省する」

「なんだか分かんないよ」

ウチダ君は困った顔をした。

スズキ君は「だまれ」ともう一度低い声で言ってから、ふいにへらへらと笑いだした。

そうして配下に命じて長い紐を取り出させた。「今から刑を執行する。おまえら二人ともだ」

ウチダ君がぼくの腕をギュッとつかんだ。

「いやだ」とぼくは言った。「ぼくらは多忙なんだ」

そのとたん、へらへら笑っていたスズキ君が急にこわい顔をして、飛びかかってきた。ウチダ君が悲鳴を上げて逃げた。ぼくも逃れようとしたけれど、スズキ君に髪をつかまれてしまった。

スズキ君はぼくの髪をつかんで引きずり回した。これはたいへん痛かった。

「ちょっとスズキ君、痛いよ！」とぼくは言った。スズキ君は「こいつ！　こいつ！」とわめいている。毛根がこわれて髪が生えなくなってしまったらスズキ君の責任だ。ぼくがスズキ君の股間を握りしめて、髪から手をはなすようにうながすと、スズキ君は「キャア！」とさけんだ。ぼくは力の抜けたスズキ君を突き飛ばした。彼は荒れ地にころがりながら「チクショウ！」とうめいた。「殺せ！　殺せ！」

ぼくは「ウチダ君！」と叫んだ。リュックを背負い、地図を握って、荒れ地の北へ駆けだした。「逃げよう！　ここはいったん退却！」

ぼくとウチダ君は風雨にさらされた長いコンクリートの階段を駆け下りた。

本来ならば逃げ切れるのだけれど、ぼくは階段の下にころがっていたコーラの空き缶に足をとられて転んでしまった。すかさずスズキ君たちがぼくの上にのっかってぐいぐい押さえてきた。「重いよ！」とぼくは言った。ウチダ君は、住宅地の方へ続く人気(ひとけ)のないアスファルト道路をものすごい速度で走って行く。ウチダ君が無事に逃げることができたのは不幸中の幸いだ。

　ぼくはアスファルト道路の向かいにあるバスターミナルへ連行された。バスターミナルと言ってもぼくらが登校前に集まる公園ぐらいの広さで、隅に小さなプレハブの待合室と、コーラの自動販売機がぽつんとあるだけである。

　スズキ君は紐を持っていて、ぼくを「気をつけ」の姿勢のまま自動販売機に縛りつけた。それはスズキ君帝国の有名な刑罰の一つで、ときどきいろいろなものに縛られている男子を見かける。スズキ君が先ほどのしかえしにぼくの股間をギュッとしたので、ぼくは「うむ」と言った。

　スズキ君は配下に命じてぼくのリュックをさかさまにし、路上へ中身をぶちまけた。甘い紅茶の入った魔法瓶は、バスターミナルの裏にある森に投げ捨てられた。ぼくとウチダ君が制作した地図はスズキ君のポケットへおさまった。そしてスズキ君はぼくのノートをアスファルトに置いて、その上から皆で順番におしっこをかけた。ノートはたいへんかわいそうな具合になってしまった。

「ざまみろ」

　そう言ってスズキ君帝国皇帝は引き上げていった。

ぼくは自動販売機に縛られたまま、じっとしていた。スズキ君の部下のコバヤシ君がたいへん上手に縛ったので、「気をつけ」の姿勢から身動きがとれなかった。ぼくはコバヤシ君の腕前に感心した。

○

きれいな陽射しが照らすバスターミナルにはだれもいない。日曜日の昼間なのでバスも当分来ないだろう。ぼくは風の音に耳を澄ました。だれかが助けてくれるまで待っていよう、それまでにできることをしようとぼくは考えた。

体を動かして、ポケットに手を入れることに成功した。ポケットの中には、特別に作った小さなノートと、父に買ってもらった超小型ボールペンをいつも入れてある。ぼくは練習を重ねたから、今ではポケットに手をいれたままメモができるのだ。

ぼくはアスファルトにころがっているノートを見た。スズキ君たちのおしっこにぬれて、午後の陽射しにきらきら光っている。記憶をたどって、ノートの内容をメモする作業を始めた。コピーを作るのだ。

ヒバリがかわいく鳴きながら、空高く上っていく。やわらかくてあたたかい風がぼくの髪をなでた。たいへんすがすがしい午後だ。ほかに何もできないと、乳歯がぐらぐらするのがたいへん気になる。ぼくはわずかにひっかかっている乳歯をぐいぐい舌で押した。空はこんなに青いのに、ぼくはこうして一人ぼっちで、乳歯をぐらぐらさせ、大人への階段をのぼっていく！　この思いつきが詩のようだったので、ぼくはメモした。いずれ詩も書こう。ぼくには詩人になる才能さえあるかもしれないのだ。

ぼくはぐらぐらする乳歯の存在を忘れるために歌を歌うことにした。ほかに思いつかなかったので、季節はずれのジングル・ベルを歌うことにして、「ランランラーン」とやった。「ランランラーン」

そうすると笑い声が聞こえた。まったく気づかなかったけれども、自動販売機のとなりにある待合室に人がいたのである。でもその笑い声を聞いただけで、その人の正体がぼくには分かった。

やがて、お姉さんがゆらりと出てきた。彼女は青空の一部がちぎれたような、青い洋服を着ている。ハンドバッグを持っている。眠そうな顔に微笑みを浮かべて、髪は少し乱れていた。

お姉さんは陽射しの中へ出てきて、もう少しでぼくのノートを踏みそうになり、うわっとよけた。そして本当は分かっているのに、今初めてぼくの存在に気がついたような顔をした。

「なにしてるの、少年」

「自動販売機ごっこです」

「楽しいの、それ？」

「あんまり楽しくはない」

「君も謎だな」

お姉さんは笑った。「本当はスズキ君にしかえしされたんでしょう。あんなウソをついた君が悪い」

「ずっとそこにいたのなら、助けてくれてもいいのに」

「だって、君は助けてくれって言わなかったもの」

「お姉さんが正しいことを認めます」

ぼくは言った。「何をしているんですか？」

「駅前に行こうかと思ってバスに乗りに来たんだけど、しんどくて面倒臭くなっちゃった。それで待合室で座ってたらうつらうつらして。ときどき、あるのよ」

お姉さんは紐をほどいてくれた。自由になったぼくは被害状況をしらべた。リュックは踏んづけられてへしゃげていたけれども、無事だった。森の中に投げられてしまった魔法瓶もなんとか見つけることができたけれど、ノートはびしょびしょで救いようのない状態になっていた。

お姉さんは「よくこんなひどいことを考えつくね」と感嘆したように言った。「スズキ君もかわいいくせに、なかなか悪いやつだねえ」

「皇帝ですから」

「なにそれ」

乳歯がぐらぐらするのでぼくが指でつまんでいると、お姉さんが「抜いてあげようか」と言った。

「けっこうです。ぼくは自分で抜くことにしています」

「悪いようにはしないってば。実験よ」

「そうか。実験は好きです」

お姉さんはハンドバッグからソーイングセットを取り出すと、糸を切り、ぼくのぐらぐらする乳歯にくくりつけた。そのとき彼女の髪が風に吹かれて、たいへん良い匂いがした。「さあ、少年。この糸を私がひっぱる。そうすると抜けるからふしぎだ」と言った。

けれどもお姉さんが糸をひっぱるとぼくは的確な動作でそれに応じるので、歯は抜けなかった。彼女がバスターミナルの中をうろうろするのに従って、ぼくは彼女の衛星のようにうろうろした。お姉さんは「こら」と言った。

「ついてきたらダメでしょうが。じっとしておきなさい」

ぼくは歯を抜くのがこわかったのではない。ただ体が勝手に動いてしまうのである。

お姉さんは赤い自動販売機の前に立ち、「いいこと考えたよ」と言った。小銭を入れて、ぴかぴかしたコーラを買った。「これをよく見ているのよ」と、コーラの缶をかかげて見せた。そしてお姉さんは糸をピンと張ったまま、その缶をぼくの右上へ向かって放り投げた。ぼくは鮮やかな青空をすべる赤い缶を目で追ったけれども、顔はほとんど動かさなかった。こんな工夫で歯が抜けるわけがないのである、と思った。

円筒形の缶は回転しながら青空をよぎる。自転を利用して内部に引力を作り出す宇宙船のようだ。ところが、視界から消えそうになった真っ赤な缶が、ふいに氷結したように白いものにおおわれだしたので、ぼくは「おや」と思った。

その現象は缶の下部、「Coca-Cola」の「la」の部分から始まり、海上を津波が進むように缶の側面を浸食していく。いったん白くなった部分が泡立つように見えたと思うと黒く変色する。全体がプウッと息を吸いこんだように大きさを増す。はじけるようにして真っ黒な翼が側面から飛び出す。その時点で、コーラの缶は白黒の空飛ぶ空き缶（大）に変態している。全体はさらにふくれ続け、回転を続けるうちに高度を下げ、先端がまるみを帯び、クチバシができ、ばたばたと翼を動かすような仕草をしながら、バスターミナルの中央へ着陸して、ころころころがる。もたつくようにして起きあがったコーラの缶は、もうコーラの缶ではなかった。

黒い翼を不器用に振りながら、「コーラの缶だったもの」はよちよちと少し歩いてみて、それから「ここはどこ？」と思案するかのように青い空を眺めて立ちつくした。それが「ペンギン誕生」の瞬間であったのだ。

ぼくはしばらくそのペンギンを眺めていたけれども、ふいに口の中に広がる血の味に気づいて、お姉さんをふりかえった。自動販売機の前に立っているお姉さんはもう一本買ったコーラを飲みながら、抜けたぼくの乳歯をつまんでかかげている。「ごらん、抜けたわ」と言った。ぼくは血の混じったつばをアスファルトへ吐いた。お姉さんがミネラルウォーターを買ってくれたので、ぼくは少しずつ口にふくんで血を洗い流した。

「あれは、なんですか」

ぼくは言った。

お姉さんは「ペンギンでしょ」と言い、抜けた乳歯をぼくの手のひらにのせてくれた。そして彼女はコーラを飲みながら、ペンギンのところへ歩いていった。ペンギンはよちよち歩いてきて、お姉さんの足に衝突しておろおろしている。

風に吹かれながら、お姉さんはまぶしそうに額に手をかざした。

「私というのも謎でしょう」

お姉さんは言った。「この謎を解いてごらん。どうだ。君にはできるか」

○

夕方、ぼくは「海辺のカフェ」に行った。

県境の山向こうから射す光が、ドームのような空に浮かぶ雲を桃色にしていた。街がまるごとプラネタリウムの中にあるみたいだ。道路わきにある「海辺のカフェ」は、海辺にあるふしぎな研究所みたいに明るく輝いていた。

窓辺のテーブルで父が書類を広げて仕事をしていた。

邪魔をするのは悪いと思ったけれども、ぼくはどうしても父と話がしたかったので、父の向かいに座った。けれどもぼくは自分が目撃した現象について、うまく説明できる自信がなかった。そして座ったとたん、たとえ相手が父であっても、これを自分とお姉さんだけの秘密にしておきたい気分になりさえした。

ぼくが寡黙になるのはめずらしいことなので、父は少し驚いたかもしれない。父は万年筆で方眼ノートに図形を描きこんでいたけれど、やがてノートから顔をあげて、眼鏡の向こうからぼくを見た。

「どうした？　何かあったのかい」と父は言った。

「父さん。ぼくは驚くべき現象を発見した」

ぼくは言った。「でも客観的な証拠がないから、今は何も言えない。もう少し検討を要するとぼくは考える」

「何かヒントをくれないか」

「歯科医院のお姉さんのこと」

「もう少し」

「うまくいえないけれど、お姉さんはとてもふしぎで面白い。たいへん興味がある」

父は「なるほど」とうなずいた。

「それはすてきな課題を見つけたね」

そして父は、少しだけ苦い味のするチョコレートをくれた。

○

ぼくはたいへん脳を使う生活をしているから、夜は妹よりも早くねむってしまうぐらいである。そのかわり朝は早い。太陽がのぼるよりも早いことがある。近隣の小学生のうちでは一番だと自負するものだ。

ベッドの右側には大きな窓があり、空色のブラインドが下がっている。朝になると、ブラインドにさえぎられた朝の光がぼんやりとした光の縞を作る。

その日の朝に目覚めたとき、部屋はひんやりと青くて、水の中にいるようだった。

ぼくはベッドの中で、自分が浅瀬にぽつんと生まれたばかりの生命体だったらどんなものだろうと考えた。

四十億年も昔に、岩場の小さな水たまりで、初めての生命がぽつんと生まれた。水の中をゆらゆらただよっていた。生まれたばかりの生命は本当に小さくて、それがだんだん大きくなって、複雑になって、ある生き物は絶滅したし、またある生き物は繁栄したりして、今みたいな世界になった。

ぼくらはお父さんとお母さんから生まれた。お母さんとお父さんはそれぞれのお父さんとお母さんから生まれた。シロナガスクジラも、シマウマも、ペンギンもそうだ。生命はみんな、生命から生まれる。でも気が遠くなるぐらい昔にさかのぼると、どこかで、お父さんもお母さんもいないのに生まれた子どもがいるのだ。

ぼくとウチダ君は生命の起源についても話しあったことがある。ウチダ君は「考えてると頭の奥がつーんとするね」と言った。

地球最初のふしぎな子どもは、どうやって最初の壁を飛びこえたんだろう。これはたいへん重要な問題であると思う。ひょっとすると将来、ぼくの研究によってすべてが明らかになったら、ぼくはノーベル賞をもらうかもしれない。

そんなふうに全地球規模の考えごとをしながら、自分の部屋を見ているのがぼくは好きである。作りかけの宇宙ステーションが見える。本棚には父に一冊ずつ買ってもらった本や、研究成果を整理しているノートがならんでいる。本棚の上に置いてあるのは、クリスマスイブにもらった紙製のトリケラトプスの骨格模型だ。机の上には入学祝いに祖父からもらった地球儀もある。探検用のリュックや、ランドセルが机のわきに置いてある。新しいノートは忘れないように昨日のうちに机に出しておいた。

一階のリビングルームで父と母が話をする声が聞こえてきた。食器が鳴る音が聞こえる。父が朝食をとっているのだ。ぼくはこの音を聞きながら、これからの一日の計画を立てるのがたいへん好きだ。その日の朝はとりわけ、いつもよりもずっと楽しい気がした。

「なんでだろう?」と考えるうちに、ぼくはペンギンとお姉さんのことを思いだした。

ぼくはすごい研究を始めたのであった。そうとも。

そうするとぼくはすっかりうれしくなってしまい、ベッドから跳び起きたくなった。

そのとき、ちょうどめずらしく早起きした妹が「お兄ちゃん起きろ!」と部屋に飛びこんできた。彼女はぼくがとっくに目を覚ましていたことを知らないのだからいい気なものだ。ぼくはベッドの中で地球規模の壮大なことを考えていたというのに。

妹はベッドに飛び乗ってカンガルーの子どものように跳びはねた。ぼくは反撃して、彼女をすっかり毛布でくるんでしまった。妹は身動きがとれないと分かると、「出して！　出して！」と泣き声をだした。かわいそうになって毛布から出すと、すぐに彼女はケラケラ笑って、「お兄ちゃんの歯抜けジジイ！」と叫んだ。

兄の威厳を示すというのは、とてもむずかしい仕事である。

○

学校にいる間も、ぼくはペンギンとお姉さんについて研究を進めた。

新しいノートにペンギンの絵を描き、お姉さんがコーラの缶からペンギンを産みだしたときの状況をできるだけ細かく分析した。どこにお姉さんの秘密があるのだろうと考えた。しかし、ぼくがペンギン誕生を目撃したのは一度きりだし、もっとたくさんのデータが必要だ。お姉さんに協力してもらわなくてはいけない。「今日の帰りに歯科医院によったとき、お姉さんに頼んでみよう」と考えた。

休み時間にウチダ君がやってきて、ぼくの机の前にだまって立った。ウチダ君は寡黙な人だけれど、その日はいつもよりもずっと本格的な寡黙ぶりだった。ふしぎに思っていると、彼は「アオヤマ君怒ってる？」とヘンなことを言うので、ぼくはたいへんおどろいてしまった。「なんで？」

「日曜日、ぼくはアオヤマ君を見捨てて逃げたから」

「怒ってない。ぼくは五歳になったときから、決して怒らないのだ」

「でもね」とウチダ君はうつむいた。「ぼくは本当に逃げたからね。あれはあんまりよくなかったな！」

「あれはかしこい判断だった。あのときウチダ君がもどってきても、二人いっしょにつかまるだけだった。だから君がつかまらなかっただけましだったとぼくは考える」

「そう？　ぼく、かしこかった？」

「かしこかった」

「それはよかったよ」と言って、ウチダ君は元気になった。

教室の隅にスズキ君たちと女の子たちが集まってわいわいしていた。ウチダ君が「ハマモトさんがスズキ君とチェスをしているよ」と教えてくれた。「スズキ君が挑戦したんだ」

「めずらしいことだね」

「スズキ君がバカにしたから、ハマモトさんがチョーハツしたんだってさ」

「スズキ君も困った人だなあ！」

ぼくのノートがスズキ君たちのおしっこだらけになったことや、探検地図をとられたことを話すと、ウチダ君はたいへんくやしがった。「ひどいことをするなあ！　本当に！」

「でもノートはコピーを作ったから安心だ。探検地図はまた描き直せばいい。スズキ君から取り返すよりも、新しく作ったほうが効率的だと思うんだ」

「アオヤマ君はスズキ君にも怒らないんだね」

「怒りそうになったら、おっぱいのことを考えるといいよ。そうすると心がたいへん平和になるんだ」

「ぼく、アオヤマ君はえらいと思うけども……でも、あまりそういうことを考えるのはよくない」

「おっぱいのこと？」

「分からないけど。でも、よくないような気がするな」

「ずっと考えているわけではないよ。毎日ほんの三十分ぐらいだから」

その日は、休み時間のたびにスズキ君がハマモトさんにチェスを挑んだ。スズキ君はハマモトさんの気を散らそうとしたり、駒をごまかそうとしたり、いろいろな妨害工作をしていたけれど、どうしても勝てない。ハマモトさんは強かった。放課後には、真っ赤になっているスズキ君と、すました顔でチェス盤を見ているハマモトさんのまわりに、クラスの子たちが集まった。チェス盤をのぞいてみると、スズキ君は救いようがないぐらいの劣勢だった。彼がさんざん考えて一手を指しても、すぐにハマモトさんは次の手を指してしまう。まるでチョコレートをならべる女の子型ロボットみたいに正確な動きだったものだから、ぼくはおおいに感心した。

ふいにスズキ君がチェス盤から顔を上げた。「なんだよ！」と彼はぼくに怒った。

「なんでもないよ。見ているだけだよ」

「見るな！　見るな！」

スズキ君は「アオヤマのせいで気が散った」と主張して、チェスの駒をぐしゃぐしゃにした。そしてコバヤシ君たちを引きつれて教室から出て行った。ぼくもあきれてしまったぐらいだけれど、ハマモトさんはチェスの駒をぐしゃぐしゃにされても怒らなかった。駒を一つ一つ箱に片付けながら、「しょうぶにならないな！」と野原で歌うみたいにつぶやいている。「ハマモトさんは強い」という点で、ぼくとウチダ君の意見は一致した。

その日は帰る途中でウチダ君と別れてから、歯科医院によった。

ぼくはいつも通り白いソファに座って、マガジンラックから取ってきた雑誌をテーブルに広げた。雑誌に宇宙論の特集があるのを見つけたので、ぼくは熱心に読んだ。きれいなイラストと文章が何ページも続いていた。ぼくは宇宙のことにくわしいと自負しているけれども、そんなぼくにもいささかこの文章はむずかしかった。「これはもっと身を入れて研究する必要があるぞ」と考えた。歯の治療が終わったあとにぼくがそんなことをしゃべると、先生は「持っていっていいよ」と言った。歯科医院の先生は、ぼくの研究に協力的だ。

「お姉さんはお休みですか？」

「体調が悪いらしい」と先生は言った。「心配かい？」

「心配しています」

先生は何も言わずに笑って、ぼくの頭をぽんとたたいた。

待合室に戻って待っていると、受付の人が「葉書をあずかってるよ」と言った。白い雪におおわれた地面にペンギンがぽつんと立っている写真の絵葉書だった。ペンギンに向いた矢印が書いてあって、「ここに君が立ってる」とメモがあった。お姉さんの字だった。

○

ぼくが見た夢のメモ。

お姉さんが岩でごつごつした海辺に立っている。あたりはがらんとしていて、植物は一本も生えていない。そこはカンブリア紀の海なのだということを、ぼくは当然みたいに知っている。夢の中というのはふしぎにいつもそんなふうだ。海の果てには、アフリカのドキュメンタリー番組で見たみたいな稲妻がピカピカ走っている。空は紺色だけれども、うっすらと明るい。ぼくがこの街の小学生のだれよりも早起きして、ブラインドの隙間から見る空の色だ。

岩のくぼみに立っているお姉さんの顔はよく覚えている。彼女はとてもねむそうで、さみしそうだ。彼女は足もとにころがっている石をひろった。その石は表面がつやつやしていて、まるでアルミニウムでできているみたいだった。彼女が手のひらにのせてころがすと、かたく、冷たく、光るのだ。お姉さんはその石をおっぱいであたためるようにして抱く。やがてじゅうぶんにあたたまったのを見はからって、彼女はその石を海に投げる。石は回転しながらピカピカ光り、ブルブルと水風船みたいに振動し、次の瞬間に膨張した。銀色に光る大きな泡が次々と石の表面に浮かんできて、一つの泡がべつの泡をおしのけたり、飲みこんだりする。まるではげしい化学反応が起こっているようだ。石はどんどん大きくなって、ついにはぼくよりも、お姉さんよりも大きくなる。海面に落ちても、まだまだふくらみ続ける。

やがて銀色の大きなシロナガスクジラが現れる。そのシロナガスクジラが進化してぼくらになったんだな、というふうにぼくはなぜか納得する。お姉さんがぼくらを作ったんだと考えるとうれしい。それなのに、お姉さんはねむそうで、さみしそうだ。なぜそんなにさみしそうなのか教えてほしいとぼくは思う。

○

小学校の敷地は、一辺が百八十メートルの大きな正方形である。

三年生だったときの九月から十月にかけて、ぼくは正方形なものを研究していた。ぼくは街にある正方形なものを見つけるたびに記録していた。正方形が大好きであったので、地平線まで方眼紙みたいに正確に街が区切られていたらどんなにステキなことだろうか！　と思ったぐらいである。

やがてぼくは三角形や円や曲線の研究も始めたが、今でもやはり正方形が一番ステキであると信じるものだ。ぼくは方眼紙が好きだし、正方形の空き地を見つけるとうれしくなる。自分の通う小学校が正方形の敷地の中にあって、校舎が「ロ」の字の正方形であることはよろこばしいことだ。

ぼくとウチダ君は、小学校の敷地の外側を一周したことがある。

放課後に先生たちに見つからないように用心して、校庭のフェンスの裏や、がらんとした草地や、駐車場を通りぬけたのだ。その探検によって、ぼくらは大きな正方形がきちんと正方形であることをたしかめた。そして焼却炉の裏に、正門とはべつの出入り口を見つけた。ブロック塀に小さな正方形の扉があるのだ。学校のとなりに広がる草地には、水路があることも発見した。

ぼくらはこれらの発見を地図に書きこんだものだ。地図はスズキ君にとられてしまったけれど、発見したことは脳にちゃんと記録されている。

○

水曜日は学校が早く終わるので、ぼくとウチダ君は水路をたどってみることにした。

どこから流れてくるのか、水源を突き止める調査だ。ぼくがその計画に「プロジェクト・アマゾン」と命名すると、ウチダ君はたいへんよろこんだ。「ペンギン・ハイウェイ」の研究が進められないことは残念だけれど、ぼくはたくさんの研究をかかえている。一つが止まっているなら、ほかの研究を進めるべきだと考えるものだ。

放課後、ぼくらは焼却炉の裏にある秘密の出口から出て、校庭のフェンスの向こう側を通り、草地を横切っていった。雲が出ていたけれど、雨の降る心配はないことがぼくには分かる。ときおり灰色の雲の切れ目から太陽がのぞいて、ぼくらの歩いていく草地が、水から浮かび上がってくるみたいに明るくなった。太陽が出ているのは少しの間で、すぐにあたりは薄暗くなる。だれかが空のスイッチを入れたり切ったりしているようだった。

ぼくは方位磁石を見ながら歩き、ウチダ君は地面からぬいた草をふりまわしていた。

「ここには幼稚園を造る予定だったんだって」と彼は言った。

「でも、空き地のままだね」

「中止になったのかな。それとも他のものを造るのかな」

「駅だったらいいと思う」とぼくは言った。「小学校のとなりに駅があったら、たいへん便利だ」

ぼくらが探検する水路は、東から西へ流れている。コンクリートで固められた水路の幅は約一メートルだ。水はぼくらの胸ぐらいまである。水路の対岸には笹がしげっている。水源をさぐる探検隊は北に向かって歩いた。

「ウチダ君、落ちないように気をつけて」

「水が出てくるところはどんなところだろう？　わき水とか、井戸とかかな？」とウチダ君は言った。「アオヤマ君、井戸って見たことある？」

「理論は知っている」

「ものすごく深い井戸だったらこわいね。ブラックホールみたいだ」

だんだん笹が増えてきて、探検隊の行く手をふさぐようになった。ぼくらは水路のへりを歩いていたのだけれど、笹をおしのけるようにして歩かなければいけなかった。ときどき水路の中を魚が泳ぐのが見えた。ふりかえっても、小学校の校舎は見えない。校庭を囲むフェンスが見えるだけだった。

やがてクズの葉におおわれたフェンスがぼくらの前に現れた。水路はその中へ続いているので、ぼくらはちょっと悩んだけれども、フェンスを乗り越えることにした。ひょっとすると、フェンスの向こうに川の生まれる場所があるかもしれないからだ。

フェンスで囲まれているのは、二十五メートル四方ぐらいの正方形の土地だ。ピラミッドをさかさまにしたようなかたちの貯水池があって、水路はそこにつながっている。底の方にしか水がないので、ぼくらが落ちる心配はなさそうだ。貯水池の斜面はコンクリートのブロックでかためられていて、ブロックの隙間からは緑の植物が生えていたし、水の中にはソーセージみたいな実をつけた宇宙植物のようなものがのびていた。貯水池のまわりも草がしげっている。きっとだれも来ないのだろう。ぼくは古代文明の遺跡を発見したような気がした。

貯水池の中には小さな灰色の塔があって、土手から細い橋がかかっていた。ぼくらはその橋の手前まで行ったけれども、橋には入れないように鍵がかかっている。

「だれか住んでいるの？」とウチダ君は不安そうに言った。

「分からない。でも水の量を調査する機械とかがしまってあるだけだと思うな。こんなに草に埋もれてるから、水道局の人も忘れてるのかもしれない」

「ここから水がわいてるのかな？」

「ぼくはちがうと考える。あそこにまた水路があるだろう？　水はもっとべつのところから流れてきて、ここにいったんたまるようになってるんだ。そうじゃないと、川の水が溢れるから」

「ははあ！」とウチダ君は感心した。「理論は分かった」

ぼくは貯水池のへりに毛布を広げた。

ぼくとウチダ君はこの毛布を「基地」と呼んでいる。妹が赤ちゃん時代によだれをたらしていた毛布だけれど、母が念入りに洗ってくれたから安心である。妹のおさがりとは思えないほど役に立つ。明るい空豆色で、正方形だ。たためば小さくなるし、どこでも基地にすることができる。探検隊には必須の道具だ。

基地に座って、ぼくはノートに貯水池のメモを書いた。ウチダ君は口笛を吹いている。

貯水池のまわりは静かだ。小学校のチャイムも聞こえないぐらい遠い。

ぼくが歯科医院の先生に宇宙の雑誌をもらったことを言うと、ウチダ君はうらやましがった。そしてウチダ君は「宇宙は無から生まれた」という理論を話した。ぼくはそのことについて雑誌に書いてあったことを思いだした。

「無というのはどんな感じかな」とぼくは言った。

「ただのからっぽじゃないと思う。お腹がへってからっぽになっても、『お腹が無になった』とは言わないもの」

「からっぽだというぼくらのお腹が存在しないぐらい、ものすごいからっぽなわけだね」

「そうなんだ」

「まったく、それはすごいね」

「すごいよ。時間も空間もないんだって」

「時間も空間もないっていうのはどんなのだろう？　これはたいへんムズカシイ問題だな」

「空間がなければぼくらはそこに座ってることもできないし、時間が流れないんだから『ここには時間がないな』ってつぶやくこともできないね」

ウチダ君はそう言ってから、「こわいなあ」と言った。「ぼくらが死んだらそういうところに行くのかな」

「ぼくら、生まれる前はずっとそういうところにいたのかもしれないよ」

「あ、そうか」

「でもぜんぜん記憶にないね」

ウチダ君は顔をしかめた。「……こういうことを考えてると、ぼくは頭の奥がつーんとするんだ。それで、何かぐるぐるした感じがする」

ぼくらがそうやって毛布に座っていると、貯水池の対岸にしげっているやぶが、ガサガサと動いた。風にゆれたのではなかった。やぶの向こうに何か動物が隠れている。ぼくはハッとしてノートをとじた。ウチダ君はびっくりしてぼくの腕をつかんだ。

キウキウキシキシという音がして、一羽のペンギンが姿を見せた。そのペンギンはぼくらを気にする様子もなく、よちよちと貯水池のへりまでやってきた。そしてギリシアの哲学者みたいに立っていた。

「何してるんだろ?」

ウチダ君が言った。「あのペンギンたちはどこから来たんだろう」

「分からない」

ぼくはウチダ君にウソをついてしまった。

ペンギンがどこから来たのか知っているのは、ぼくだけだった。ぼくはその発見のことを、当分だれにも言わないでおこうと思っていた。たとえ相手がウチダ君であっても。

もしお姉さんにペンギンを作りだす能力があるとわかったら、政府の研究所や大学やいろいろなところから調査団がこの街へやってくるだろう。そしてお姉さんを研究して、無限にペンギンを作りだす方法を明らかにして、ペンギン学会に発表する。そんなことになれば、ぼくはもうお姉さんと会うことができなくなるだろう。ペンギン・ハイウェイについて、自分で研究することもできなくなる。それはぼくにとって、たいへん困ったことなのだ。

ウチダ君にウソをつくのはよくないことだが、この研究は秘密で進めなくてはいけない。

ペンギンがやぶの中にモソモソと姿を消すまで、ぼくらは貯水池のへりに座っていた。

○

「海辺のカフェ」には大きな天窓があって、店のご主人のヤマグチさんはその窓を開けるために特別な長い棒を使う。天窓のそばに、大きな模型のクジラがつるしてある。天窓から太陽の光が射しこむので、クジラはいつも鈍い銀色に光って、紡錘(ぼうすい)形の体をゆらゆらさせて、大きな口を得意そうにニンマリさせている。まるで遠い未来の宇宙船のように見えるものだから、ぼくはそのクジラに対して敬意を払う。

ぼくがそのクジラの種類をヤマグチさんにたずねたら、彼は「しらべてごらん」と言った。ヤマグチさんは天体望遠鏡を見せてくれたりするけれども、ときどきこうやってぼくに課題を出すのである。ぼくは模型をじゅうぶんに観察してノートに描き、図書館で図鑑と照らし合わせた。そのクジラが「シロナガスクジラ」であることをぼくが明らかにすると、ヤマグチさんはクリームソーダを飲ませてくれた。

シロナガスクジラは、クジラ目ナガスクジラ科のヒゲクジラである。クジラはとても大きいけれども、シロナガスクジラはとりわけ大きい。三十メートルを超えることもあるそうだ。学校の二十五メートルプールに入りきらないほど大きな生物が海を泳いでいるというのは驚くべきことだ。

大きいということは立派なことだ。なにしろ、ぼくは小さい。

シロナガスクジラは赤ちゃんでさえ、生まれたときの大きさが七メートルもあり、重さは二トンになるそうだ。赤ちゃんが寝返りを打ったとたん、ぼくはぺしゃんこになるだろう。そして、その赤ちゃんはとほうもなく巨大なうんちをするにちがいない。まったくかなわない。もうぼくは感心するばかりである。

ぼくは「海辺のカフェ」で、よくお姉さんとシロナガスクジラの話をした。

ぼくがクジラの赤ちゃんについて述べると、お姉さんはいつも笑う。

○

ぼくは早起きして、実験道具をリュックにつめ、カモノハシ公園へ出かけた。

日曜日の朝の住宅地は、いつも静かだ。

「海辺のカフェ」を通りすぎるとき、ヤマグチさんが窓から手をふったので、ぼくも手をふりかえした。そのままバス通りを歩いていくと、あたたかい南西風が吹いて、街路樹の葉が光った。まるくて青い空には小さな羊のような雲が浮かんでいた。空き地に生えている植物の茎をちぎって、ぼくは指揮棒のようにふりながら歩いた。

カモノハシ公園には朝の運動をする人たちが集まっている。遊歩道に沿って、ベンチや運動器具が置いてある。犬をつれて歩く人もいるし、運動器具で汗を流す人もいる。首にタオルをまいた歯科医院の先生が腹筋運動をしていた。ぼくは「おはようございます」とあいさつした。

カモノハシ公園のとなりに教会があって、日曜日の朝にはミサをしている。お姉さんがその教会に通っていることをぼくは知っている。この街の教会はぼくの家ぐらいの大きさで、テレビで観たヨーロッパの大聖堂よりもずっと小さい。でも屋根には十字架がついていて、本物の教会なのだ。ミサが終わってお姉さんが出てくるまで、ぼくは公園のベンチに座って待ちながら、ノートに書きこみをした。

やがて教会からお姉さんが出てきたので、ぼくは手をふった。「おはようございます」

「おはよう。日なたぼっこ？」とお姉さんは言って、ぼくのとなりに腰かけた。そして彼女は首をかくんと折り曲げて、眠ったふりをした。

「眠いんですか？」

「あんまり眠れなくてね。へんな夢みるし。しんどいなあ」

「それは心配ですね」とぼくは言った。「じゃあ、実験はできないでしょうか？」

お姉さんはあくびをした。「実験って、何の実験？」

ぼくは用心深く声をひそめて、「ペンギン！」とささやいた。お姉さんも声をひそめた。「謎は解けた？」

「解けません。だから実験をしようとぼくは思う」

「ふむ。実験したら謎は解けるの？」

「やってみないとわかりません。協力してくれますか？」

「いいよ。眠いけど」

ぼくはお姉さんが初めてペンギンを作ってみせてくれたバスターミナルを実験場にすることに決めた。あそこなら人目につかないからだ。バスターミナルに向かってバス通りを歩きながら、ぼくはお姉さんに謎を解くヒントをくださいと頼んでみた。けれどもお姉さんは眠そうにまばたきをして空を見上げるばかりだった。そして「今日はなんとなくペンギン出ないような気がする」などと言うのだった。お姉さんは本気で言っているのか、それともいつものようにぼくをからかっているのか、ぼくには分からない。

「正直なところ、私にもなぜできるのか分からないよ。なんとなく気分がよくなって、うずうずして、そうするとペンギンが出るわけね。ポコッて」

「いつもコーラの缶を投げるんですか？ ぼくに見せてくれたときみたいに」

「そうじゃないときもある」

「理論は分からないわけですね」

「理論を考えるのは君の仕事じゃないか」

「出せるのはペンギンだけですか？ ぼくはほかの動物も見てみたいな。コウモリとか」

「よくばりねえ！ コウモリなんか出せないよ」

お姉さんはため息をついた。「もうちょっとマジメに研究してくれない？」

「ぼくは生まれたときからずっとマジメです」

日曜日のバスターミナルはがらんとしていて、だれもいなかった。待合室の時刻表をしらべると、バスはあと三十分は来ないことがわかった。お姉さんはターミナルの中央に立って、まぶしそうに空を見上げている。

ぼくはリュックをおろして、家から持ってきた品物をならべた。父から借りたカメラもあるし、記録するノートもある。キッチンで母からもらってきたジャムの空き瓶、研究の合間になめていたドロップの缶、ウチダ君と遊ぶのに使うソフトボール、リビングルームのソファにのせてある小さな正方形のクッション、父の使わなくなったメガネケース。ぼくはそれらをお姉さんのまわりにならべた。

「なんだこりゃ？」とお姉さんはけげんそうな顔をした。

「実験用サンプルです。ペンギンになるかどうか、ぼくは実験したいのです」

「私はここに立って投げるの？」

「そうです。……それで、ぼくはここに立っていたでしょう？」

「忘れちゃったよ、そんな昔のことは」

空はおおむね晴れているし、気持ちの良い風が吹いているし、どこからかヒバリの鳴く声も聞こえてくる。バスターミナルにはだれもいない。ぼくはノートに前回の状況を箇条書きにして、チェックできるようにしていた。一つずつ念入りに点検した。大丈夫だった。ぼくらは実験を開始した。

ジャムの空き瓶、ドロップの缶、ソフトボール、クッション、メガネケースが順番に青い空を飛んでいった。ぼくは自動販売機でコーラの缶を買って、それも投げてもらった。結果は同じである。なにがちがうのだろう。ぼくはノートを読み直して、缶が内部に重力を作りだす宇宙船のように回転していたことを思いだした。お姉さんにもう一度投げてくれるように頼んだ。

「また投げるの？」

「実験精神です」

「そうか。君は科学の子か」

けれども結果は同じだった。何も起こらないのだ。ぼくは念のために自分の歯に糸をつないでお姉さんに持ってもらい、それから缶を投げてもらうことさえした。それも失敗に終わった。

実験が失敗するのはかなしいことである。

○

ぼくはほかの条件も検討してみた。ぼくの乳歯がぐらぐらしていたこととか、時間が午後であったこととか、あるいはぼくが自動販売機にしばられていたこととか、スズキ君たちがおしっこをかけてぼくのノートをぐしゃぐしゃにしたこととか、さまざまな条件があった。でも、それらはペンギン出現に関係がありそうではない。

ぼくがノートをにらんでいると、お姉さんが歩いてきた。

「焦ってもしょうがないよ。今日はできないと思ってたもの」

「お姉さんは本当にできないんですか？　ひょっとして、ぼくをからかっているのではありませんか？」

これはおとなげない発言だったとぼくは反省するものだ。実験に失敗したからといって、協力してくれたお姉さんを疑うのは決してやってはいけないことだったと思う。ぼくは彼女を疑う前に、自分の仮説を再検討すべきだったと考えるものだ。

「じゃあ一人でやってください」と言い、お姉さんは怒って歩きだした。

ぼくが実験道具をリュックにつめている間に、彼女は市営グラウンドの裏のほうへのぼるコンクリート階段をずんずん上っていく。ぼくがあわてて車道を渡ろうとすると、彼女はあたりに響く大きな声で「指さし確認！」と叫んだ。ぼくは魔法にかけられたみたいに立ち止まった。ぼくが指さし確認をして車道をわたると、彼女はもう階段の上の方にいた。

長いコンクリートの階段を上りきったところは市営グラウンドの裏で、植物の生いしげった荒れ地が広がっている。ぼくとウチダ君がスズキ君帝国と立派に戦ったところだ。荒れ地の中には高圧鉄塔がそびえている。荒れ地に接するようにして、薄暗い森がある。給水塔のある丘から広がっている深い森だ。この森を探検するのは危険だから、さすがのぼくとウチダ君もまだ地図が作れないままである。

いい匂いのする風が吹いて、あたりの植物が海の波みたいにうねった。お姉さんは海辺に立っていた。髪をおさえて、あたりを眺めていた。「なんにもないところねえ」とつぶやいている。

ぼくはお姉さんのところまで行って、「ごめんなさい」と言った。「ぼくはおとなげないことを言いました」

「君はオトナじゃないんだから、べつにいいんでしょ」

「あと三千八百八十一日たてば、ぼくも大人になる予定です」

「あきれた。よく数えたもんだな!」

ぼくらから少し離れたところで、ヒバリが荒れ地から飛び立ち、ピラピロピルと鳴きながら垂直にぐんぐん上って、青空へ吸いこまれていった。まるで宇宙エレベーターに乗っているようだ。お姉さんはおでこに手をかざしてヒバリを見ていた。ヒバリはだんだん見えなくなって、声しか聞こえなくなった。ぼくは首が痛くなった。

「ここは空き地でしょう？」

お姉さんがまわりを見ながら言った。「なにを造るのかな？」

「新しい駅かもしれません」

「海まで行ける鉄道？」

「そうです」

「いいね。歯科医院からも近いし、便利になる」

「鉄道が来たら『海辺のカフェ』が本当の海辺のカフェになります」

「よし。ちょっと探検しようか」とお姉さんは言った。怒りはおさまったみたいだった。

ぼくらは荒れ地を歩いていった。お姉さんは右手に見える森を指して、「あの森に入ったことある？」と言った。

「ちょっとだけありますけど、奥は探検してません。森は危険だからじゅうぶん用心しないと」

「ジャバウォックが出るぞ」

「ジャバウォックとは何ですか？」

「本に出てくるお化けだよ」

高圧鉄塔のそばまで来たところで、お姉さんが「ここで休憩しよう」と言ったので、ぼくはそこに基地を作ることに決めた。リュックから空豆色の毛布を出して草の上に広げた。

「基地です」とぼくは言った。

「少年、これは毛布よ」

「基地です」

お姉さんは小さい毛布に座った。「ああ、いい気持ち！」と言って空を見上げた。「なるほど基地か」

ぼくはいつも思うのだが、毛布で基地を作ると、歩いているときとは見える景色が変わる。空と地面が広々とする。ぼくは歯科医院でもらった科学雑誌をリュックから出して読んだ。ぼくが熱心にブラックホールについて研究していると、お姉さんがぼくの背中にもたれるようにした。お姉さんの背中はあたたかいような冷たいようなふしぎな温度だった。

「ペンギン出せなくてごめんね」とお姉さんの声が背中から伝わってきた。

「お姉さんが謝る必要はないのです」

「もう出せないかもしれないよ。この間はたまたま出せただけかもしれないし」

「きっと法則があるんです」

「君に分かるかな。私にも分からないのに」

「ぼくはかしこい」

「自信家だなあ、君は」

荒れ地の草をなでていく風は、あたたかくて気持ちが良かった。風の音だけが聞こえて、ぼくらはまるで世界の果ての基地で何かを観測しているようだった。お姉さんが首をひねって、ぼくの読んでいる雑誌をのぞきこんだ。

「それ、先生がムツカシイムツカシイって読んでたよ。よく読めるね」

「分かるところもあるし、分からないところもあります。ほかの本もしらべながらぼくは読む」

「なにかおもしろいこと書いてある？」

「事象の地平面がカッコイイ」

「なんだそりゃ？」

「ものすごく大きな星が歳を取ると、自分の重量が支えられなくなって、こわれるんです。こわれると、重力があるから、中心に向かってどんどんちぢむ。ちぢめばちぢむほど物質が圧縮されるから、重力がますます強くなります。ずっとそれが続くと、重力がとんでもなく強くなって、光だって外に出られなくなる。そうすると外からは中の様子が観測できなくなる。その何も観測できなくなる境界のことを、『事象の地平面』っていうんです」

「ふうん」

お姉さんはそれだけ言った。彼女は宇宙のことにあまり興味がない。

そのとき、彼女が「おや」と声をあげた。そうして森の方を見ていた。ぼくはジャバウォックが現れたのかと思ってびっくりしたけれど、森と荒れ地の中間に立っていたのは小さな女の子だった。

「ハマモトさんだ」とぼくはつぶやいた。「同じクラスの子です」

「こんなところを女の子が一人で歩いたらいけないよ」

ハマモトさんは考えごとをするみたいに、森と荒れ地の境目をゆっくり歩いていた。

そうして市営グラウンドの方へ歩いていってしまった。彼女がぼくとお姉さんに気づいたのかどうかは分からなかった。

○

教室で聞いた噂に関するメモ。

給水塔のある丘の上に銀色の月が浮かぶ。それは本物の月ではなくて、幽霊の月だ。

銀色の月の表面を、ペンギンたちが出たり入ったりする。その景色を見た子どもは病気になる。

だから、夜になったら給水塔の丘を見ないこと。

そして、森には絶対に入らないこと。

○

その次の週、学校が終わったあと、ぼくはウチダ君といっしょに市立図書館に行った。

ぼくは学校の図書館よりも市立図書館が好きである。なぜかというと、本の種類が多いし、座り心地のいい茶色のソファがおいてあるからだ。ぼくはいつも同じソファに座る。そのソファは本棚のかげになっていて秘密の隠れ家みたいだし、本を読みながら顔を上げると、縦長のガラス窓から中庭が見えるからである。中庭には銀色でピカピカ光る大きな玉子みたいな芸術品がある。脳を使いすぎて疲れたときに、その銀色の玉子を眺めると気分転換になってたいへんいい。ピカピカした銀色の玉子を眺めていると、ぼくの頭脳がますます働くような気がする。

ぼくは膝(ひざ)にノートをおいて、本を読みながら気になったところを小さい字でノートに書いておく。そうすると本を借りなくても、あとで大事なところを思い出すことができる。

ぼくはソファに座って、図書館の人にすすめてもらった「相対性理論」の本を読んでいた。歯科医院の先生にもらった雑誌ではよく分からなかったので、他の本を読んで研究しようと思ったのだ。

本を読みながら、ぼくはノートに「$E=mc^2$」とメモをした。ふしぎな式だ。

ぼくは父に方程式の理論を教えてもらったことがあるので、この式の意味が分かる。小学校二年生の頃まで、「=」（イコール）は「答えは？」という意味だと思っていた。たとえば「2＋2の答えは？」というように。でもそれは間違いだった。「=」は、左側と右側が同じ値になるという意味なのだった。ぼくはそのことを父から教わったとき、まるで天地がさかさまになったような、たいへんふしぎな気持ちになったことを憶えている。

ウチダ君はぼくのとなりのソファでペンギンの本を読んでいた。

「ペンギンはやっぱり魚を食べるんだね」とウチダ君がつぶやいた。

「ペンギンは海で泳ぐのが得意だよ。宇宙ロケットみたいに泳ぐんだ」とぼくは説明した。

「あのペンギンたちも魚を食べるのかなあ？」

ウチダ君はぼくらの街に現れるペンギンたちのことを言っているのだ。ぼくは少し考えこんだ。なにしろ、あのペンギンたちはもともとコーラの缶だったのだから。コーラの缶が魚を食べるだろうか。

「分からないけど、でもやっぱり魚を食べるんだろうな」と言ったけれど、ぼくは自信がなかった。

「魚はあんまりこの辺にはいないよね」

「あの水路には小さい魚がちょっといたね。でもペンギンたちは、空腹である可能性もある」

「なぜ？」

「あのペンギンたち、幽霊だと思う？」

「噂になってるから。幽霊の月。アオヤマ君、聞いた？」

「メモしたよ。でもあれは噂だもの。ぼくら何度もペンギンを見たけれど、病気になった子なんていないじゃないか。あの噂には具体的な証拠が何もないから、ぼくはこわくない」

「そうだよね。大丈夫だよね」

ウチダ君は少し安心したようだ。彼はぼくのノートをのぞきこんだ。「それ、英語？」

「これは方程式だよ。数学なんだ」

「アオヤマ君は数学が分かるのか。すごいなあ」

ぼくが E=mc^2 について説明していると、ウチダ君がふいにびっくりしたみたいに口をつぐんだ。本棚の間にある通路の向こうにハマモトさんが立っていたのだ。彼女を市立図書館で見るのは初めてのことだった。栗色の髪がぴかぴかしていた。本を胸にしっかりかかえている。彼女はまだ大人ではないから、おっぱいは存在しない。

ハマモトさんは通路をすりぬけて、こちらへ歩いてきた。

彼女はぼくのノートをのぞきこんだ。彼女が「相対性理論？」とつぶやいたものだから、ぼくはたいへん驚いたものだ。自分のほかに相対性理論を知っている小学生がいるとは思わなかった。

「その本、私も読んだよ。アオヤマ君、分かる？」

「いささかむずかしいね。ぼくにはまだ分からない」

「私も。むずかしいね」

ハマモトさんが胸にかかえているのは、海洋学の本だった。

彼女はウチダ君が読んでいる本を指さして「ペンギン！」とニッと笑ってから、そのままあすいすいと歩いていった。ぼくとウチダ君が見送っていると、彼女は本棚の向こうに消える前にこちらをふりかえって、アインシュタインの写真みたいにペロッと舌をだした。もちろん、彼女のはアインシュタインよりもひかえめだった。

「ハマモトさんはヘンな人だねえ」とウチダ君が言った。

「うん。ヘンな人だけど、えらいな」

「うん、そうだ。ぼくもそう言うつもりだった。ヘンだって言ったら悪口みたいだから」

ぼくがこうして本を読んだりノートを書いたり探検したりしている間にも、ハマモトさんのように研究をしている人がいるのだ。ぼくはこの街で一番えらい小学生ではないかと思ったことを反省した。ひょっとするとハマモトさんの方がえらいかもしれないのだ。油断できないぞ、と思った。

このように、慢心しないのがぼくのえらいところだ。

○

父の三原則について。

父はぼくに問題の解き方を教えるときに、三つの役立つ考え方を教えてくれた。それらをぼくはノートの裏表紙に書いて、いつも見られるようにしていて、それは算数の問題などを考えるときに役立つ。以下のリスト。

□問題を分けて小さくする。
□問題を見る角度を変える。
□似ている問題を探す。

ぼくはペンギン・ハイウェイ研究は大きく二つに分けられると考えた。「お姉さん」と「ペンギン」だ。ぼくはお姉さんが好きなものだから、お姉さんを研究することばかり考えていた。だから行き詰まってしまう。見方を変えると、この謎はペンギンたちの謎でもあるのだ。ペンギンについてもっと研究すべきだ。

そして似ている問題もぼくは探そう。

でもこれはたいへんめずらしい問題だ。似た問題があるだろうか。

○

プロジェクト・アマゾン。

ぼくとウチダ君はもう一度、小学校の裏にある水路をたどって、あの貯水池まで行った。その日は湿気が多くて気温が高く、急に夏が来たようだった。水路沿いに繁殖している植物たちもどんどん生長しているようだ。

その日、ウチダ君は寡黙だった。そういうときは、ぼくも寡黙になる練習をすることにしている。二十四時間寡黙になるのは苦しいけれど、二時間ぐらいならば可能だ。ぼくはだまって笹をおしのけながら、行き詰まっているペンギン・ハイウェイ研究について考えた。

ぼくらはもう一度貯水池までやってきた。前の日に雨が降ったので、水の量は少し増えているようだった。ぼくらは貯水池のまわりを歩いて、貯水池に流れこむ側の水路の入り口まで行った。そこにもフェンスがある。

前回、ぼくらはここで探検を中止した。今日はもっと先まで行くのだ。

フェンスをこえて、ぼくらは水路のとなりにある細い道を歩いていった。そこも笹がおおいかぶさるようになって薄暗かった。やがて笹のやぶをぬけると、ぼくらは竹林に囲まれた田んぼがいくつもならんでいる場所に出た。舗装道路と水路がいっしょにうねるようにして、田んぼの間をぬけていくのだ。ところどころに小さな鉄の水門があった。田んぼには水が入っているけれど、まだ何も植えられていない。

「タイムスリップしたみたい」

ウチダ君がようやく口を開いた。

「でもあそこにショッピングセンターがあるよ」と言って、ぼくは竹林の向こうを指さした。そこにはぼくらが週末になると買い物に出かける大きなショッピングセンターがちらりと見えた。

ぼくらは田んぼの間をぬけていった。蒸し暑くて汗が流れた。

途中で舗装道路から分かれて田んぼを抜けていくふしぎな一本道があって、両側にはマツがならんでいた。その突き当たりは竹林にのみこまれそうになっている神社だ。ぼくとウチダ君は神社の鳥居の下にある石段に基地を作り、冷たい紅茶を飲んで汗をふいた。魔法瓶は宇宙空間で実験に使う道具のようにぴかぴか銀色に光っている。ぼくらは新しく作り始めた地図に、この神社を書いた。

「ほら、もうスズキ君にとられた地図より詳しくなったよ」

「そうだね」とウチダ君はよろこんだ。

「彼らは地図を見ても、この神社の発見は分からないんだ」

　ぼくらは休憩を終えて、ふたたび田んぼの中を歩きだした。竹林にかこまれた田んぼの向こうに、車道が見えていた。大きなトラックや自家用車が通りすぎるのが見えた。

「アオヤマ君、スズキ君をやっつけてよ」と、ふいにウチダ君が言った。「そうしてアオヤマ君帝国を作ったらいいと思うよ」

「ぼくはアオヤマ君帝国は作らないよ。ぼくは皇帝になりたいわけじゃないもの。それにアオヤマ君帝国を作ったら、こうして二人で自由に探検することもできなくなるよ」

「そうだね」とウチダ君は少し考えてから言った。「やっぱりぼくも今のままの方がいいや」

　道路は二車線で、ずいぶんたくさんの車が通っている。国道だ。水路はその国道の下のトンネルをくぐって、向こう側へぬけている。トンネルは真っ暗だったのでぼくらは用心してくぐったけれど、ちゃんと歩行者用の道が続いていたので安心だった。

トンネルの向こう側へ抜けると、水路は駐車場にぶつかって右へカーブしていた。ぼくらは立ち止まって、その荒れ果てた駐車場を観察した。こわれた大きな自動車がそのままになっている。その駐車場は国道沿いにあるレストランのものらしいけれど、そのレストランも廃墟（はいきょ）になっていた。ぼくらの街ができるよりもずっと以前から、ここにあったのかもしれない。日本のお城みたいなかたちをした立派な屋根には、カラスがとまっていた。

「ぼくら遠くへ来たねえ」とウチダ君が不安そうな声で言った。

駐車場とレストランの裏を水路はずっと続いていく。まわりにはまた植物がしげってきた。カラスの鳴き声が聞こえるたびに、ウチダ君はぼくの服をギュッとつかんだ。

「この水路はどこまで行くんだろうか」とぼくはつぶやいた。「世界の果てまで続いているのかな」

「世界の果て？」

「ぼくはいつもそんな気がするんだよ。父さんとドライブに行くときにも、この道を行ったら、世界の果てみたいなところに行っちゃうんじゃないかと思ったりする」

「それ、どんな場所だろ」

「分からない。でも、きっと何もなくてがらんとした場所なんだ。それで、世界の果てを観測する小さな研究所がある。そこから先にはだれもいけない。ぼくはそういうふうに想像する」

「こわいところだね」

「ぼくはあんまりこわいとは思わないな。そういうところにいってみたいんだ」

この街に引っ越してきたばかりの頃、ぼくはまだ七歳だった。

今でこそぼくはウチダ君と探検したり父とドライブに行ったりして世界を知っている。でも当時のぼくの世界はたいへん小さかった。ぼくらの家はたいへん広々とした空き地の中にぽつんと建っていて、ぼくにはぼくらの家が世界の果てを観測する研究所のように見えた。赤ちゃんの頃から住んでいた県境の向こうの街から、ぼくらは本当に遠くまでやってきたのだと七歳のぼくは思っていた。ここは世界のはしっこで、あの丘を越えたらもうそこに世界の果てがあるのだ。ぼくには世界の果てを探検する責任があると感じた。

だからぼくは日曜日になるたびに一人で早起きして街を探検していたのだし、世界の果てはもっと遠くにあると分かった今でも、こうしてウチダ君と探検している。

「アオヤマ君、本当にこの水は世界の果てから流れてくると思うの？」

「本当のところはそんなことはないと思う」とぼくは言った。「ぼくが言うのは、そうだったらいいな、ということなんだ」

「それに地球はまるいしね」とウチダ君は言った。「地球の上に果てはないよね」

「そうだね。だから本物の世界の果ては、宇宙の向こうにあるはずだ」

それでもぼくの中のもう一人のぼくは、そうじゃないというふうに感じる。地球がまるいことが分かっても、やっぱり世界の果てみたいな場所が、ぼくらが歩いていけるどこかにある気がする。なぜだか分からない。ウチダ君とぼくは相手のことをよく知っているけれども、こういうことはうまく説明できないのが残念だ。

ぼくらはまただまって、水路に沿って歩き続けた。

ふいに水路におおいかぶさっていた木立が途切れて、あたりが明るくなった。緑色の新しいフェンスが水路に沿ってのびている。そこは森を切り開いて整地したばかりのところで、住宅が建つ前の空き地が広がっていた。ちょうどぼくらの街ができる前のような景色だ。そして意外なことに、ぼくらがいつもいくショッピングセンターの裏側が、すぐ近くに見えていた。ぼくはひさしぶりに人間の住む世界へ帰ってきたような気がした。

ぼくとウチダ君はショッピングセンターのフードコートによった。ぼくらはベンチに座って、缶ジュースを飲んだ。大きな探検が終わったあとに缶ジュースを買って飲むと、大人になったような気持ちになる。

ウチダ君はジュースを飲みながら考えごとをしていた。

「アオヤマ君」と彼は言った。そのあとしばらく、何も言わなかった。ぼくはそういうとき、彼をせかさないことにしている。ぼくは自分が考えているときにせかされるのが好きではないし、自分が好きではないことは人にもしないことにしているからだ。

ウチダ君はやがて「うん、よし」と言った。「ぼくは言うことにする」

「何を？」

「ぼくはこっそりペンギンを研究してるんだ。アオヤマ君をまねして」

「え？　ウチダ君も？」

「それでぼくはふしぎなことを発見した。ずっと秘密にしていたけど、ぼくだけじゃもう研究が進まないんだよ。他の人に相談するのはいやだけど、アオヤマ君ならいいと思って」

「ウチダ君はどういうふうに研究を進めたの？」

ウチダ君は声をひそめて、たいへん得意そうに言った。

「ぼくはペンギンを飼ってる」

◯

ウチダ君は今年の三月に、県境の向こうから引っ越してきた。

彼のお父さんも毎日電車に乗り、県境の山のトンネルをぬけて、会社に出かけている。ウチダ君のお父さんが勤めている会社は、二つの運河にはさまれた小さな島にあるそうだ。ウチダ君のお父さんもぼくの父と同じように、朝は紺色の空の下でバス停に立ち、夜はすっかり暗くなった住宅地に帰ってくる。ウチダ君のお父さんとぼくの父が同じバスにのっている可能性があるということはステキなことだ。

ぼくがこの街にやってきたとき、ウチダ君の住んでいるマンションはまだ存在していなかった。ぼくが引っ越してきたあと、街はたいへんないきおいで発展したのである。ぼくが日曜日になるたびに世界の果てを探して探検していた頃、丘の中腹に建造中のウチダ君のマンションを見ていたかもしれない。

ぼくはウチダ君のマンションに出かけた。彼の秘密を見せてもらうためだ。

マンションの屋上には雨の匂いのする風が吹いていた。落下を防止する高いフェンスの向こうに、ぼくらの街が広がっていた。空は灰色のまだら模様で、雲の切れ目から水色の空がのぞいている。ぼくの家や、カモノハシ公園や、給水塔のある丘が見えた。ぼくが景色を眺めているうちにウチダ君はどこかに行って、やがてゆっくり歩いて戻ってきた。彼の後ろから、まるでウチダ君を親鳥とかんちがいしているように、小さなペンギンがよちよち歩いてきた。ペンギンは途中で何かを思い出したみたいに立ち止まった。ウチダ君がふりかえって体をゆらゆらさせると、ペンギンもいっしょになって体をゆらゆらさせた。すっかりウチダ君に慣れているのだ。

しばらくすると、ペンギンはまた歩きだした。ぼくのとなりに立って、ぐんと胸をはった。

「マンションの駐車場で見つけて、ここに隠したんだよ」とウチダ君は得意そうに言った。

「よく他の人に見つからないね」

「人が来たら隠れるんだ」

「たいへんかしこいペンギンだ」

「そうだよ。ぼくが飼っているんだ」

ウチダ君はしゃがみこんで、ペンギンと向かい合った。

彼が指でお腹にふれても、ペンギンはクチバシを小さく動かすだけだ。ぴいぴいと鳴くこともないし、飼い猫みたいにのどをごろごろ鳴らすわけでもない。ずっと遠くを見ている。南極のことを考えているのかもしれない。ペンギンにとって、ここは見知らぬ場所なのだ。もしぼくが南極に一人ぼっちで、ペンギンたちに囲まれていたら、さみしいだろう。そもそもぼくは南極の寒さに耐えることができない。

そこまで考えたとき、ぼくはそのペンギンがコーラの缶から生まれたことを思いだしたのだった。このペンギンは南極を知らないのだ。彼らのお母さんはお姉さんだし、彼らの故郷はこの街なのだ。

「ぼく、悩んでいるんだよ」

ウチダ君はペンギンを見ながら言った。「このペンギンはごはんを食べないんだ。ここに来てからずっと何も食べていないんだ」

「それはいけないね」

「うん。図書館で読んだ本には魚を食べると書いてあったけれど、魚をあげても食べない。ハムとかキュウリとかおにぎりとか、何をあげても食べないんだ。目の前においしいものがあっても、ずっと遠くを見てる」

「でも、こんなにふっくらしてるし、元気だね」

「どうしてだろ……アオヤマ君、分かる？」

ウチダ君の実験は常識を裏切るものだった。お姉さんが作ったペンギンたちは、パタパタと翼を動かすし、よちよち不器用に歩く。そういう活動をするためには、絶対にエネルギーが必要だ。もしペンギンたちがごはんを食べないとすると、ほかの方法でエネルギーを手に入れていると考えるしかない。未知のエネルギー。E＝ペンギン・エネルギーだ。ぼくはノートを取りだして、「ペンギン・エネルギー」と書いた。

やがてペンギンはよちよちと歩き回った。ウチダ君のまわりを衛星のように回る。ウチダ君はなんだかうれしそうだった。「これ、謎だろ？」

「ペンギン・エネルギー。たいへん興味深い謎だね。研究してみる」

「相対性理論と関係ある？」

「それはまだ分からない」

ウチダ君はペンギンの頭に手をのせた。「ここにペンギンがいることは秘密にしてくれる？」

「約束する。ぼくは秘密を守る男なんだ」

〇

土曜日の夜、ぼくは「海辺のカフェ」に出かけた。

夜の「海辺のカフェ」からは明るい光が外へもれていた。ほかのお客の姿はなくて、窓辺で頬杖（ほおづえ）をついているお姉さんの姿だけが見えた。きっともう勉強は終わったろうとぼくは思った。

ぼくがカフェの中に入っていっても、お姉さんは頬杖をついたまま目を閉じていた。カフェの明かりがお姉さんの頬を照らしていた。ふだんよりもいくぶん白いようだ。テーブルには『鏡の国のアリス』という本がおいてあった。ジャバウォックが出てくる本である。お姉さんが起きるまで、ぼくは読書をした。剣をもった少年とジャバウォックが戦っている絵を初めて見た。これがお姉さんの言っていた「ジャバウォック」で、こんな生き物が森の奥にひそんでいたら、さすがのぼくもまいってしまうなと思った。とても勝てそうにない。ぼくはノートを開いて、ジャバウォックの絵を描き写した。なかなか上手に描けたと思う。

やがてお姉さんがパチッと目を開けた。

「ごめん少年。ちょっと寝てたよ」

「眠いですか？」

「やっぱり寝不足なの。こわい夢見るし」

「どんな夢ですか？」

お姉さんの夢はこんなふうだった。

いつもお姉さんは歯科医院の待合室で、ソファに座っている。受付には小さな明かりがともっているけれども、だれもいない。待合室は薄暗くて、窓の外から夜明け前みたいな薄青い光が射している。待合室の隅においてある観葉植物がへんてこなかたちをしている。プラスチックのチューブみたいなものが鉢植えから立ち上がって、その先はラッパみたいに大きく広がっている。お姉さんには、なぜかそれが遠い昔に滅びた植物だということが分かっている。同じソファにだれかが座っている。お姉さんは最初、それがぼくだと思ったそうだ。でもそこに座っているのは大人ぐらいの背丈があった。白っぽい体はぬれてつやつやしていた。顔は見えない。お姉さんが言うにはそれがジャバウォックだそうだ。ジャバウォックはぶつぶつと何かをつぶやいている。小さなあぶくがはじけるような音で、何をしゃべっているのかわからない。お姉さんは早くこの待合室から出ていきたいと思うのだけれど、だれも呼んでくれないから出ていけないのだ。

「そんな夢なの。いやんなっちゃうわ」

「お姉さんはその待合室で何を待ってるんですか？」

「分からないよ」

ぼくもお姉さんの夢を見たことを思い出した。お姉さんがカンブリア紀の海辺に立っていて、石ころからシロナガスクジラを作る夢だ。

「君もへんてこな夢を見るのね。私はシロナガスクジラなんか作らないよ」

お姉さんはしばらくだまってボンヤリした。

「お姉さんは眠い」とぼくは言ってみた。

「うん。眠い」

そしてぼくとお姉さんはチェスをした。ぼくは少し読んでみた『鏡の国のアリス』について話した。

「チェスの世界の話なんですね」

「だから読もうと思って。アリスは最初ポーンなんだけど、最後には女王になるの」

「ぼくはナイトがいいな」

「そうして一足飛びに大人になろうというコンタンか」

お姉さんはぼくにチェスを教えてくれた人であるのに、駒の動かし方を間違える困った人でもある。だからぼくはお姉さんが駒を指でつまんで動かすのを慎重に見ている。お姉さんの名誉のために、彼女はスズキ君のようにズルをしているわけではないということを書いておく。お姉さんもうっかりすることがあるのだ。

お姉さんの具合が悪そうなので、ぼくは心配だった。彼女の具合が悪くなることと、ペンギンたちの出現は関係があるのだろうかと考えた。たとえば「ペンギンを出すことはお姉さんの体調を悪くする」という仮説が立てられる。ウチダ君の実験から推測されるペンギン・エネルギーのことを考えてみる。仕組みは謎だけれど、ペンギンたちはお姉さんのエネルギーを使って生きているのかもしれない。

「お姉さんはペンギンを出さないほうがいいかもしれません」

ぼくは小さな声で言った。

「どうして？」

「そのせいで具合が悪くなったのかも」

「そうかしらん。でも、私、ペンギン作るのは本当に好きなんだけど」

お姉さんは微笑んだ。「君は何を作ってほしいんだっけ？」

「コウモリです。シロナガスクジラはダメです」

「つぶされちゃうもんね」

「でもぼくはマジメです。ぼくは心配なんだ」

「ありがとう」

そのとき、突然カフェの明かりが落ちて真っ暗になった。何が起こったのか分からない。お姉さんが「なに？」とつぶやいた。窓の外の街も真っ暗だった。カウンターの向こうで片付けをしていたヤマグチさんが闇の向こうで「停電かな？」と言ってがさがさしている。

「アオヤマ君、こわい？」とお姉さんが言った。暗い中で聞くお姉さんの声はたいへんやさしく聞こえる。

「停電ならばぼくはこわくない。でも眠くなりそうです」

「真っ暗だと人間はダメだね」

「コウモリだったら大丈夫です。彼らは超音波を使って見るんだから」

ぼくは闇の向こうにお姉さんの顔を見ようと思って、いっしょうけんめい目をこらしたけど、無駄だった。そのままじっとがまんして座っていると、顔をすうすうと風がなでた。顔をゆっくり下げると、風はチェス盤の上で発生していることが分かった。

「ふしぎな現象が発生しています」

「私も気づいた」

チェス盤の上で起こる風はますます強くなって、ある瞬間、ぶちぶちぶちとたくさんの大きな泡がはじけるような音がした。そのとたん、風がいっそう大きくなり、何かはばたくものがチェス盤からあふれ出すように飛び立った。お姉さんが悲鳴を上げてのけぞり、ヤマグチさんが「なんだなんだ？」と叫んだ。ぼくはぼうぜんとして、チェス盤から次々に飛び立っていく黒い風を感じていた。

停電が終わって明かりが戻ったとき、チェス盤の上にぼくらがならべていた駒は一つもなかった。そして天窓のまわりにつるしてあるシロナガスクジラのまわりを、たくさんのコウモリが飛び回っていた。ヤマグチさんが「どこから入ってきたんだろう？」と驚いている。

お姉さん自身もおどろいていた。「できたよ！」と小さな声でささやいた。

「どういう仕組みなんでしょうか？」

「分からないよ。謎を解くのは君の任務だ」

「なるほど」

お姉さんとぼくは指切りをした。

その時、ぼくは初めてお姉さんの指に触れたのだが、歯科医院でぼくの口に入ってくる指とはぜんぜんちがうように感じられた。今にも折れそうなぐらい細くて、ガラスみたいにひんやりとしているのだった。

○

日曜日に家族でショッピングセンターに出かけた。

ショッピングセンターは、ぼくらがこの街に引っ越してきたあとにできたものだ。週末になると街の人たちで遊園地のようににぎわう。いつ見てもレゴブロックのようにピカピカしている。そしてたいへんに大きい。カフェ、レストラン、ブティック、電器店、書店、映画館まであって、ショッピングセンターの中がまるで一つの街みたいなのだ。未来の宇宙ステーションはこんなふうだろうか。

ぼくらは母と妹、父とぼくの二組に分かれた。一時間後に最上階のレストランで待ち合わせをするのだ。妹は新しい洋服を買ってもらうと言って、はしゃいでいた。

父とぼくは文房具店に行った。

ぼくらは文房具が好きだから、毎月一度は文房具店へ出かける。そしてコンパスや定規や、色とりどりのノートを眺めて、時間がたつのを忘れてしまう。父は手元にいつも大きなノートを置いて、何かいろいろなことを書く。いたずら書きをしていることもある。父はそのノートがお気に入りで、リビングルームでも眺めているし、「海辺のカフェ」に行くときも必ず持っていく。父のようになるには、必ず自分のノートを持たなくてはいけないとぼくは思っていた。だから父に初めて方眼ノートを買ってもらって、使い方を教わったときはたいへんうれしかった。これはもうぼくも父のようにえらくなってしまうにちがいないぞ、と思った。

ぼくが使っているのは淡い灰色の線で方眼が印刷されたリングノートだ。父が使っているノートよりも小さいので、どこへでも持って行ける。紙は少し分厚くてすべすべしている。ボールペンでたくさんの文章を書いても手が疲れない。お気に入りのノートに何かを書くのはとても楽しい。だからぼくはどんなことでもノートに書く。ぼくが小学生のレベルを飛び越えて頭角を現してきたのは、このノートのおかげである。

「どれにする？」

父はいつも同じノートを買う。だからぼくもそうする。

ぼくらは書店をまわったあと、最上階のレストランに行った。母と妹がやってくるまで待ちながら、ぼくは袋からノートを取り出して、真新しいノートの何も書かれていないページをめくってみた。このページにいろいろなぼくの発見やしらべたことや考えたことが書かれていく。ぼくの字でぼくの研究成果が積み重なっていくのはわくわくすることだ。ぼくは今すぐにでも何かを書きたい気持ちになった。

ぼくはレストランの窓から外を見た。ショッピングセンターの裏にある森は切り開かれて、整地された土地が広がり、ぼくとウチダ君がたどってきた水路も見えている。ショッピングセンターに来るたびに見ていたのに、ウチダ君といっしょに歩かなければ、あの水路には気がつかなかったろうと思った。ぼくにはまだまだ知らないことがある。

「父さん。ここに、すごくむずかしい問題があるとする」

「うん、なるほど」と父は微笑んだ。「すごくむずかしい問題があるとしようか」

「そういうとき、父さんの三ヶ条を使う」

「何だったかな。問題を分けて小さくすること。見る角度を変えること。似ている問題を探すこと」

「そう。でも、それだけでは分からないときもあるでしょう？」

「もちろん、ほかにもいろいろな考え方があるよ。たくさんある」

「たとえばどんな？」

父は首をかしげて、新品のノートを手に取る。まるでそこに書かれている大切なことを読み上げているように、父はノートをめくりながらしゃべる。「たとえば家に帰って蛍光灯の電気をつけようとするね。スイッチを押したが、つかない。これは一つの問題だ。そうしたら、おまえはどう考える？」

「スイッチがこわれてる」

「そうかもしれない。もしそう考えるならば、『スイッチがこわれている』ということが問題になる。でもたとえば、昨日の夜みたいに街が停電していたとしたらどうだろうか。それはスイッチがこわれているという問題ではないね。スイッチがこわれていると思って、スイッチをいっしょうけんめい研究しても答えは得られないだろう」

「問題はスイッチのことではないからだね」

「まず、問題は何か、ということをよく知らないといけない」

「ぼくだったら、ほかの部屋の電気がつくかどうかしらべるな」

「それも一つの方法だ。ほかの部屋の電気がつかなければ、家のブレーカーに問題があるかもしれないね。しかし解決しないかもしれない。それではお隣の家はどうだろうか……というふうに、しらべていくと、本当の問題は何かということが分かってくるだろう？」

「ぼくはよく分かったよ」

「これは一番大事なことだが、一番むずかしいことでもある。算数の問題であれば、問題は目の前に書かれている。しかし実際には、問題は何か、ということがそもそも分からない。停電であることを知らずに、間違ってスイッチばかりしらべてしまうようなことがあるよ」

「父さんも間違う？」

「もちろん間違う。だれでも間違う」

父は静かに言った。「問題が何か、ということが分かるのは、たいてい何度も間違ったあとだ。でも訓練を積んだ人は、だんだんそれを見つけ出すのが上手になる」

ぼくはそのことを新しいノートに書いた。

○

ぼくは問題をよく知らなくてはならない。

□お姉さんはどうしてコーラの缶をペンギンにできるのか？
□お姉さんはどうしてチェスの駒をコウモリにできるのか？
□お姉さんはどうしてペンギンやコウモリを出せたり出せなかったりするのか？
□ペンギン・エネルギーとは何か？
□お姉さんの能力と体調は関係があるのだろうか？

○

ペンギン・ハイウェイ研究は進まないまま、六月になった。

学校は平和だった。スズキ君たちと大きなもめごともなかった。

スズキ君たちはぼくらから奪った地図を使った探検にすっかり夢中であるようだった。彼らはまるで自分たちが発見したかのように地図のことを教室で吹聴(ふいちょう)していた。スズキ君もぼくらと同じように水路をたどる探検隊を組織したと聞いたとき、ウチダ君はすっかりしょげてしまった。でもよく話を聞いてみると、スズキ君たちはぼくらとは反対の方角を目指していると分かった。

「それなら大丈夫だよ。彼らは川下に向かってるんだもの。ぶつかる心配もない」

「でもスズキ君たちはずるいなあ。ぼくらが見つけた川なのに」

「ウチダ君、ぼくらはあくまで水源を探求しているのだ。二つの方向を同時には探検できないよ。スズキ君たちが勝手に探検してくれるんだからいいじゃないか」

「アオヤマ君は怒らないなあ」

「おっぱいのことを考えてるからさ」

水路がどこへ流れていくのか、ぼくも自分でしらべてみたいと思っていた。でもぼくには他にも取りかかっている研究がたくさんある。いくらぼくがえらい小学生であるとしても、あまりにたくさんのことに手を出すのは間違いだ。プロジェクト・アマゾンとペンギン・ハイウェイ研究だけでも小学生としては立派すぎるほどなのだから。それに、ぼくはスズキ君帝国の研究さえも手がけている。今はかまわないでおこう。あとでスズキ君たちと仲直りすることができれば、ぼくらの地図はいっそう充実するのだ、と考えることにした。

ところでスズキ君帝国皇帝のスズキ君は、ハマモトさんに敗北してからというもの、帝国内でだれかがチェスをすることをよろこばなかった。でもハマモトさんはそんなことを気にする人ではないから、みんなも平気でチェスをすることができた。ハマモトさんの意志はスズキ君をはねのけるほど強かった。

ハマモトさんはクラスの全員とチェスをした。そしてぼくをのぞく全員に勝利した。彼女はたいへんかしこくてチェスが強い。そしてぼくもたいへんかしこくてチェスが強い。だからぼくらが勝負したときは、クラスのみんなが集まった。スズキ君でさえこっそり見物していたほどである。ぼくのナイトが活躍して、チョコレート工場のロボットみたいに動いていたハマモトさんの手が止まったとき、クラスのみんながため息をつくのが聞こえた。スズキ君が「やっつけろ、アオヤマ」と小さな声で言った。

「シッ！　静かに！」

ハマモトさんが指を立てて、スズキ君をだまらせた。

彼女は夢中でチェス盤をにらんでいた。いつもは白い頰がその日だけは赤くなっていた。彼女はたれてくる栗色の髪をフッと吹いた。彼女はまるでチョコレートの詰め合わせをもらったチョコレート好きの女の子のように、チェス盤を今にも食べてしまいそうなほど見つめているのだ。

正確に言えば、ぼくが勝ったのは彼女がうっかりミスをしたからにすぎない。本当のところはどちらが勝ってもふしぎではない状況だった。それぐらい白熱した戦いだった。

ぼくはたいへん面白かったし、ハマモトさんも面白かったにちがいないと思う。なぜなら彼女は試合が終わったあともくやしそうではなく、頰を赤くして笑っていたし、ぼくに握手を求めたからである。我々は好敵手だった。

「アオヤマ君、またやろうね」と彼女は言った。

「いいよ」とぼくは言った。

お姉さんと「海辺のカフェ」でチェスをしているとき、ぼくはその戦いのことを話した。そもそもぼくにチェスを教えてくれたのはお姉さんなのだから、ほめてもらえるかもしれないと思っていた。けれどお姉さんは「負けてあげればよかったのに」と言った。

「おとなげないなあ、少年」

「ぼくは大人ではないですから」とぼくは反論した。

「都合のいいときだけ子どものふりをする。今だって私に負けてくれてるんでしょ？」

会うたびにお姉さんは「ペンギン・ハイウェイの研究はどう？」と言ってぼくを困らせるのだった。彼女があんまりからかうので、彼女はやっぱりすべての謎の答えを知っていていじわるをしているのではないかという気がした。でも、たとえそんなことを考えても、ぼくは決して口には出さなかった。そんなことを言えば、お姉さんはきっと怒るに決まっているからだ。

「少年、この謎が解けるか？」

「お姉さんはおもしろがっているのではないですか？」

「おもしろがっているよ？　なにか問題でも？」

「これはたいへんな難問なのです。だから研究には時間がかかります」

「早く、早くしてちょうだい」

お姉さんはそんなことを言った。

「早く謎を解かないと、海に連れていってあげないよ」

○

お姉さんは海辺の街から来たそうだ。

そこは海のすぐそばまで山が迫っていて、街には海へ下っていくたくさんの坂道がある。

お姉さんは高台にある家から、いつも海を眺めて暮らしていた。窓からは海の風が吹きこんできて、本棚や洋服やベッドからはいつも海の匂いがしていた。だからお姉さんは自分の体からは海の匂いがすると言った。それでぼくもお姉さんの腕の匂いをかがせてもらったけれど、なんだかいい匂いがするだけで、それが海の匂いかどうかは分からなかった。残念なことに、ぼくは海に行ったことがない。

お姉さんは「いつか海に連れて行ってあげよう」と言った。彼女のお父さんとお母さんはその海辺の街に住んでいるし、ぼくを連れて行ったら喜ぶだろうというのだ。だからぼくらは海に行く約束をした。生命は海から生まれたのだから、ぼくは人類として、海についても研究しなくてはいけない。

今年になって、ぼくは新しい鉄道の話を聞いた。

県境の山の向こうから鉄道がのびてきて、ぼくらの街に新しい駅ができるそうだ。まだ計画段階だからいつ完成するのかは分からないと父は言った。その鉄道はお姉さんの生まれた街にも通じると聞いたとき、ぼくはうれしくなった。お姉さんといっしょに海へ出かけるときにたいへん便利だ。

　チェスをしながら、ぼくはお姉さんと新しい鉄道の話をした。

「その電車に乗ればすぐ海に行けるね」

お姉さんは言った。「……ということは、ここも海辺の街になるわけよ」

　なるほど、とぼくは思った。

　当時、ぼくとお姉さんはチェスをするようになったばかりだったし、ぼくらがチェスをするカフェはまだ「海辺のカフェ」という名前ではなかった。店主のヤマグチさんはむずかしい外国語の名をつけていて、ぼくには発音できなかった。お姉さんも発音できなかったし、父でさえ発音できなかった。それぐらいむずかしかったのだ。

　鉄道がやってくれば、この街は海辺の街になり、そのカフェは海辺のカフェになるのだという理由で、お姉さんはその店を「海辺のカフェ」と命名した。はじめのうちはぼくとお姉さんだけがそう呼んでいた。それを聞いたヤマグチさんは突然シロナガスクジラの模型をつるし、新しい名の似合う場所にした。

　街の人たちもみんなそこを「海辺のカフェ」と呼ぶようになった。表にあるカフェの看板はむずかしい外国語で書かれたままだけれども、今そこに看板があることをみんな忘れている。

「なぜ『海辺のカフェ』なの？」と言う人があると、ぼくは新しい鉄道と海辺の街の話をする。

そして、理論上はこの街も海辺なのだと主張する。

○

ウチダ君は県境の向こうの街から引っ越してきたから、あちらに友だちがいる。今でも電話をしたり、手紙を書いたりするそうだ。ぼくがしらべたところによると、ウチダ君の住んでいた街は県境を電車で越えて、もう一度乗り換えをしたところにある。ぼくらの街からは一時間以上かかる遠くの街だ。

その街に住んでいる友だちにペンギンを見せてあげたいとウチダ君が言った。

ウチダ君は一人で電車に乗って出かけたことがないし、ペンギンを一人で運ぶのはたいへんだ。だからぼくは協力することにした。日曜日にぼくがウチダ君のマンションを訪ねると、彼は同じクラスの子から借りてきた犬用のケージを用意して待っていた。

ペンギンは屋上をよちよち歩いていた。その日も蒸し暑い天気だったけれど、ペンギンは平気にしている。ぼくはしゃがんでよく観察してみたのだが、ちっとも弱ったところは見えなかった。ウチダ君によると、そのペンギンはもう三週間以上も何も食べていないらしい。ペンギン・エネルギーの謎は深まるばかりだ。もしペンギン・エネルギーを有効利用する方法をぼくが開発したら、きっとノーベル賞がもらえるだろう。小学生でノーベル賞をもらう人間は人類で初めてにちがいない。

ウチダ君が両手を広げると、ペンギンはちょこちょことよってきた。ウチダ君が好きなのだ。そうしてぼくらはペンギンをピンク色のケージに入れた。そのときぼくはペンギンの黒い翼に触れた。アスファルトみたいに硬いのでびっくりした。背中は羽毛でおおわれているので、想像していたようにつるつるではなくて、やわらかかった。ペンギンはかしこいから、ケージに入っても暴れたりしない。じっとしている。

「きっと喜ぶと思うなあ！」とウチダ君は言った。

「その友だち？」

「うん。ペンギンを見たらすごく喜ぶよ。入院しているから動物園にも行けないし」

「病気なの？」

「うん。ぼくにはよく分からないけど、長い間入院してるんだ」

「その子がそんなに喜ぶなら、ぼくもうれしいな」

バスで駅に向かう間、ウチダ君は何度もペンギンの入っているケージに指を入れた。ペンギンはウチダ君の指をクチバシでつついた。そうすると安心するのかもしれない。

「大丈夫だぞー。がまんしろよー」とウチダ君はペンギンに話しかけた。

駅で切符を買うのはぼくの役割だった。切符を買ってウチダ君に渡すと、彼は「アオヤマ君はお父さんみたいだなあ」と感心した。でもぼくも理論を知っていただけで、自分だけで電車に乗るのは初めてだった。

空は晴れていて、電車の中は明るかった。

「その友だちはどんな子？」

「同じマンションに住んでいたんだよ。アオヤマ君みたいにたくさん本を読んでて、研究熱心だった。ペンギンだけじゃなくて、いろんなことを知ってた」

「その子は宇宙にも興味があるだろうか？　たとえばブラックホールとか」

「好きだったよ。アオヤマ君も友だちになればいいよ」

「引っ越すときは淋しかった？」

「淋しかったよ。アオヤマ君と探検隊を作るまでは、ぼくは本当に帰りたいと思っていたもの」

「今は？」

「今は帰りたくもあるし、帰りたくなくもあるなあ」

ぼくらは電車の窓の外を街の景色が流れていくのを見た。ぼくらはものすごいいきおいで、ぼくらの街から遠くへ行くのだ。日本は広いなあと思うものだ。この電車に乗って、ぼくの父もウチダ君のお父さんも会社に通っているのだ。駅前の街なみがとぎれてしまって、少し田んぼや竹林が見えた。電車は二つの駅に停まってから、県境の山をぬけるトンネルに入った。暗いトンネルはたいへん長い。ごうごうと大きな音がする。ウチダ君がケージをのぞきこんで心配そうな顔をした。「アオヤマ君、ペンギンがぐったりしてる」

ぼくはあわててケージをのぞいた。ペンギンがケージの底にうずくまるようにしていた。

「電車に酔ったんだろうか？」

「どうしよう、アオヤマ君」

「とりあえず次の駅で降りよう。車で酔ったときも、車から降りてしばらく寝ころがっていたら治るだろ？　ちょっとゆっくりして具合を見たほうがいいと思うな」

ぼくらは次の駅で降りた。

そこは一度も降りたことがない小さな中州型の駅だ。高くなっているホームからは、小さなビルに囲まれたバスターミナルを見下ろすことができる。バスターミナルの向こうには小さな商店街と住宅地が広がっている。入道雲に成長する途中の雲が見える。ホームの北には青々とした森が迫っていた。今にも森の緑が駅に向かって流れこんできそうだ。電車がいってしまうと、ホームはがらんとした。

ぼくらはホームの端にケージをおいて、ペンギンの具合を見た。

「大丈夫かなあ」とウチダ君は心配そうに言った。「あんなに元気だったのになあ」

「ごめんよ。ぼくにも原因が分からないんだよ」

「ううん。アオヤマ君のせいじゃないよ。ぼくが無理に連れていこうとしたから……」

ウチダ君の声はだんだん小さくなった。彼はペンギンから目をはなさない。

ケージをのぞきこんでいるウチダ君の前髪がふわふわとゆれた。風が吹いている。そこでぼくはおかしいと思った。ホームには風が吹いていないし、駅の北にしげっている森の木々もざわめいていない。ウチダ君の前髪だけがゆれているのだ。ぼくは指をなめて、風の吹いてくる方向を見つけようとした。あちこち指を動かすと、ケージの中から風が吹き出していることが分かった。

「ウチダ君」

「なに？」

「ちょっとケージからはなれて」

ぼくはウチダ君を遠ざけ、駅員さんが見ていないことを確認してから、ケージを開けた。ペンギンが苦しそうな足取りで外へ出てきた。黒い背中がぐんにゃりとまるまってシワがよっている。翼もたれさがったままで、ぱたぱたと動かす元気もないようだ。バランスをとって立っているだけで精一杯みたいだった。

ふいにペンギンはクチバシを上げてウチダ君のほうを見た。「キュッ」と音を立てた。

そのとたん、ペンギンの足もとから頭のてっぺんまで、つやつやしていた羽毛が毛羽立った。羽毛の表面に起こった津波が、ラセンを描くようにして体を走ったようだった。

ペンギンは魚を飲みこむときのようにクチバシを高く上げて、何かを待っているように空に向かって体を伸ばした。

小型の竜巻のような風が起こった。

ぼくはウチダ君の頭をかかえて風をよけた。

次の瞬間にぼくが見たものは、翼の生えたコーラの缶が宙を舞うところだった。ホームに落下するまで、その翼は風船がしぼんでしまうように小さくなり、ついには消えてしまった。風が巻き起こったのは一瞬のことだ。だれもいない静かなホームに、ゴツンと重い音を立ててコーラの缶が落ちた。ペンギンはもうどこにもいなかった。

ぼくはぼうぜんとしていた。

ウチダ君も何も言わない。

ぼくは歩いていって、ホームに落ちたコーラの缶を拾ってよくしらべた。それは今まさに自動販売機から出てきたばかりのように冷えていた。水滴がぼくの手のひらをぬらしたほどだ。

そのときにぼくはようやく思い出した。ペンギンたちが初めてぼくらの街に現れたとき、そのペンギンたちを連れ去ったトラックで何が起こったか。

その現象をぼくは「ペンギンの蒸発」と名付けた。

◯

ぼくはノートのメモに次の一行を加えることになるだろう。

□なぜペンギンは電車に乗ると蒸発するのか？

episode 2

観測ステーション

ぼくの髪は精度の高い湿度計である。髪の巻き具合から、その日の湿度を測定できる。

街はいつも雨にぬれていて、ぼくの髪はくるくると巻いていた。街を流れる川の水位は上がっていたし、県境の山はたいてい灰色に煙っていた。森の中からは、いつもさわさわと水滴の落ちる音が聞こえていた。

ウチダ君は「こういうときは森の中に底なし沼ができる」と主張した。ぼくらは賢明な探検隊なので、プロジェクト・アマゾンは延期することにして、そのかわりに「梅雨」について研究した。ぼくらは新聞から天気図を切り抜いてノートにはりつけ、オホーツク海高気圧と小笠原高気圧を蛍光ペンでぬりわけた。そうして研究に打ちこんでいると、妹もまねをして蛍光ペンで新聞を虹色にした。「お兄ちゃん、見て見て」と得意そうな顔をしているので、「おまえは芸術家だねえ」と言うと、彼女は鼻をふんふん鳴らして満足した。

ウチダ君は仲良しのペンギンが消えてしまったことで、たいへん落ちこんでいた。

「ひょっとすると、あれはペンギンじゃなかったのかもしれないね」

ウチダ君はつぶやいた。「本物のペンギンだったら、急に消えたりしないはずだし」

「じゃあ、何だったと思う？」

「分からない。でも彼はもういない。かなしいなあ」

「残念なことだとぼくも思う」

「なぜ消えたか分かる？」

「これはたいへんむずかしい研究なのだ。ぼくでさえも」

「アオヤマ君にもむずかしいなら、これは本当にむずかしいね」

たとえペンギンの正体が謎であっても、ウチダ君はあのペンギンと仲良しだったし、そういう生き物が急に消えてしまうことはつらいことであると思う。でも、ぼくはウチダ君をなぐさめることができなかった。それどころかぼくは、お姉さんがペンギンを作ったことさえ秘密にしなくてはいけなかったのだ。

友だちに大事なことをだまっているのはあまり良いことではない。

「もどかしい」というのは、こういう気持ちを言うのである。そうして、ぼくがもどかしい気持ちを味わって生きているところへ、お姉さんから電話がかかってきたのだった。

「そろそろペンギン作るよ。実験しない？」とお姉さんは言った。

彼女はまったく謎であるとぼくは思うものだ。

○

日曜日ぼくはお姉さんに会うために教会へ出かけた。灰色と銀色のモコモコした雲が空いっぱいに散らばっていたけれど、雲の間には水色の空がのぞいていた。大気には雨の匂いがしていた。バス通りをカモノハシ公園に向かって歩いていくと、雲の隙間から伸びてくる日光が街の一部分を明るくして、その明るくなった部分がすべっていく。空の上にいるだれかが、ぼくらの街の分子構造をレーザー光線でしらべているようだった。教会から出てきたお姉さんはニコニコ笑って、ご機嫌だった。お姉さんがご機嫌であるのは喜ばしいことである。

彼女の髪はアルミニウムのようにつやつやしていたので、ぼくはたいへんうらやましかった。髪がまっすぐであることをほめると、彼女はぼくの髪をくしゃくしゃにして「君の髪はひねくれてるな！」と言った。ぼくの髪がくるくるするのは、髪の分子がひねくれて結合するから。ぼくの責任ではない。でもぼくは反論しなかった。

「さて、どこでやろう？」と彼女は言った。

実験場はやっぱりバスターミナルにすべきだとぼくは考えた。

ぼくらはバス通りを歩いていった。バスターミナルはぼくらの住宅地の果てるところだ。家はだんだん少なくなって、広い空き地が目立つようになる。

歩いているうちに、また雨が降りだした。雨の粒子は細かくて、霧のようだった。サワサワという音があたりをつつんでしまった。ぼくは最新式の折りたたみ傘をリュックから出してさした。ボタンを押すとNASAの探査機がアンテナを伸ばすみたいに広がるものだ。お姉さんはおっぱいみたいにまるい、緑色の大きな傘をさした。

傘をさしていても、空気中をただよう細かな雨の粒子が傘の下に入りこんできて、ぼくらの顔や腕にぶつかる。

「サイダーの中を歩いてるみたいだね」とお姉さんは言った。

「植物たちが元気です」

「森がうるうるしているね。こういうのはいいねえ」

「ペンギンを出せそうですか？」

「そうだ。ペンギンを出そう。ペンギンを出したいわ。よく観察して、私がペンギンを出すシステムを発見してね」

「これは思っていたよりもたいへんな任務なのです」

「弱音をはくのか、科学の子なのに」

ぼくはお姉さんといっしょに歩きながら、ペンギンの蒸発について述べた。ペンギン・エネルギーの謎についても述べた。ウチダ君がペンギンを飼っていたことは秘密だから、ぼくはしゃべらなかった。お姉さんはマジメな顔をして聞いていたけれど、「謎ね！」とつぶやいて傘をくるくる回すばかりである。

雨にぬれたバスターミナルはがらんとしていて、いつもより広々として見える。バスターミナルの後ろにある森は、まるで綿にくるまれたみたいに煙っていた。自動販売機が雨にぬれたまま、だれかがジュースを買ってくれるのを待っている。自動販売機というのはさみしい仕事である。ぼくはいつも同情してしまう。

そしてぼくらは実験を始めた。

お姉さんは自動販売機でコーラを買った。ぼくは自動販売機のとなりに立って、彼女の動作を観察していた。彼女はぼくに向かってうなずいてみせ、「えい！」とコーラの缶を放り投げた。赤い缶はくるくる回転しながら雨の中を飛ぶ。そのままアスファルトに落ちて、ごつんと音を立てた。ぼくは走っていって、缶を拾い上げた。それはちょっとへこんだ缶で、ペンギンらしさは少しも観察できない。

ぼくらは三回実験を繰り返したが、ペンギンは誕生しなかった。

「実験は失敗です」

「そんなはずないんだけどな」とお姉さんは言った。

「でも缶には変化がありません」

お姉さんは「おかしいなあ」と言いながら、緑色の傘をくるくる回した。

そのとき、ぼくは〈現象〉が始まったのを見た。

今回の〈現象〉は、お姉さんの傘の表面で起こった。最初のうち、ぼくはそれが傘の表面に付着した水滴だと思っていた。それらの水滴は傘と同じ緑色だった。でもその水滴はふしぎな動きをした。水滴と水滴がくっついて、もっと大きな水滴になる。どんどん成長するのだ。そして急に水泡みたいにふくらんでパチンとはぜ、はぜた部分は薄桃色の花弁になった。傘の表面からにじみ出すみたいに、水滴は次々と発生する。お姉さんが傘を回すにつれて、さまざまな色の花が傘の表面を走り、その隙間から細い緑の茎が何本も空中にのびてきた。まるで植物の生長を早回しで見ているようなのだ。

バスターミナルに降る雨は霧のようにやわらかいから、あたりはたいへん静かだ。ぼくはその現象をよく観察するために、傘を回しているお姉さんのまわりを歩いた。

「どんな感じ？」とお姉さんは傘を見上げながら言った。

「すごい現象が起きています」

植物たちはお姉さんの傘の上で陣取り合戦をしていた。長くのびた茎がラセンを描いた。傘の外周と並行するようにして、ヒメジョオンの行列が走るのをぼくははっきりと観察した。絵の具をぬりかさねたようにお姉さんの傘は花でうまり、のびた茎はからみあいながら灰色の空を目指す。傘のへりに小さな黄色の実がふくらんできて、マンゴーみたいな明るい果物がなる。やがて傘から高々とつきだした長い何本ものがんじょうな茎の先に、大きなヒマワリの花が咲いた。お姉さんが傘をゆらすと、ヒマワリもゆらゆらする。ツルクサが傘からたれさがって来たので、お姉さんは指にからめて笑った。傘はすっかり小型の植物園のようになってしまった。

「すごいな」と彼女は言った。

「植物を作ったのは初めてですか？」

「初体験！」

雲の切れ目からさすサーチライトのような太陽の光が、ぼくらの実験場であるバスターミナルをまぶしいぐらいに明るくした。お天気雨だ。花びらを透過した太陽の光がお姉さんの顔を照らすと、彼女はまるでセロファンを通した光の中にいるようだった。

そのとたん、第二段階の現象が起こった。

あれほど高速で生長していた植物たちの動きが一斉に止まり、一斉に枯れ始めた。花々の花弁は色あせていき、高くのびた茎は茶色に変わっていく。たれさがったヒマワリの花からぼろぼろと種がアスファルトにこぼれおちる。そして傘から落ちたマンゴーの実がぷくぷくとふくれあがって翼が生え、ペンギンたちが生まれた。

「出た！　出た！」とお姉さんが叫んだ。

ペンギンたちは次々に生まれ、よちよちと歩きながらバスターミナルの裏にある森へ入っていく。お姉さんがもう一度コーラの缶を投げると、それもまたペンギンに変貌(へんぼう)した。

お姉さんの傘はへんてこなものに変貌していた。植物でかざったカゴを水もやらないでほったらかしにしたもののようだ。植物はすっかり茶色になって、死んでしまったように見える。

「実験は成功です」とお姉さんは得意そうな顔をした。「言ったでしょう？」

「成功しました。そして、ぼくは一つ仮説を立てました」

「おや！　さすがだなあ」

「それを確かめるためには、もう少し実験が必要です」

「まだやるの？」と彼女はため息をついた。「人づかいのあらい子だよ」

そのあとも実験をして、ぼくはいくつかの仮説をノートに書いた。

◯

□お姉さんは元気になるとペンギンを出したくなる。

□お姉さんには①ペンギンを作る能力②ペンギン以外（コウモリ・植物 etc.）を作る能力がある。

□太陽の光がさしているときは①、太陽の光がさしていないときは②の能力が発揮される。

□②の能力を発揮するとき、何が生まれるのかはお姉さんにも謎である。

□①の能力を発揮すると、お姉さんは疲れる？（※これはまだ実験が必要）

□②の能力を発揮すると、お姉さんは元気になる？（※これはまだ実験が必要）

○

なぜだか分からないけれど、母はぼくと妹が長靴を履いていると喜ぶので、雨の日には長靴をはいて登校する決まりだ。妹は母に赤い長靴を出してもらってゴマンエツだった。雨の日の妹はたいへんやんちゃで、傘をふりまわして水滴を飛ばすし、水たまりにわざと突入したりするので、ぼくは兄として彼女の行動を制限しなくてはならない。でも長靴で水たまりに入りたい気持ちは理解できる。探検的気分になるからだ。

雨が降る中を登校するぼくは、空を見て「高層雲」などとつぶやく。ノートを広げるわけにはいかないから、ぼくは記憶しているかぎりの雲の名前を暗唱しながら歩く。巻雲、巻積雲、層積雲、乱層雲。雲は浮かんでいる高さとかたちによっていろいろな名前がある。ぼくはずいぶん記憶した。

ぼくは学校の休み時間にハマモトさんとチェスをするようになった。ウチダ君もチェスをする。

ぼくら三人がチェス盤をかこんでいると、スズキ君がときどきちょっかいを出してくる。彼もチェスがしたいのかもしれないと考えて誘ったけれど、断られてしまった。

スズキ君はまるでぼくとウチダ君に見せつけるみたいに地図を広げて、探検の計画を練るのだった。スズキ君は部下のコバヤシ君たちを率いて、ぼくらのまねをして探検隊を組織しているのである。

「どこまで行けるかな」とコバヤシ君が言っている。

「どうかなー。これは大冒険になるぞ」とスズキ君は隊長みたいに地図をたどってみせた。ぼくやウチダ君が見ていることに気づくと、彼は怒った。「なんだよ、見るなよ！」

もともとその地図はぼくとウチダ君が作ったものなのだから、ぼくらにこそ見る権利がある。でもぼくは何も言わずにハマモトさんとのチェスに戻った。集中しなければ、彼女と互角にチェスをすることはできないからだ。そうするとスズキ君はまた探検計画をしゃべりだした。

ハマモトさんがチェス盤を見つめながら、「あの地図はスズキ君たちが作ったの？」と言った。

「ちがう！」とウチダ君は小さな声で言った。「あれはぼくらのだ」

「とられちゃったの？」

「ぼくらはスズキ君帝国と対立関係にあるのだ」

「スズキ君帝国ってなに？」

「スズキ君と仲間たち。残念なことに、ぼくらはスズキ君たちと仲良くない」

ハマモトさんはまるで大人みたいに鼻を鳴らした。「仲良くしなくてもいいよ。だれとでも仲良くなるなんて、不可能だもん」

それから、ハマモトさんはチェス盤から目をはなしてボンヤリした。彼女はチェスをしているとき、まるで息をしない人形みたいに集中するので、そんなふうにボンヤリするのはめずらしいことである。

「ハマモトさん、どうしたの？」

「アオヤマ君たち、この街ぜんぶ探検した？」

「ぜんぶではないよ。まだぼくらの地図は未完成なんだ」

「給水塔のある丘は？」

「給水塔には行ったよ」とウチダ君が言った。「市営グラウンドの裏の抜け道を発見した」

「でも、あそこの森はまだ多くの謎につつまれてる」とぼくは言った。「だから、ぼくは〈ジャバウォックの森〉という名前をつけた。いずれ探検してみるつもりだよ。天気が良くなればね」

「でもあそこは幽霊の月が出るよ」とハマモトさんはつぶやいた。「見たら死ぬのよ」

ウチダ君が不安そうな顔をした。「……らしいねえ。本当かな？」

「ぼくは信じないよ。その噂には何も証拠がないから。ハマモトさんは信じているの？」

「まさか」

ハマモトさんはそう言ったけれど、また考えこむのだ。

そのときぼくは、お姉さんといっしょに市営グラウンド裏にある荒れ地でピクニックをしたときのことを思い出していた。あのとき、ハマモトさんがジャバウォックの森から出てきて、ぼくはびっくりしたのだった。何をしていたのか聞いてみようかと思ったけれど、その日はやめておいた。

ぼくは彼女のプライバシーを尊重しようと考えたのである。

◯

水曜日の夜、お姉さんとチェスをする約束をしていたので、ぼくは「海辺のカフェ」に出かけた。

窓辺の席について、お姉さんが姿を現すのを待った。ノートをテーブルに広げ、バスターミナルの実験結果を整理した。ぼくはノートにお姉さんの傘から生えているヒマワリの絵を描いた。観察したことを正確に記録するために、ぼくはもっと絵の練習をしよう。それからノートに索引をつけた。索引をつけていると、ぼくがいかにいろいろなことを学んだかということがわかる。

ひとしきり研究に打ちこんだあと、ぼくは天窓のそばにあるシロナガスクジラを眺めて一休みした。「海辺のカフェ」には、ほかのお客さんはだれもいない。音楽が静かに流れている。窓の外には、暗くなった歯科医院と、そのとなりの空き地が見えていた。夜のガラスに映っている自分の顔を見ると、ぼくはいつも自分がちょっと大人みたいな顔になってきたと思って「よしよし」と思うのだが、翌日の朝に鏡で見てみると、あまり成長しているようには見えない。これはたいへんふしぎなことだし、がっかりすることである。

ヤマグチさんがミックスジュースを作ってくれた。

「こういうこともあるな」と彼は言って、ぼくの向かいに座った。

「こういうことって？」

「待ちぼうけというやつ」

ぼくはノートに「待ちぼうけ」と書いた。

ヤマグチさんはあごにいっぱい生えたひげをゴリゴリかいた。磁石にくっつけた砂鉄みたいである。ぼくはかつて磁石の研究に夢中だったことがあり、世の中の何よりも磁石が好きだった。磁石と砂鉄ほどステキでふしぎなものはないと思っていた。ぼくは机の引き出しに大事に保管してある砂鉄のことを考えた。

「俺とチェスをするか？」

ヤマグチさんが言ったので、ぼくらはチェスをした。

彼はチェスが得意ではなく、チェス盤を見るよりもひげをむしるのに夢中だった。勝負はたいへんゆっくり進んだ。そのうちぼくがうつらうつらすると、ヤマグチさんもうつらうつらした。だから勝負はもっとゆっくりになって、ついには進まなくなってしまった。

扉が開く音がしたのでお姉さんが来たのかと思ったら、父が立っているのだった。

「お姉さんから電話があってね。今日は具合が悪くて来られないそうだ」と父は言った。

残念だったけれど、具合が悪いのは仕方のないことだ。

ぼくはヤマグチさんに「おやすみなさい」と言った。

「ぐんない」とヤマグチさんは眠そうな声で言った。

ぼくは父といっしょに住宅地を歩いていった。広い空き地のとなりにならんでいる街灯が、まるで海底牧場を照らす照明のようだった。今にも空き地の暗い隅から、ふしぎなかたちをした魚たちが泳ぎだしてきそうである。ぼくはハマモトさんに教えてもらった本を図書館で借りて、海底のことにもずいぶんくわしくなったと自負している。

「海底は未知の世界なんだよ」とぼくは父に言った。「水圧がすごくてぺちゃんこになるし、光も届かない。宇宙生物みたいな生き物たちがいるんだ」

「海の底は宇宙に通じているかもしれないな」

父はそんなことを言った。「そういえば宇宙飛行士は水槽の中で訓練をしたりしてたなあ」

「そうだね」

ぼくらはしばらくだまって歩いた。

「ぼくはお姉さんが元気になってほしい」

「……待ちぼうけはさびしいもんだ。父さんにも経験があるよ。なんだか、もやもやするだろう？」

「もやもやするね」

「もやもやするのはいやなもんだね」

「……いやだけれどもがまんしなくてはいけないことがあるね、人生には」

「まったく、おまえの言う通りだ」

「父さん、ぐんないってどういう意味？」

「ステキな夜を。英語だな」

「この場合、おやすみなさい、ということになるね」

ぼくは「ぐんない」という言葉もノートに書いておかなければならない。次にお姉さんとチェスをする夜には、別れ際に「ぐんない」と英語で言ってお姉さんを驚かせるのだ。そしてお姉さんが「なにそれ！」とびっくりしたら、ぼくは「おやすみなさいという意味ですよ」と教えてあげることにしよう。

○

ぼくが自分のおこづかいで甘いものを買い、脳のエネルギーを補充していることはすでに書いた。

これまでに、ぼくはいろいろなお菓子を食べて、脳の働き具合を実験してみた。角砂糖をかじってみたことさえある。さまざまな実験の結果、一番ぼくが脳の栄養になると思ったのは、近所にある洋菓子店の「おっぱいケーキ」だった。本当は外国語のむずかしい名前なのだけれど、妹が初めて見たときに「おっぱい！　おっぱい！」と叫んだので、ぼくは「おっぱいケーキ」と呼んでいる。直径十センチメートルぐらいの大きさで、それはもうまんまるで、信じられないぐらいやわらかい。中にはクリームが入っている。ぼくの脳が働くためには砂糖のほかにもいろいろな成分が必要で、それらはすべて「おっぱいケーキ」に含まれている。なにより角砂糖よりもずっとおいしい。こんなにやわらかなお菓子があっていいのだろうかと思うほどやわらかい。おっぱいというものはこのぐらいやわらかいのだろうか。すてきなことだ。

ぼくとウチダ君は学校から帰る途中で「おっぱいケーキ」を買うことにした。

「寄り道をするのはあまりよくない」とウチダ君は言った。ちょっと不機嫌だった。

「でもおっぱいケーキはたいへんおいしいよ。ウチダ君も一度食べてみるべき」

「本当にそんな名前なの？」

「ぼくがつけた名前だ。だからお店で注文するときは、おっぱいケーキくださいって言わないように注意してほしい。お店の人に分からないからね」

「アオヤマ君はかしこいのに、そんなことばかり言うからへんだね」

「おっぱいが好きであることはそんなにへんなことだろうか？」

「へんではない……でもへんだなあ」

登下校のとき、ぼくらはクリーニング店やドラッグストアやレストランがならぶ大きな通りを渡る。その通りから市の浄水場へ向かう脇道を入ったところに、その洋菓子店がある。

重い扉を開けて店に入ると、甘い匂いが店いっぱいに充満している。小さな袋や銀紙で小分けにしたお菓子が山盛りになったテーブルがある。正面のガラスケースにはおもちゃみたいなケーキがならんでいる。小さな喫茶店もかねているから、コーヒーの匂いもただよっている。あんまり空気が甘いので、みんな眠ってしまうのではないかという気がする。ぼくはこの店の中にいるだけでたいへん愉快な気持ちになる。何もこわくないぞ、というぐらい上機嫌になる。ここにぼくの第二研究所を作ったら、さぞかし研究がはかどって、ぼくは虫歯になるだろう。

ぼくとウチダ君がおっぱいケーキを袋に入れてもらっていると、扉を開けてハマモトさんが入ってきた。彼女は「お買い物？」と言った。

「うん。ちょっとね」

彼女はテーブルにならんだお菓子を見ていた。買うつもりではないらしい。ぼくとウチダ君がケーキの袋をぶら下げて店を出ようとすると、彼女はぼくらを引きとめた。

「アオヤマ君、ちょっと相談があるんだけど」

「なんだろう？」

「アオヤマ君は物知りでしょう？」

「うん。ぼくはいろいろなことを知っている」

ハマモトさんはびっくりするぐらい大きな目でぼくを見つめながら、栗色の髪をなでた。彼女の髪もひねくれた結合をしている。でもぼくの髪よりはやわらかである。彼女はうふふと笑った。「アオヤマ君たち、今ヒマ？」

「ヒマとは言えないな。ぼくはたくさんの研究をかかえていて、いつも多忙なのだ」

「何の研究？」

「それは秘密なんだね。たいへん大事な研究だとしか言えない。でもハマモトさんが何か困った問題をかかえているなら、解決するのを手伝う時間ぐらいはあるんだ」

ハマモトさんはちらりと店内に目をやった。声をひそめて「じつは私も研究してることがあるよ」と言った。「アオヤマ君たちの意見が聞きたいんだけどな」

「それはひょっとして『ペ』で始まるものの研究じゃない？」

ウチダ君はきっとペンギンのことを考えていたのだ。ぼくもそう思ったのだけれど、彼女は首を振った。そしてふしぎなことを言った。

「私が研究しているのは〈海〉なの」

○

雨がやんだあとに太陽の光がさして、顔がべたべたするぐらい蒸し暑かった。

ぼくとウチダ君は「暑いねえ」と言いながら歩いたけれど、ハマモトさんはスキップするみたいに軽い足どりだ。彼女は貴族のお嬢さんのようにおしとやかなところもあれば、エネルギーを充てんしたばかりの女の子型ロボットのようなところもある。まったくおどろくばかりだ。ハマモトさんが歩いていく先には、アスファルト道路や住宅地の家の屋根が、太陽の光でぎらぎらと光っていた。住宅地の屋根の向こうに晴れかけた空が広がって、おっぱいのような緑の丘に給水塔がそびえている。ハマモトさんはその丘を目指していた。

「ハマモトさん、どこまで行くんだい？」

「ついてくれば分かるよ」

ハマモトさんが研究している〈海〉とは何だろうとぼくは思った。ぼくらの街は海から遠くはなれている。たとえ新しい鉄道ができたとしても、海へ行くには電車にのらなくてはならない。それなのに彼女はまるで歩いて行けるところに海があるような口ぶりだった。

歯科医院のお姉さんが住んでいる白いマンションの前まで来た。そしてハマモトさんは、給水塔に向かって丘の斜面をのぼるコンクリートの階段を指した。

「ここをのぼるのよ」

「ここは知ってる！」とウチダ君が言った。「前にのぼった」

「ぼくらはすでに探検したよ。まだ遠いの？」

ハマモトさんは「まだまだ！」と言って歩きだす。

彼女は階段をのぼり切り、給水塔をかこむフェンスをめぐり、林道へ入っていく。ぼくとウチダ君が五月に探検して、ペンギン・ハイウェイをたどった道だ。左手には市営グラウンドのフェンスが続いていて、右手にはぼくがジャバウォックの森と命名した深い森が広がっている。

雨はすっかりやんでいたけれど、森の中では絶え間なく雨が降り続いているような音が聞こえていた。太陽の光がさして、薄暗い森の中に、ところどころ日だまりができている。このまま歩いていけば高圧鉄塔のある荒れ地に出るはずだと思っていたら、ハマモトさんは「こっち！」と言って木立の奥を指さした。ぼくらの歩いてきた細い道から分かれて、ケモノ道のようなものが森の奥へ続いているのだ。

「危険じゃないだろうか？」

ぼくが言っても、彼女は「何度も通ってるから平気。でもちょっとぬれるかもね」と、ちっとも気にしないのだ。ハマモトさんはたいへんな冒険家であるらしい。

「大丈夫かなあ」とウチダ君が不安そうに言った。「底なし沼があったら困る」

ウチダ君は探検に出るとき、底なし沼にはつねに用心している。森の中にはときどきそういう沼があって、命の危険があるそうだ。

「ブラックホールみたいになんでも吸い込むんだって。いったん足を入れたら、もう出られない」

「泥にしずむのは想像するだけで苦しいね」

「息ができなくなって死ぬんだ。だれも気づかない」

ウチダ君は真面目な顔をした。

街の音はもうちっとも届かない。ぼくらが歩いていく小道の両側には草がしげって、木立がどこまでも続いている。まるでジャングルの奥地に来たようである。光がさしこんで明るくなった中を、蛾がたくさん飛んでいた。ジャバウォックの森は、たいへん深い森だ。ぼくらはこの森がどこまで広がっているのかも知らない。それなのにハマモトさんは平気で歩いていく。楽しそうでさえある。

小道はゆるやかに下っていた。

「びしょびしょになったよ」とウチダ君が困った声で言った。そして彼は「ひゃ！」と声を上げて首をすくめた。木のこずえから水の粒が落ちてきて、彼の首をぬらしたのだ。レーザー光線のようにもれてくる太陽の光の中に、水の粒がいっぱい降って輝いている。まるでお天気雨のようだった。

だしぬけにハマモトさんが走りだした。「もうすぐ！　そこ！」

「待ってよ！」

もちろん、ぼくらもあわてて走りだした。

木の枝をすりぬけて走っているうちに、ぼくはお腹の底がむずむずしてきた。森をぬけると、そこには世界の果てのような場所があって、小さな観測ステーションが建っているのではないかという予感がしたのだ。その観測ステーションは真っ白な玉子の殻みたいな建物で、世界の果てを観測するためにアメリカ航空宇宙局と日本政府が共同で設立した。観測ステーションには派遣されてきた研究員が一人ぼっちで暮らしている。彼はこんなに遠くまで探検してきたぼくらを歓迎してくれるだろう。お茶とお菓子をごちそうしてくれるかもしれない。

ぼくはそんなふうなことを想像した。

気がつくと、ぼくらはもう深い森を抜けて、広々とした青空の下に出ていた。

○

まるで緑のやわらかい絨毯(じゅうたん)を敷きつめたような草原だった。木は一本も生えていない。まぶしい光があたりを輝かせていた。空を見上げると、切れ切れになった銀色の雲が、ものすごい速度で流れていく。乱層雲が生まれる四千メートルの上空では何もかもを吹き飛ばすほど強い風が吹いているのに、この草原がひっそりと静かなのはふしぎなことだ。ハマモトさんは森から出たあとも早足で、草原をずんずん進んでいく。ジャバウォックの森から流れ出た小川が、草原の真ん中を大きなヘビのようにくねくねと這(は)っている。ハマモトさんは小川のほとりでふりかえり、ぼくらに手を振った。

その草原はまわりを森に囲まれている。ジャバウォックの森の奥にある忘れられた土地なのだ。まるで何かの液体をいっぱいにいれるための、大きなスープ皿のようだった。草原を歩いていくと、まるい空がぼくらの上におおいかぶさってくるようで、頭のてっぺんが空に向かってひっぱられるような気がした。

ぼくとウチダ君はぎくしゃく歩いていった。

そして、ぼくらの足はだんだんゆっくりになって、ついには立ち止まってしまった。そこはちょうど草原の真ん中だ。ハマモトさんが指さす先にはふしぎな透明の球体があった。ぼくらとの距離を考慮に入れると、その球体の大きさはおよそ直径五メートル。地上から三十センチメートルほど浮かんで静止していた。エンジンのようなものを使って浮かんでいるのではなかった。というのは、何の物音もしなかったからだ。そのふしぎな物体は太陽の光を反射して、静かにきらきらしているだけなのだ。

ウチダ君がぼくの服をつかんだ。「あれは何？」

「分からない」とぼくは言った。「アメリカ航空宇宙局が開発した新型宇宙船かも」

ぼくらが近づこうとすると、ハマモトさんがとめた。

「あんまり近くによらないほうがいいよ」

彼女は真面目な顔をして言った。

「危険なのかい？」

「ときどき動くの。トゲみたいのがのびたりするし」

「安全性は証明されてないわけだね」

ぼくはしゃがんで、球体の下をよく見た。「それにしてもさ！　これはいったい何だろう。たいへんふしぎな物体だ！　どういう原理で浮かんでるの？」

「分からないよ。だから研究してるんだもん」

「これが〈海〉なの？」とウチダ君が言った。

ハマモトさんはちょっと得意そうにうなずいた。「うん。私が命名したの」

たしかに、その球体は水でできているように見える。風が草原を通りすぎるたびに、球体の表面には小さな波が立った。きらきらと光を反射しながら、ゆっくり自転している。表面に白っぽいもやがかかったところや、濃い紺色になったところもある。宇宙から撮影した地球を見ているみたいだ。でもあの映像よりも、もっと透き通っている。よく見ると、さざ波の立つ球体の向こうに、森の緑が透けて見えた。

ぼくは草原を歩いて、よく観察した。

「すごいでしょ？」とハマモトさんが言った。

「本当にふしぎな物体だ！」

ぼくはノートを取り出してメモを取ろうとした。少し前のページが開いて、そこにはちょうど教室で噂になったことが書いてあった。「給水塔のある丘の上に銀の月が浮かぶ」というメモだ。

ハマモトさんがノートをのぞきこんだ。「あ、その噂。私が流したの」

「なぜ？」

「そういう噂を流せば、私の研究を邪魔しにくる子がいなくなるから」

彼女はいたずらっ子みたいに笑うのだった。ぼくはまったくおどろいてしまった。

「アオヤマ君、研究を手伝ってくれる？」

「ぼくはたいへん多忙なんだけど……でも、これはたいへん興味深い」

「そう言うと思った」

「ぼくらはよく脳を使って研究しなくてはいけないな……ハマモトさん、ケーキを食べる？」

「くれるの？」

ぼくらは少しはなれた場所から〈海〉を観測しながら、おっぱいケーキを食べた。このケーキのおいしさには、ハマモトさんも同意した。ハマモトさんにはおっぱいが存在しないなあ、とぼくは考えた。

ぼくは脳に栄養が行き渡るのを感じながら〈海〉を見つめていた。

そうしていると、ぼくの脳は忙しく働き始めた。

○

ぼくらは森と草原の境界に観測ステーションを設立した。

〈海〉の共同研究は、これから長期間にわたるだろう。雨降りの日もあるだろうし、暑くてたまらない日もあるだろう。居心地のいい観測ステーションを作っておくとたいへん役に立つ。

ウチダ君は海水浴に行くときに使うパラソルと折りたたみ式のイスを持ってきた。ハマモトさんはキャンプ道具のハンモックを持ってきた。ぼくは双眼鏡と防水用のシートを持ってきた。ぼくらはハンモックを森の入り口のところにつるして、研究に疲れたときには木陰で昼寝ができるようにした。ちょっとした昼寝は、ぼくらの脳がよく働くようにしてくれる。

森から草原に出たところに、オレンジ色のペン立てが置いてあった。これはハマモトさんが置いたもので、彼女が〈海〉を定点観測するのに使っていた目印だ。その地点は〈海〉から離れているので、安全に観測することができる。

「基地を作るのはここがいい。疲れたらすぐハンモックで休めるし」

ハマモトさんは言った。

ウチダ君はペン立ての置かれていた地点に、白いパラソルを立てた。

パラソルが作る日陰に折りたたみ式のイスを組み立てると、ぼくらの目の前に広がる草原がまるで海辺のように感じられた。パラソルは三人が入ってもまだ一人ぐらいは入れるほど大きかった。パラソルが作る日陰は、世界の日陰というものの中でもっともステキなものの一つであることをぼくは知った。

〈海〉を観測するためにジャバウォックの森を通り抜けるとき、ぼくはいつも不安になった。「もう〈海〉は消えてしまったのではないかな？」というふうに思った。そうすると心がざわざわして、草原いっぱいに広がる光が木立の向こうに見えてくると、駆けだしてしまうことさえあった。でも心配する必要はなかった。ぼくらが出かけていくたびに、〈海〉はきちんと草原に存在していたからだ。

晴れの日も、雨の日も、〈海〉は同じところに浮かんでいた。晴れの日には巨大なビ雨ー玉のように青く見えたし、雨の日には灰色に煙った草原の向こうで銀色に輝いた。雨が上がって夕焼けの光がさすと、北半球の一部が燃えるように赤くなるのだった。

観測ステーションから双眼鏡で〈海〉を観察して、ぼくはノートをとった。

「アオヤマ君のノートは何を書いているか読めないね」とハマモトさんが言った。

「速記法だよ。ぼくはだれよりも素早くノートを書くことができるのだ」

「アオヤマ君のノートは赤色ね」

「ハマモトさんのノートは青いね。それはたいへんいいノートだなあ」

ハマモトさんは青い小さなノートをかかえてうふふと笑った。

彼女のノートはぼくのノートよりも一枚一枚の紙が分厚くてしっかりした外国製である。ページを開くと、うすい青色の罫線(けいせん)が引かれている。親戚(しんせき)のおばさんが外国旅行のおみやげにそのノートを彼女にくれたとき、大学の先生をしている彼女のお父さんはノートの書き方を彼女に教えたそうだ。ぼくほどではないにしても、彼女もノートをたくさん書く小学生なのだから、彼女が頭角を現してきたのも当然である。

彼女はその「青ノート」に、活字みたいにきれいな字を書く。彼女は〈海〉にまつわる研究のすべてをその「青ノート」に書いていた。〈海〉の表面で発生するさまざまな現象や、定点観測地点から測定した〈海〉の直径の変化の記録だ。たいへんすばらしい研究だった。

彼女によれば、〈海〉の一番基本的な活動は、ふくらんだり、ちぢんだりすることである。彼女はふくらむ期間を「拡大期」、ちぢむ期間を「縮小期」と命名していた。彼女は草原の決まった位置から三角法を使って〈海〉の直径を測定し、方眼紙でグラフにしたものを青ノートに貼りつけていた。

「なるほど。ゆるやかに波を描いているね」

「今は縮小期だから。ほら、どんどん小さくなってる」

「三倍ぐらい大きかったときもあるんだね。こいつはおどろきだなあ！」

拡大期が進むと、ある日突然に「プロミネンス」が起こる。この現象もハマモトさんが自分で命名したものだ。宇宙の分野で言えば、「プロミネンス」が太陽の燃える大気の一部が外側に向かって飛び出す現象だということをぼくらは知っている。

「プロミネンスってどんなの？」とウチダ君が言った。

「大砲みたいに、小さな〈海〉が飛びだす。見たらびっくりするよ！」

彼女は青ノートに自分で描いた模式図を見せてくれた。球形の〈海〉から大砲みたいなものが突きだしている絵だ。その先端からビー玉のような小さな〈海〉がこぼれ落ちている。彼女は矢印を書き込んで、「小さい〈海〉が出る」とメモしていた。

「ぼくだけノートを持ってないね」とウチダ君が言った。「学校で使うノートならあるんだけど」

「自分のノートがあると楽しいよ。発見したことをぜんぶ記録するのだ」

「でもぼくはアオヤマ君たちとちがって、研究していることがないもの」

「あるじゃないか！」とぼくは叫んだ。「ブラックホールのこととか、宇宙誕生のこととかさ」

「そういうのでもいいの？」

「ウチダ君が新しく知ったことや、思いついたことなら、なんでもいいんだ」

ハマモトさんが自分のノートを宝物みたいにかかげて、「おもしろいと思うことを書けばいいと思うよ」と言った。ウチダ君は考えながら「ぼくもいつか自分のノートを持つことにしよう」と言った。

○

ぼくが散髪に出かけたときのこと。

たいへん静かな日曜日だった。細かく降る雨が霧のように街をつつんで、県境の山々は灰色の空に溶けてしまった。歯科医院の角で曲がるとき、道の向かいにある「海辺のカフェ」の窓辺に父が座って仕事をしているのが見えた。「気づくかな？」と思ってゆっくり歩いていくと、父はちゃんと顔を上げてぼくを見つけた。ぼくが傘をゆらすと、父はガラス窓をこつこつとたたいた。

ぼくが散髪する店は、洋菓子店のそばにある。道路に面した壁がすべてガラスの変わった建物で、中の人が散髪している様子がすべて見える。なぜそういう仕組みになっているのかは分からない。ぼくは茶色のソファに座って待ち、順番が来ると大きな鏡の前に座る。このお店にはぼくの読むべき雑誌がないので、いつも読みかけの本を持っていく。ぼくが読書していると、髪を切ってくれるお兄さんは「天才が来た」と言う。

ぼくがびっくりしたことに、その日はお姉さんといっしょになった。彼女はぼくより先に来て、髪を切っていたのだ。ぼくがイスに座ると、彼女は鏡の向こうの世界から、「あら少年」と笑った。鏡の向こうのお姉さんは少しふだんとちがうふうに見えた。

知っている人のとなりにならんで髪を切ってもらうのは、なんだか恥ずかしいことだ。髪を切るとき、お兄さんはぼくの首のまわりにシートみたいなものを巻くけれど、そうするとぼくはまるで赤ちゃんのようになってしまい、いくら真剣な顔をしてもおかしく見えるからである。

髪を切ってもらっている間、ぼくは鏡に映っているお姉さんの顔を見た。彼女は雑誌をボンヤリ眺めていた。少し顔色が悪くて、やせたみたいだった。

「少年、なに見てるの？」

鏡の中のお姉さんが雑誌に目を落としたまま言った。

「何も見てません」

「また嘘をつく！」

それからお姉さんは「こないだは行けなくてごめんね」と言った。

「ぼくは待ちぼうけでした。そして研究をして、ヤマグチさんとチェスをした」

「ヤマグチさんはチェス強いの？」

「ヤマグチさんは眠りながらチェスをします」

「達人だね」

「ぼくも眠ってしまいました」

「それ、勝負になるの？」

散髪が終わったあと、お姉さんが「アオヤマ君に待ちぼうけをさせたおわびにゴチソウを食べさせよう」と言って、昼食に招待してくれた。ぼくはお店から家に電話をかけた。父が電話に出て、「あんまり邪魔をしてはいけないよ」と言った。ぼくがお姉さんに代わると、彼女は父に礼儀正しくあいさつした。

ぼくとお姉さんは雨の中を傘をさして歩いていった。

雨の中だとお姉さんの顔はますます白く見えた。

「お姉さんは元気がない」

「そうなの。元気ないのよ。君は元気か？」

「ぼくはたいてい元気なんです。どういうわけだか」

「どういうわけだか、だってさ」

彼女の住んでいる白いマンションは給水塔のたつ丘にある。ぼくはつい先日、ハマモトさんとウチダ君といっしょに前を通ったばかりだし、これまでにも何度も「ここがお姉さんの住んでいるマンションなんだな」と見上げたことがある。でもマンションの中に入るのは初めてのことだ。マンションの裏にはジャバウォックの森が迫っていて、雨が木の葉にあたるやわらかい音がしていた。

ぼくはだれよりも冷静沈着な小学生であるにもかかわらず、この日はいろいろな失敗をした。長靴をぬぐのに手間取ってしまったし、クツ箱の上にある花瓶をひっくり返しそうになった。フローリングの廊下ではすべって転びそうになった。

「落ち着け少年」とお姉さんは言った。

お姉さんのマンションには大きな部屋が一つだけある。マンションは丘の途中にあるので、ベランダからは雨で灰色に煙った街が見えていた。部屋の中にはまるい木のテーブルとイスが二つ、ベッド、小さな本棚があって、まるっこいテレビが置いてある。テレビの向かいに、一人がけの小さな空豆色のソファもある。お姉さんはそのソファに座って本を読んだり、テレビを見たりするのだ。

お姉さんがスパゲティをゆでてソースを準備する間、ぼくは白いボウルに入ったサラダをかきまぜる手伝いをした。先にボウルの中でドレッシングを作って、そのあとに野菜を入れてかきまぜるのが本式のやり方だとお姉さんが教えてくれた。レタスや黄色いピーマンがボウルの中で回転した。

手際よくまぜたとぼくは自負するものである。

◯

ぼくらはまるいテーブルについて、スパゲティとサラダを食べた。ぼくはたいへんおいしいと思った。髪を切ったお姉さんの頭は小さくなっている。ぼくの頭も小さくなった。お姉さんが頭をゆらすと、短く切りそろえた髪がゆらゆらゆれて光った。

「髪を切ると、なんとなく心細い感じしない？」

「ぼくの髪はひねくれすぎているから切ったほうがいいのです。かしこくなった気がします」

「あきれるなあ。まだかしこくなるつもりか？」

「ぼくはかしこくなるつもりです」

今日のぼくは昨日のぼくよりもかしこいという事実を示すために、ぼくは梅雨の仕組みについてお姉さんに教えてあげた。彼女は「へえ」と言った。「しかしホント、雨はもう飽きたよねえ」

彼女はスパゲティをくるくる巻きながら、しきりにあくびをした。

「眠いですか？」

「けっきょく今日も元気でなくて、教会に行きそびれた」

「学校には行かないと叱られます。教会は行かないと叱られますか？」

「そんなことないよ。私が勝手に行ってるだけだしね」

「お姉さんは神様が存在すると思いますか？」

「さあ、どうかしらん？」

お姉さんは首をかしげた。「それは謎ね」

昼食の後、お姉さんは本棚の上に置いてあったチェス盤を出してきた。彼女が持っている本物のチェス盤は「海辺のカフェ」にある。家に置いてあるのは携帯用で、おどろくほど小さい。ハンカチぐらいの大きさのチェス盤の上で、グリーンピースみたいな駒を動かすのだ。「君がすっかり強くなったので、私も練習しないとね」

「ぼくは毎日学校でチェスをします。ハマモトさんがたいへん強いんです」

「へえ」

「彼女は相対性理論も知ってるんです」

「ほほお。それでラブラブなの？」

「ぼくはだれともラブラブにはなりません」

「どーだか」

ぼくとお姉さんは床に座ってチェスをした。お姉さんがベランダに面したガラス戸を開けたので、湿った生ぬるい風が吹きこんできて、白いレースのカーテンをゆらゆらさせた。雨は弱まっている。お姉さんは真剣にチェス盤をにらんでいたけれど、すぐにうつらうつらしてしまって、彼女の番になるたびにぼくが起こしてあげなくてはならなかった。「海辺のカフェ」でチェスをするときは、ぼくが眠い。今日はお姉さんが眠いのだった。

「お姉さんは眠い」とぼくは言ってみた。

「眠くないわよ」

「お姉さんは嘘をつく」

「嘘じゃない」

お姉さんは床にごろんと仰向け(あおむ)になった。くもり空からさしてくる弱い光が、お姉さんの顔を白くなめらかにした。ぼくはチェス盤の前に正座したまま、お姉さんの顔をのぞきこんだ。彼女は大きな目を開けて、ぼくを見上げるようにした。ぱちぱちとまばたきした。お姉さんがまるで小学生の女の子のように見えたものだから、ぼくはたいへんおどろいた。

お姉さんはふわふわした声で「少年は昨日何時に寝た？」と言った。

「ぼくはいつも夜九時に寝ます」

「そうだった。君は真夜中を知らないんだった」

「真夜中はすごいですか？」

「すごいよ。みんなが寝静まって、街が暗くなって、大冒険さ」

「ぼくも訓練して、夜にも起きていられるようになります」

「そんな訓練をしてどうするの？　夜中に起きたってさみしいだけよ」

「お姉さんが眠くなるまでチェスをしてあげましょう」

「つべこべ言わずに寝ろ、少年」

お姉さんはときどき目をつぶった。眠ってしまったのかな、とぼくが思っていると、妹のフランス人形のようにパチッと目を開くのだった。

「あの実験のあと、お姉さんは何かを作りましたか？」

「なにも作らない」

「ぼくは仮説を立てたのです。お姉さんはペンギン以外のものを作るといいと思うのです。そうすると元気になるかもしれません。『海辺のカフェ』でコウモリを作ったときみたいに」

「ペンギン以外のものを作るのはいや」

「どうして？」

「こわい夢を見るから」

「ジャバウォックの夢？」

お姉さんは「そんな感じ」とつぶやいた。そしてかくんと首を横に曲げて、ベランダの向こうの灰色の空を見た。「私の元気が出ないと、君のペンギン研究も進まないな」

「眠いなら眠ったほうがいいと思います」

ぼくは言った。「ぐんない」

「まだ夜じゃないよ」とお姉さんは微笑んだ。お姉さんは英語を知っているのだ。

そうして本当に眠ってしまった。

◯

ぼくに聞こえるのは、ベランダの外に降る雨の音と、お姉さんの小さな寝息だけだった。

お姉さんはぴったりと目と唇をとじて、たいへん上手に眠る。あぶあぶ言って眠る妹とはたいへんちがう。

彼女の顔を観察しているうちに、なぜこの人の顔はこういうかたちにできあがったのだろう、だれが決めたのだろうという疑問がぼくの頭に浮かんだ。もちろんぼくは遺伝子が顔のかたちを決めていることを知っている。でもぼくが本当に知りたいのはそういうことではないのだった。ぼくはなぜお姉さんの顔をじっと見ているとうれしい感じがするのか。そして、ぼくがうれしく思うお姉さんの顔がなぜ遺伝子によって何もかも完璧に作られて今そこにあるのだろう、ということがぼくは知りたかったのである。

ぼくはそのふしぎさをノートに書こうとしたけれど、そういうふしぎさを感じたのははじめてのことだったから、うまく書くことができなかった。ぼくは「お姉さんの顔、うれしさ、遺伝子、カンペキ」とだけメモをしておいた。

それから、お姉さんの作ってくれたスパゲティの成分について書き、そのスパゲティがたいへんおいしかったことを書いた。サラダを作るときはボウルの中でドレッシングを作ってから野菜をまぜるのが本式であるということも書いた。

ぼくがノートを書き終わっても、お姉さんは眠っていた。

お腹が冷えるとお姉さんが病気になる可能性があるとぼくは思いついて、ベッドからタオルケットを持ってきて彼女にかけた。これは我ながら適切な判断だったと思う。

「こんなふうに床で眠ってしまうようでは、お姉さんにはちゃんとタオルケットをかけてくれる人間が必要だな」とぼくは考えた。

大人の女性は、大人の男性をカンタンに部屋に入れたりはしないそうである。その男性の前で眠ってしまったりもしない。そういうことは恋人同士になってからするのだ。お姉さんはぼくを部屋に入れて、ぼくの前で眠ってしまった。お姉さんがそうするのは、ぼくがたんに子どもであるからだろうか。

昼間に眠っている人は、さみしそうに見える。お姉さんが夜に眠れないのはかわいそうなことだ。ぼくは夜になるとがまんができないほど眠くなってしまい、かなしい思いをすることが多い。このどうしようもない眠さを人間から人間へ輸出するシステムを、アメリカ航空宇宙局が開発してくれないだろうかと、ぼくはつねづね思っている。「眠さ転移システム」があれば、お姉さんはぼくの眠さを使って夜に眠ることができるだろう。そしてぼくはもっと夜遅くまで研究をして、立派な大人になれるにちがいないのだ。

そんなことを考えているうちに、ぼくもうつらうつらしたらしい。

気がつくとぼくはタオルケットをかけてベッドに寝ていた。お姉さんはソファに座って雑誌を読んでいた。

「起きたね」とお姉さんは言った。

「ぼくはそろそろ帰らなくてはいけないようです」

「そうだね。雨もやんだよ」

ぼくは玄関から出るとき、お姉さんにサヨナラを言い、「研究が進まなくてごめんなさい」と言った。

「なにをしょげとる」

お姉さんは笑った。「科学の子のくせに」

「科学の子もしょげることがあるのです」

「あわてることないよ。偉大な発見には時間がかかるよ」

ぼくがマンションから出ていくと、丘の上の空はふしぎな色になっていた。ぼこぼこした雲が空一面に広がっていて、それが淡い桃色にそまっている。そんな空をぼくはまだ一度も見たことがなかった。県境の山の向こうに雲の切れ目ができて、夕焼けの光がさしているのだ。

ぼくがふりかえるとお姉さんがベランダから手をふった。

お姉さんも桃色にそまっていた。

○

〈海〉は世界的な科学者も困ってしまうような大問題である。

〈海〉が空中に浮かぶ原理は分からない。大きな青い水のかたまりに見えるけれども、その表面は活発な活動を続けている。呼吸をするように大きくなったり小さくなったりする。ときには台風のような白い渦巻きがいくつも発生する。アンテナみたいなかたちをした構造物が飛び出すこともある。ずっと観測していると、それはまるでふしぎな生き物であるようにも思えるのだ。

そんな大問題を研究しているのが、おそらく世界でぼくら三人だけだということが、ぼくを誇らしい気持ちにした。ぼくはウチダ君とハマモトさんといっしょにノーベル賞の授賞式に出る夢を見さえした。三人で横にならんで、首にノーベル賞のメダルをかけてもらうのだ。ぼくらは〈海〉の研究者として、理科の教科書にのるかもしれない。父や母はたいへん喜ぶにちがいない。そしてお姉さんも「やるな、少年！」と言うだろう。

この研究のことは秘密にしておかなくてはいけない。なぜなら、もし〈海〉の存在が明らかになったら、大勢の研究者たちがやってきて、ぼくらが小学生であることを理由にして、この研究をぼくらから取り上げてしまうかもしれないからである。だからぼくらは学校にいる間、できるだけ〈海〉について話はしないでおこうと決めていたのだけれど、新しいアイデアが浮かんだときにだまっているのはつまらない。つい待ちきれずに休み時間に話をしてしまうことがあった。ウチダ君は〈海〉がどこかの研究所が作った装置だという意見をもっていたし、ぼくは〈海〉の表面で起こる現象の解釈をいろいろと考えていたし、ハマモトさんは〈海〉とコミュニケーションをとる方法を考えようと計画していた。ぼくらみんなが夢中だったのだ。

ぼくとハマモトさんがこっそり話をしているとき、スズキ君が「ラブラブだな！」とからかってきた。スズキ君帝国では、クラスの男子と女子が二人で話をするのはラブラブであるということなのだ。

だまっているぼくらを見て、スズキ君は大声で言った。「アオヤマとハマモトがラブラブだ！」

コバヤシ君たちがはやし立てて、ハマモトさんの耳が赤くなった。

「アオヤマさーん、最近は探検のほうはどうですか？」

スズキ君はへんに丁寧な声で言う。「おまえはハマモトとラブラブでサボッてるからダメだな。俺たちの方がずっと探検してる。俺たちはもう川をずっと探検したし、地図も描いた」

「すごい冒険をした」とコバヤシ君が重々しくうなずいている。「死ぬところだった、ホントに」

「ぼくらはさぼっているわけじゃないよ。雨が降っていたからプロジェクトを延期していたんだ」

「くやしいのか？」

「くやしくはないよ。ぼくらにはぼくらの方法があるというだけのことなんだ」

「ふん！」とスズキ君は鼻を鳴らした。「ぐずぐずしてると俺たちがぜんぶ探検しちゃうぞ」

スズキ君が向こうへ行ってしまうと、ハマモトさんが「うるさい人」とつぶやいた。

彼女は怒ったように「探検行こうよ！」と言った。「私も行く！」

「なぜハマモトさんが怒るの？」

「怒ってない」

「怒ってないなら、それでいいよ」

ハマモトさんはぼくの顔をジッと見た。彼女はそういうとき、ふいに大人のような目をする。ぼくはその目をまねしようと工夫しているけれど、うまくいかないのである。

「スズキ君たちに先を越されていいの？」と彼女は言った。

「ハマモトさん、もしぼくらとスズキ君が、スコットとアムンゼンみたいに南極点に到達しようとしているなら、ぼくらは急がなくてはいけない。でも、スズキ君たちは川を下って海を目指しているし、ぼくらは川をさかのぼって源流を目指している。方向がちがうのだから、あせる必要がないのだ。それにスズキ君たちが作る探検地図は、きっと不正確だろうとぼくは思う」

「アオヤマ君はくやしがらないね」

「ぼくはかんたんにくやしがらない主義だよ」

「つまんない。でもさ、スズキ君たちが探検する方角を変えたらどうするの？」

ウチダ君がとなりに来て、「それは困るよ」と言った。

「私も行きたいな！」とハマモトさんは言う。

ウチダ君は不満そうだった。「でも……これは、ぼくとアオヤマ君のプロジェクトなんだけどなあ」

「それなら〈海〉は私のだよ。アオヤマ君とウチダ君はあとから来たのに」

「それはハマモトさんが頼んだからだよ」

「公平にして」と言って、ハマモトさんはツンとするのだ。

「ハマモトさん、川の探検は危険なんだよ。川に落ちて溺(おぼ)れるかもしれない。ぼくはあんまりおすすめしたくないのだ」

「落ちないように気をつけるし、落ちたら泳げるもん」

ハマモトさんは主張した。

○

その日曜日は父が大学に出かける日だった。

ぼくらの街には大学があって、父は日曜日にときどき出かけていく。父は大学を卒業した大人だけれども、もう働いている人でも受けられる授業があるのだ。父によると、その大学はぼくらがこの街に引っ越してきた頃にできたばかりの大学なので、まるで未来都市みたいな新しい建物がならんでいるそうだ。

昼食を食べ終わってから、ぼくが探検の準備をしていると、父はリビングのテーブルで大学に行く準備をしていた。父はフセンのはってある分厚い本をめくって、万年筆でノートに何か書いていた。

「今日は探検に行くのかい？」と父は言った。

「そうなんだ」

「車に注意すること。危険な場所に入らないこと」

「うん。ぼくは用心するよ」

父は大学まで車で行く。だからぼくはショッピングセンターまで乗せてもらうことにした。ウチダ君たちと待ち合わせて、探検に出かけることになっていたからだ。

その日はたいへん暑い日で、突然に真夏がやってきたようだった。住宅地の上に広がる空は、歯科医院の雑誌で見たハワイの空みたいだったし、バス通りの並木は濃い緑色だった。人気（ひとけ）のないバス通りを車で走っていくと、まるで海辺のハイウェイみたいな感じがする。カモノハシ公園の前にあるカーブを曲がると、そこにはもうきらきらする海が見えそうだ。でもぼくは海辺のハイウェイを走ったことはないので、これはあくまで想像である。

ショッピングセンターの駐車場で父と別れて、待ち合わせ場所のフードコートに行くと、ハマモトさんがロボットみたいにツンとした顔をして、ベンチに腰かけていた。膝（ひざ）には白くて大きな帽子がおいてある。ピクニックに出かけるみたいだった。ぼくが「おはよう」と声をかけると、彼女は「おはよう！」と元気な声で言った。

ぼくが到着したあと、すぐにウチダ君もやってきた。

まずはフードコートの隅にあるテーブルに集まって、作戦会議をした。ぼくが新しく作り直した地図を広げると、ハマモトさんは「ふむふむ」と感心したみたいにのぞきこんでいた。

「この青い線がぼくらの探検している川なんだよ。小学校の裏にある空き地がここだね。ぼくらが探検を始めた地点だ」

「〈古代遺跡〉って何？」

「貯水設備だよ。なんだか古代の遺跡みたいだから、そういう名前をつけたんだ。そこから先へ川をさかのぼると、ここの田んぼの間を抜けていく。国道の下のトンネルをくぐって、住宅予定地に入る。そうしてこのショッピングセンターの裏までくる」

「ここから先は謎なんだ」とウチダ君が言った。「源流を見つけるんだよ」

「ちゃんとした地図にはのってないの？」

「この川は地図にない川なんだ」

「そんなことってあるの？」とハマモトさんはけげんな顔をした。

「この川がたいへん小さいせいかもしれない。地図を作る人たちは見落としてしまったんだと思う。だからこそ、ぼくらの任務は重大なのだ。この川がどこから来るのか、だれも知らない。ぼくらが調査して明らかにして教えてあげれば、地図を作る人たちもきっと喜ぶよ」

「ふうん」

ハマモトさんは真剣な顔をした。

ぼくらはショッピングセンターから出た。大きな建物の裏へまわっていくと、がらんとした住宅予定地がまるで砂漠みたいに広がっていた。ハマモトさんは白い帽子をかぶった。彼女はコンクリートでかためられた水路を見て、ちょっとがっかりしたようだった。

「なあんだ。私、もっとアマゾンみたいな川だと思ってた！」

「アマゾンみたいなところもあったんだよ」とウチダ君が言った。

「この先でまたアマゾンみたいになるかもしれない。油断してはいけない」とぼくも言った。

川の両側に続いている緑色のフェンス越しにのぞくと、コンクリートの深い水路に、たっぷり水が流れているのが見えた。雨がたくさん降ったためだろう。ショッピングセンターの裏にある住宅予定地はたいへん広くて、電信柱と四角く区切られた空き地が規則正しく続いている。太陽の光でアスファルトが焼けるぐらい暑かったけれども、ハマモトさんは白い帽子の下で涼しそうな顔をしているのだ。

「ザリガニみたいな臭いがするね」

ウチダ君が川をのぞきながら言った。

そうすると背後から寄っていったハマモトさんが「ワッ」と言って彼の背中を押した。ウチダ君が悲鳴を上げると、彼女はケラケラ笑った。そうして、まるでスケートで滑るみたいにすいすい歩いていった。両腕を腰の後ろで組んで、「空き地ばっかし！」と言ったりしている。ウチダ君は「ハマモトさんは困った人だよね」とつぶやいた。

ぼくらは〈海〉について議論しながら、川に沿って歩いていった。ハマモトさんは〈海〉の内部を探検しなくてはならないと主張していた。

「それはあぶないと思うなあ」とウチダ君は反対した。

「もちろん中に入るのはダメ。何かほかのものを入れるの」

「探査船を送りこむ、ということ？」とぼくは言った。

「探査船か！」ウチダ君がうれしそうな顔をした。「それはいいね。宇宙っぽいな」

そんなことをしゃべりながら、ぼくらは歩いていった。ふりかえると、ショッピングセンターはすっかり小さくなっていた。本物の砂漠の向こうに建っているみたいにシンキロウでゆらゆらして、屋上の駐車場へのぼっていく自動車の車体が光って見えた。

「川の探検って、あんまり面白くないねえ」とハマモトさんが言った。

「面白いときもあるし、面白くないときもある」とウチダ君が言った。「ハマモトさんは初心者だから」

ぼくらは市バスがたくさん止まっている操車場の裏手を抜けていった。二階建ての事務所や、自動販売機がフェンスの向こうに見えていた。

市バスの操車場を過ぎたところで住宅予定地は突然終わってしまって、そこから先はまた田んぼが広がっていた。川のフェンスはなくなって、コンクリートの水路が田んぼの間を流れていた。田植えが終わっていて、規則正しくならんだ緑の苗が、水にひたっていた。ぼくらの右手には、田んぼの向こうに国道がのびていて、大きなトラックや乗用車がたくさん通っていた。

古い茶色の建物の裏手で、水路が暗渠（あんきょ）になった。ぼくらはそこに生えている木の陰で休憩することにした。ハマモトさんは水筒からお茶を飲み、ぼくは地図を広げて川のルートを書きこんでいた。茶色の建物をしらべに行ったウチダ君が戻ってきて、「なあんだ」と言った。「ここは図書館の裏なんだ」

「こういうところを見られたら、またスズキ君がうるさい」

ハマモトさんが汗をふきながら言った。

「不便なことだね」とぼくは言った。

スズキ君帝国の法律では、クラスの男子と女子は仲良くしてはいけない。スズキ君はぼくとハマモトさんがラブラブであると主張し、からかったりする。ぼくはおかしいと思っている。第一に、これはわざわざエネルギーを使うほどの事件ではない。もっとほかにすることがある。第二に、もしスズキ君の言うとおり、ぼくとハマモトさんが「ラブラブ」だったとしても、それはべつに悪いことではない。仲がいいのはよいことだ。なんで騒ぐのだか、ぼくには分からない。第三に、ぼくはハマモトさんとラブラブではない。ぼくはすでに相手を決めてしまっているからだ。万が一、ハマモトさんがぼくにラブラブであったとしても、ぼくはこたえられないのである。残念なことである。

休憩を終え、ぼくらはまた川をたどっていった。

しばらくは国道と平行に、田んぼの中を抜けていった。だんだん暗い森が近づいてきた。森の向こうには高圧鉄塔がそびえている。ぼくらは森の入り口に立った。水路はそのまま森の奥へ通じている。森の陰は、まるで水に浸っているみたいに涼しい。

「ここはジャバウォックの森？」

ハマモトさんがつぶやいた。

「ジャバウォックの森は方角がちがうよ」

ぼくらは虫よけスプレーをして森に入った。

森にもいろいろな雰囲気がある。ジャバウォックの森は、おそらくぼくらの街で一番森らしい森だとぼくは考えるものだ。森らしい森はアマゾン的な雰囲気がある。その日ぼくらが抜けた森は、アマゾンみたいな雰囲気ではなかった。どこまでも雑木林が続いているような感じだった。そういうとき、ぼくはあまり世界の果てに抜けるような予感がしない。ぼくは世界の果てについて考えていることをハマモトさんにしゃべってみようかと思ったのだけれど、なんとなく気が引けた。ハマモトさんが世界の果てなんて科学的じゃないというかもしれなかったからだ。

川が流れているせいか、森の中には湿気がただよっている。ぼくらは川へ転落しないように注意して歩かなくてはいけない。もうフェンスもないからだ。

森を歩きながら、ハマモトさんはお父さんの話をした。彼女のお父さんは大学の先生で、毎日この街の大学に通い、学生たちに授業をしたり、研究をしたりしているそうだ。

お父さんは地球の研究をしている。彼女のお父さんの仕事は興味深い。

「今日はお父さんは大学に行っているの」と彼女は言った。「特別授業があるんだって」

「ぼくの父さんも大学に出かけたよ。授業を受けると言ってた」

「へえ！　じゃあ、ひょっとすると、私のお父さんがアオヤマ君のお父さんに教えているのかもしれない」

「それはすてきなことだね」

そのとき、先頭を歩いているウチダ君が立ち止まった。

「どうしたの？」とハマモトさんが言う。

ウチダ君はだまったまま、川の前方を指さした。木々がおおいかぶさっていて、川は薄暗かった。ウチダ君が指さしている川面を見ていると、水の表面が白くなってふわりと盛り上がっているのが見えた。そしてそのふくらみがすごい速さでぼくらの方へ近づいてくるのだ。

ハマモトさんがぼくの腕をつかんだ。「アオヤマ君、なんだろう。あれ」

「ぼくには分からない」

「おさかな？」とウチダ君が言った。

そしてぼくらが川のとなりに立って見ていると、その白いものは川の水をおしのけるようにして進んできて、ぼくらの目の前を通過した。ぼくらが両手でかかえるのもやっとのような大きな魚のようだ。体は白っぽくて、つやつやとしている。ぼくらの街に流れている川にそんな生き物がいるとは、とても思えないほど大きな魚なのだ。魚はぼくらの目の前を通り過ぎるとき、じゃばんと水をはねた。ハマモトさんとウチダ君が悲鳴を上げた。水しぶきの向こうに、ぼくはまるでぬれたゴムみたいにつやつやと光る銀色の皮膚を見た。

その魚が通りすぎたあとも、ぼくらはびっくりして動けなかった。

「今のはなんだったの?」とハマモトさんが言った。「あれ、魚? キモチワル!」

「あんなに大きな魚が、こんな川にいるだろうか」とぼくはつぶやいた。

「アマゾンみたいだねえ」とウチダ君が言った。

○

やがてぼくらは森を抜けた。そこから先、川はまたフェンスにはさまれた水路になって、生いしげった草地を抜けていく。熱気がぼくらをつつんで息苦しくした。草地のとなりには、アスファルトの道路がのびていて、道路をわたった先には未来都市のような建物がならんでいる。柵(さく)にかこまれた芝生が広がっているのが見えた。

「あら、ここは大学よ」とハマモトさんは言った。「お父さんがいるところ」

そして彼女は草を踏んで、歩いていった。

「川の探検はどうするの?」とぼくは言った。

彼女は探検隊の隊長がぼくであるという事実を忘れがちなのだ。なげかわしいことである。ぼくとウチダ君は川をはなれ、彼女のあとを追っていった。

日曜日の大学はがらんとしていて、たいへん静かだった。

彼女のお父さんの研究室は「地球科学研究棟」という建物にあるそうだ。ハマモトさんは何度も遊びに来たことがあると言って、建物の間をすり抜けていく。大きな研究棟と研究棟の間にある通路は日陰になっていて、熱い風がごうごうと大きな音を立てて吹き抜けていた。ウチダ君が「勝手に入っていいの？」と不安そうな声で言ったけれど、彼女は平気な顔をしている。

そうやって歩いているうちに、ぼくらは湾曲したガラス張りの壁の前を通った。ガラスの向こうは空港の待合室みたいで、白い丸テーブルがたくさんならんでいる。ハマモトさんが「カフェテリア」と言った。ふいに彼女は立ち止まって、カフェテリアの中をのぞきこんだ。隅にあるテーブルで、立派なひげを生やした人物がぼくの父と話をしているのが見えた。彼らといっしょにテーブルについて話をしているのは、歯科医院のお姉さんだったので、ぼくはたいへん意外に思った。

父が外にいるぼくらに気づき、驚いた顔をして立ち上がった。

ひげを生やした人物もこちらを見た。

「あれが私のお父さんよ」とハマモトさんが言った。

「あのひげの人かい？」

「うん」

「じつに立派なひげだなあ！」

「こわそうに見えるね」とウチダ君が言った。

「私のお父さんはコワいのよ」とハマモトさんはなぜかうれしそうだった。「すごくコワいの」

ぼくらはカフェテリアに入った。たいへん涼しくて快適だった。ぼくらはひどく汗をかいていたので、洗面所に行って顔を洗ってこなくてはいけなかった。

「驚いたね」と父は言った。「今日は大学を探検する予定だったのかい？」

「そうじゃないよ。偶然に着いてしまったんだ」

ぼくはお姉さんを見た。「どうしてお姉さんがいるんですか？」

「勉強しにきたのよ」

お姉さんはそう言って胸をはった。

ハマモトさんのお父さんはこの大学の先生で、今日は「公開講座」というものを開いた。父は自治会に置いてあったパンフレットを見て申しこみ、お姉さんはハマモト先生が歯科医院のお客さんだから申しこんでみたそうだ。講義が終わったあと、ハマモト先生にお姉さんがあいさつをしにいくと、そこへ父が来た。話をしているうちに、三人でカフェテリアでお茶を飲むことになった。そこにぼくらが現れたのである。

ぼくらはまるでピクニックのように、みんなでテーブルにつき、ジュースを飲んだ。ハマモトさんのお父さんは大気の研究をしている。クマみたいに大きな人で、あまりしゃべらなかった。目が大きくてギョロギョロしていて、いつも何かをにらんでいるように見える。彼も青いノートを持っていて、カフェテリアのテーブルに置いてある。何かを説明するときには大きな体を丸めて、そのノートにくるくると絵を描く。彼は、ぼくらにも分かるように、今日の講義で話した内容を教えてくれた。空高くに小さな気球を浮かべて、大気の成分をしらべる実験の話だった。ぼくが質問をすると、丁寧に答えてくれた。

ぼくはノートを取り出してメモをして、ハマモト先生のノートを見せてもらった。先生のノートはむずかしい数式やグラフがたくさん散らばっていて、たいへんステキなノートである。ぼくもこんなふうにノートを書けるようになったら、楽しいにちがいない。ぼくはブラックホールの仕組みについて書いたノートを先生に見せた。

「じつによく書けている。アオヤマ君は宇宙に興味があるんでしたね」

「たいへん興味があります」

「それはけっこう。うちに本があるから、貸してあげましょう」

「先生も宇宙が好きですか」

「好きですよ。宇宙に興味がない人間とは話ができないな」

「私は宇宙に興味ないですよ」とお姉さんが笑った。「私は先生とお話しできませんね」

「あなたは私の歯を慎重に扱ってくれる。だから宇宙に興味がなくても、大目に見る」

お姉さんは前に会ったときよりも、ずっと元気になっていた。頬には血の気が戻っていたし、眠そうでもなかった。ずっとニコニコしていた。父やハマモト先生と話をしているところを見ていると、やっぱりお姉さんは本物の大人であるようだった。そういうとき、ぼくはやや、さみしいような気持ちになる。ふしぎである。

「先生、アオヤマ君はたくさんの研究をかかえているんですよ。多忙なんです」

お姉さんが言った。「私のことも研究してるんでしょ？」

ぼくはお姉さんがそんなことを言うのでびっくりした。

「お姉さんの研究？」と先生がぼくを見た。

「お姉さんはたいへん興味深い人なのです」とぼくは用心しながら言った。

「それはそうでしょう。なにしろ神秘的な人ですからね」

先生がうなずいた。

ハマモトさんが「私とアオヤマ君も共同研究をしているの」と胸を張った。

「そのようですね」と先生はかなしそうな顔をしている。「何の研究をしているのか、私にも教えてくれない」

「だから私の研究をさぼっているんだね」とお姉さんは言った。「何の研究をしているの？」

「秘密です。きちんと研究がまとまってから発表するつもりなんです」

ハマモト先生はジロリとぼくを見た。そして「それはいい」と言った。「秘密にしておいたほうがいいのです。本当に大切な研究のことは、うかつに人にはしゃべらんものです」

ぼくらは今日の探検はここまでにすることにした。そろそろ夕方だし、ハマモトさんが疲れたみたいだったからだ。ぼくらとお姉さんは父の運転する自動車にのせてもらうことになった。お姉さんが助手席に乗って、ぼくら三人が後部座席に乗った。ハマモトさんのお父さんはまだ研究があるので、駐車場に立って、ぼくらを見送ってくれた。彼は太陽の光に顔をしかめていたので、森の奥から街に出てきたクマがびっくりしているみたいだった。ハマモトさんが車の窓から手をふると、彼は顔をしわくちゃにしたまま、手をふった。

「ハマモトさんのお父さんは研究熱心かい？」とぼくはたずねた。

「すごく熱心。だからお父さん、虫歯になるの。研究しながら甘いものを食べるから」

「それでうちの歯科医院にいらっしゃるのね」

「研究熱心な人は虫歯になるものなんだよ」

ぼくが言うと、父が「おまえはきちんと歯をみがきなさい」と言った。父は正しい。

「ぼくはつい忘れてしまうんだね。ずいぶん多忙なものだから」

「たしかに、おまえは多忙だ。しかし、多忙で歯をみがかない人間と、多忙でも歯をみがく人間がいたら、どちらがスマートかね？」

「スマートという観点から考えれば、歯をみがく人だよ」

「アオヤマ君はお父さんにそっくりですね」とお姉さんが言った。「研究熱心なところとか、しゃべり方とか」

「私が子どもの頃は、彼ほど理論家でもなかったし、研究熱心でもなかったですよ」

市立図書館の前を通り過ぎて、住宅街に向かってバス通りを曲がったとき、ぼくはふしぎな現象を見た。その現象に最初に気づいたのはハマモトさんだった。彼女はぼくの脇腹をつついて、「空、空」と言った。

給水塔の丘がある方角の空には雲が浮かんでいる。その雲の中央が下へポッコリとふくらんでいて、その先っぽが細くなって、ラセンのようなかたちになっているのだ。そんな雲をぼくは見たことがなかった。ウチダ君も身をのりだして空をのぞき、「へんだね」と言った。

「あれはジャバウォックの森のほう？」

ハマモトさんが眉（まゆ）をひそめて言った。

○

ぼくはたくさん本を読むことができ、ポケットの中に手を入れてメモを取ることができ、レゴブロックで宇宙ステーションを建造することができる。こうして身につけたいろいろなことが、ぼくを立派な大人にするだろう。

水泳もぼくの得意なことの一つである。

小学校に入学したばかりの頃は、水に顔をつけるのもエンリョしたいという子どもであった。ぼくは水の中で息をとめていなくてはならないことを、たいへんきゅうくつに思った。生命は海で生まれたはずなのに水の中で息ができないのはおかしいと思っていた。けれども小学校ではプールに入らなくてはいけないので、ぼくは父に水泳を教えてもらい、泳げるようになった。今のぼくはイルカのように泳げる。

七月になって、ぼくらの学校ではプールの授業が始まった。みんな水着に着替えてプールに集まった。空はたいへん青くて、もこもこした雲が盛り上がっている。

プールに入る前には、大きなシャワーの下を二列になって通りぬけなくてはいけない。ぼくとウチダ君は行列の一番後ろにならんでいた。ウチダ君はプールが好きではないので、泣きそうな顔をしている。少し先にいるスズキ君たちがぼくらのほうを向いて、

「ウチダとアオヤマがこわがってる!」と叫んだ。

「こわいわけじゃないんだよ」とウチダ君は震えながら言った。「ぼくはなんだかどきどきしてしまうんだ。でもこわいわけじゃない」

「そういうことはたしかにあるね。ぼくも雷が鳴るとお腹が痛くなるんだ。でもこわいわけじゃない。ただ心拍数が上がって、汗が出てきて、お腹が痛くなるだけ」

「そうなんだ」

背伸びをして見ると、行列の先頭はもうシャワーの下に入っている。いきおいよく降り注ぐシャワーの音がどんどん近づいてくる。水煙につつまれた同級生たちの悲鳴や笑い声が聞こえてくる。髪を水泳帽の中にキュッと押しこめたハマモトさんがこちらをふ

りかえるのが見えた。彼女はニッと笑ったあと、平気ですいすい進んで、シャワーの壁の向こう側に消えた。まるで洗車場に入っていく小さな外国製の自動車みたいだった。シャワーの水しぶきがぼくらの視界いっぱいに立ちこめた。ぷんと塩素の匂いがした。水はたいへん冷たい。ぼくは頭をかかえているウチダ君をひっぱるようにして、シャワーの中をくぐりぬけた。ぼくは「わあっ」と言い、ウチダ君は「ぎゅうっ！」というようなことを言った。

ぼくらは準備体操をしてプールに入った。水に入るときは冷たかったけれども、慣れてくると気持ちがよくなった。前半は授業だったけれど、後半は自由に遊んでよいことになった。

ウチダ君はプールサイドに座って、足だけを水にひたしてゆらゆらさせていた。ぼくが泳ぎながら呼んでも、彼は「ぼくはいいよ」と手を振った。水着の上からシャツをはおった先生がぺたぺたと歩いてきて、ウチダ君のとなりに座った。先生はウチダ君とおしゃべりをしている。

ぼくは頭をゆっくり水にしずめて、水と空気の境目をゆらゆらした。そうして何億年も前に初めて海から陸に上がった勇敢な生き物の気持ちを想像した。初めて陸に上がった生き物は、「これは苦しいなあ。水の中のほうがいいなあ」と思ったかもしれない。そんなふうに想像してみると、だんだん水の底にもぐりたくなってくる。ぼくはすっかり水にもぐってしまい、口から少しずつ泡を吹きながらプールの底を見まわした。

水に完全にもぐってしまうと、音が遠ざかって、ふしぎな静けさがぼくをつつむ。自分が泡を吐く音が大きく聞こえる。ぼくのまわりには同級生たちの体がいっぱい見える。もぐってギュッと目をつむったまま顔をしかめている子もいる。向こうに見えているのはプールサイドに座って水の中に垂らしているウチダ君の足だ。プールの底から見上げると、水面がゆらゆらして光っていた。じゅうぶんに息を吸っておけば、ぼくはずいぶん長い間もぐっていることができる。コツは吐く息の量とペースを慎重に調整することだ。

いつの日か、お姉さんといっしょに海辺の街に出かけるときは、海で泳ごうと言われるかもしれない。水泳を身につけておいてよかったと思う。ぼくは海で泳いだことがないので、海がどれぐらい塩からいものか知らない。お姉さんといっしょに海に出かけるのがたいへん楽しみである。

細かい泡の向こうに、ハマモトさんがただよっているのが見えた。

彼女は小さくまるまって、まるでブイみたいに水面近くに浮かんでいる。水着を着ているのでイルカみたいな感じもする。イルカは超音波で仲間たちと会話をするのだ。彼女は目を閉じて、水の世界の音に耳を澄ましているようだった。

「ぼくと同じようなことをしているなあ」

ぼくがそんなことを思って見ていると、ハマモトさんはパチッと目を開いた。大きな目でプールの底にいるぼくを見た。頰をふくらまして、じっとしている。彼女は小さく手を振り、口から小さな泡を吐いた。何か言ったようだけれども、水の中だから分からない。ぼくらはイルカではないからだ。

そのときぼくは、スズキ君帝国配下のコバヤシ君とナガサキ君があやしい動きをしているのを発見した。

彼らはプールサイドに座っているウチダ君の足に近づいていく。ウチダ君がピンチであることは明らかだったので、ぼくはコバヤシ君とナガサキ君の後ろからそうっと近づいていった。ぼくは二人の水着をずらして、びっくりさせてやろうと考えた。

ぼくはあんまり真剣にコバヤシ君たちを見ていたので油断していた。

後ろから来ただれかが、ぼくの水着をつかんだ。ぐいぐいとひっぱるものだから、びっくりして水を飲んでしまった。ぼくはあわててプールのへりをつかんだ。水面から顔を上げて息を吸った。それでもぼくの水着をひっぱる人物は力をゆるめない。紐がいつの間にかほどけていて、ずるずると下がる。たいへん困った状況だ。そこにコバヤシ君たちが気づいて、彼らもいっしょになってぼくの水着をひっぱった。ついにぼくの水着はぼくの足からすっぽりぬけてしまった。体の下半分が急にすうすうするような気がした。

ぼくがふりかえると、スズキ君たちがぼくの水着を頭の上でぐるぐるまわしながら、プールの反対側へ逃げていくところだった。

先生が笛を鳴らした。「はい、みんな上がってー」

水にぬれたみんなが上がっていって、プールサイドにならんだ体がイルカのようになめらかに光っている。ぼくは一人だけぽつんと水につかっていた。スズキ君たちはプールサイドに上がって、ぼくのほうを笑いながら見ていた。「アオヤマ君、どうしたの？」と先生が呼んだ。

ぼくはプールのへりに腕をのせて、なぜスズキ君たちはぼくの水着をとったのかと考えた。スズキ君たちはぼくの水着がほしかったのだろうか。けれどもスズキ君はちゃんと水着をもっているし、ぼくの水着はきわめてふつうの水着だから、手に入れても何の得にもならない。彼は水着がほしいのではなく、水着をとられたぼくが困るところが見たいのだ。自分の楽しみのために人の水着をとるのは良くないことである。ぼくが困れば困るほど、彼らはますます楽しい。それならば、ぼくが困らなければ困らないほど、彼らはますます楽しくなくなるはずだ。ぼくがちっとも困らなければ、彼らは面白くないので、こういうことを二度としないだろう。

この理論にしたがい、ぼくは困らないことにした。

ぼくがそのままプールから上がると、先生が「わっ」と言った。「アオヤマ君、水着は？」

クラスの女の子たちがきゃあきゃあ言い、男子たちは目をまるくした。「アオヤマ君、待って！　待って！」と言って先生が上着をぬごうとした。ぼくはお風呂(ふろ)上がりのように胸をはって、そのままプールサイドを歩いていった。クラスの子たちの向こうにスズキ君はかくれようとしていたけれど、みんなが道をあけてくれる。ハマモトさんが立っていて、「おやまあ！」と言った。彼女はかくれようとしているスズキ君の腕をつかんで、ぼくのほうに突きだした。ぼくはスズキ君の前に立った。

「ぼくの水着はどこだい？」

「知らん！」とスズキ君は言った。

「ぼくの水着はどこだい？」

「知らん！」

「ぼくの水着はどこだい？」

ぼくがぬれた体をおしつけていくと、スズキ君は「知らないってば！」と言いながら逃げまわった。そのうち彼は困ってしまい、「プールの底」と言った。

先生が上着をぼくの体に巻きつけてくれた。

その後、みんながぼくの水着を捜索して見つけてくれた。

○

その日の夜は、静かでさみしい夜だった。夜になると、ぼくらの街は海の底のように静かになるけれど、さみしく感じる夜とそうでない夜がある。ぼくはさみしい夜とさみしくない夜の出現について、その規則性を研究してみたことがある。でもけっきょく分からなかった。

ぼくはリビングのテーブルにレゴブロックをならべて組み合わせていた。妹はソファで眠ってしまった。母が紅茶を飲みながら、「なにを作っているの？」と聞いたので、ぼくは「探査船だよ」と答えた。ハマモトさんのお父さんが大気の成分を観測した話にヒントを得て、ぼくらは〈海〉の内部に探査船を送りこむ実験を計画中だった。そのためにはがんじょうな装置を作らなくてはいけないのである。

ぼくは仕事をしながら、プールのできごとについて話した。母はだまって聞いていた。母は先生のように困った顔もしないし、心配そうな顔もしない。いつものようにちょっとうるんだ目をして、ぼくを見つめている。ぼくは母に叱られるかもしれないと思った。まだ立派な大人になろうという決心をしていなかった幼い頃は、ぼくもほかの多くの平凡な子どもたちと同じように、母に叱られることが多かった。

「スズキ君はやっぱり意地悪なことをするのねえ」

母はのんびり言った。「なぜ？」

「なぜだろう。ぼくには分からない」

「研究してみたの？」

「ぼくはおおいに研究した。でもスズキ君はスズキ君帝国の皇帝だから、仲良くするのはむずかしいんだね」

「皇帝だから」

「そういうことなんだ」

「母さんは何か思いつく？」

「そうねえ。でも、本当にほかの方法はなかったのかしら？」

「でもほかに方法はなかったんだ。ぼくはいつかプールから出なくては寒くなってしまうし、ぼくがプールの中で困っていたらスズキ君たちは喜ぶ」

「あまり人をびっくりさせることはよくないことです」

「先生はびっくりしていた。上着でぼくの体をぐるぐる巻きにしてくれたよ。クラスのほかの子はびっくりした人もいれば、笑う人もいた」

「あなたが裸でプールから上がったら、みんなびっくりしたでしょうね」

チョコレートを食べながら、母は小さな女の子のようにくすくす笑った。

母はチョコレートを食べた。父が先週おみやげに買ってきたチョコレートで、薄いチョコレートの板の間にペパーミントのペーストがはさんであるものだ。父と母はこのチョコレートは大人のチョコレートだからという理由で、妹には食べさせない。そして妹が寝ているときなどに、ぼくだけにこっそり食べさせてくれる。ぼくはそのことがたいへんうれしい。

「それならいいわ。お母さんはなっとくです」

「そうすることができれば一番いいとぼくは思う。スズキ君がそうしようと言うんだったら、ぼくはいつでもそうするつもりだ」

「でも……仲良くできるなら、仲良くしたいと思うの？」

母は首をかしげて考えこんでいた。

「私は何も思いつかないわねえ。こういうことはあなたの方が得意でしょう」

母がそう言うのだから、ぼくは本当に何かもっと良い方法を思いつくことができたのかもしれない。母と話をすると、ぼくはいつもそんなふうな気持ちになるのだ。

妹はソファの上でいびきをかいている。時計はもうすぐ夜九時をまわるところだった。

母は紅茶を飲んで、壁にかかっている時計を見上げた。「今夜はお父さんは遅くなるそうよ。夜中になるんですって」

「ぼくは眠い。父さんが帰ってくるのを待てないなあ」

「待てなくてもかまわないわ」

「父さんは朝も早いし、夜は遅い」

「本当はみんながゆっくり眠れたらいいのにねえ」

「ぼくはあんまり眠りたくないんだがなあ」

父は毎朝五丁目のバス停から市バスに乗ることをぼくは知っている。駅まではバスにゆられて十五分かかる。それから電車に乗り換えて、県境を越え、会社に出かけていく。父の朝はとても早いし、仕事から帰ってくる時間はまちまちだ。しばしば今日のように、ぼくには起きていられないほど遅くなる。冬になると、父は暗いうちから出かけて、暗くなってから帰ってくる。父はカバンをさげて、いつも暗いバス停に立つ。

父の帰りが遅くなると分かっている日には、ぼくは父を待つことができない。ぼくはベッドに入るとすぐに眠ってしまう人間だけれど、眠る前のほんの一瞬、「父さんは今どこにいるだろうか？」と考える。父はバスにゆられながら、暗い中を通り過ぎていく街灯の光を見ているかもしれない。それはもうぼくらの家のすぐそばかもしれない。父さんが今ごろバス停に立っているぞ、家に向かって歩いているぞ、というふうに考えると、なんだかぼくはたいへん安心できるような気がするのだった。そうして眠ってしまうのだ。

「父さんはバス停で待っているときや、住宅地を歩いているときや、電車に乗っているときに考えごとをするんだって。そうするといい考えが浮かぶんだよ」

「あら、そうなの？」

「あと、『海辺のカフェ』でも、いい考えが浮かぶんだって」

「そういえば、『海辺のカフェ』は本当の名前じゃないのね。お母さん、知らなかったわ」

「そうなんだ。あの名前はお姉さんがつけたんだよ」

母に「海辺のカフェ」の名前の由来を教えてあげているうちに、ぼくは眠くてたまらなくなってきた。

そのとき電話がかかってきた。母が出たが、「お姉さんよ」と言って代わってくれた。

「こんばんは、少年」とお姉さんの元気な声が聞こえた。

「こんばんは」

「眠そうな声ねえ。そうか、もう眠る時間だっけ？」

「今日はたいへん眠いのです。脳が疲れてるのです」

「ちょっと前にね、『ペンギン以外のものを作るといい』って言ったでしょう？　あなたの仮説。そうすると私は元気になるかもしれないって」

「アオヤマ仮説」

「そう。アオヤマ仮説は正しかったかもしれない。私、元気になったよ」

「何を作ったんですか？」

お姉さんはくすくす笑った。

「……シロナガスクジラ」

ぼくはもっとびっくりしてしかるべきだったのだけれど、そのときはあまりにも眠かった。今にも受話器を落としてしまいそうだったのである。だからぼくは何も言わずに受話器を握ったままぼんやりしていた。

「さては、君は眠いんだな？」と電話の向こうでお姉さんが言った。

「眠いのです」とぼくは言った。

「歯みがけよ、少年」

お姉さんは言った。「ぐんない」

○

その日の夢に、シロナガスクジラが出てきた。

ぼくがダメだと主張しているにもかかわらず、お姉さんはぼくの家の中でシロナガスクジラを作ってしまうのだ。お姉さんは「赤ちゃんだから大丈夫」と言う。でもまるで大丈夫ではない。シロナガスクジラの赤ちゃんはリビングルームにつまって動けなくなり、たいへんかなしそうな顔をする。ぼくはお姉さんがつぶされてしまったのではないかと心配する。いっしょうけんめい彼女を捜したけれども、どこにもいない。そして、ぼくがあわてているうちに、シロナガスクジラの赤ちゃんはものすごいウンチをする。信じられない。こわい夢であった。

○

翌日の放課後、ぼくらはジャバウォックの森を抜けて草原に出かけた。

草原には生ぬるい湿った風が吹いて、空にはもくもくと入道雲が盛り上がっていた。ぼくはしばらく、一人で草原を歩いた。ぼくはたいへん真剣に考えごとをしていたので、ギリシアの哲学者みたいに見えたかもしれない。ウチダ君やハマモトさんから遠くはなれると、本当にぼくは世界の果てにいるような気分になった。

ふりかえると、草の上にハマモトさんがしゃがみこんでいるのが見える。ぼくがレゴブロックで作った探査船に、タコ糸を結びつけているのだ。

ウチダ君はパラソルの下でノートを書いていた。ぼくやハマモトさんと同じように、彼もノートを使うようになった。彼の書き方はぼくとはちがう。たいてい彼はノートを置いて、ずっと考えごとをしている。そうして何かを思いつくと、ほんの少しだけ書くのだ。そして書いたものは決して見せてくれない。だからぼくは、彼がどんなことをノートに書いているのか知らないのである。

草原に浮かぶ〈海〉は大きくふくらんで、ぼくらが観測ステーションを設立して以来、最大の直径を記録して、今も更新中だった。その表面では、さまざまな現象が観測できた。それら一つ一つの現象を、ぼくらは〈トライアングル〉とか、〈フラフープ〉とか、〈メビウス〉と命名した。けれど、いくら名前をつけて記録しても、それらの現象がなぜ発生しているのか、何のためのものなのか、ということは謎のままだった。

ぼくは〈海〉のまわりを歩きながら、その日はシロナガスクジラのことばかり考えていた。前日の夜、お姉さんが電話で言ったことである。たとえお姉さんがシロナガスクジラを作ったとしても、ぼくらの街にシロナガスクジラが隠れる場所はあるのだろうか。ペンギンたちは森に隠れている。でもシロナガスクジラは森の中をうろうろするわけにはいかないのだ。しかも大きい。考えれば考えるほど分からなくなった。

ハマモトさんが「アオヤマ君！」と叫ぶのが聞こえた。「用意できたよ」

ぼくは考えごとをやめて、ハマモトさんのところへ歩いていった。パラソルの下からウチダ君も走ってきた。ハマモトさんはタコ糸で探査船をぶら下げてゆらゆらさせた。探査船はソフトボールぐらいの大きさである。中には温度計が入っているし、ちょっとだけ外へ突き出たペンライトがチカチカ光るようにもなっている。〈海〉の中でどんな力が働いているのか分かるように、ゆらゆらする小さな赤い旗もとりつけた。ぼくはもう少しスペースシャトルみたいにしようと努力したのだけれど、がんじょうになるように工夫しているうちに、いつの間にかずんぐりむっくりして、ペンギンそっくりになってしまった。

「ちょっとかっこう悪いけれども」

「そんなことないよ。探査船だ」とウチダ君は言った。「すごいな。本当に実験みたいだ」

ハマモトさんがうれしそうに言った。「本当の実験だもの」

「アオヤマ君、ぼくは探査船に名前をつけたらいいと思うよ」

「そうだなあ。ペンギンみたいだからペンギン号ではどうだろうか」

「かわいいかわいい」

ぼくらの探査船は「ペンギン号」と名付けられた。

そうして、いよいよ探査船を送りこむ段階になって、きゅうにぼくらはだまりこんでしまった。ふくらんだ〈海〉はやっぱり何の物音も立てずに浮かんでいた。表面に白い輪っかのようなものがいくつも浮かんで、くるくる回りながら移動しているのが見えた。ぼくらが〈フラフープ〉と呼んでいる現象だ。

「こわいわけじゃないんだけど」とウチダ君がつぶやいた。「でもね、もし探査船を中に入れて、〈海〉が怒ったらどうする？　こわいわけじゃないけどさ」

「怒るかな？」とハマモトさんも心配そうだ。

「そもそもぼくらは〈海〉が生き物であるかどうかも知らない」とぼくは言った。「でも、もし〈海〉が生き物だったとしたら、体の中に急に探査船が入ってきたら、怒るだろうね」

「できるだけ遠くにはなれよう！」

ハマモトさんが言った。

ぼくらは草地を歩いて、〈海〉から遠くはなれた。ハマモトさんがするするとタコ糸をのばした。ぼくはペンギン号を手に握って、〈海〉との距離をはかった。およそ十五メートルぐらいだ。ウチダ君がタコ糸の端を持ち、ハマモトさんが双眼鏡をのぞいた。

「アオヤマ君、いいよ」と彼女は言った。

ぼくは振りかぶって、ペンギン号を投げた。

ペンギン号は飛んでいき、〈海〉の北半球あたりに落ちた。まるで吸いこまれるみたいに、ペンギン号がスルンと中に入ると、着地点を中心にして、〈海〉全体がゼリーみたいに振動した。青色の〈海〉の内部で、ペンライトの光が動いているのが見えた。

「接触に成功」とぼくは言った。

「やっぱり水じゃないんだ」

ハマモトさんが言った。「ゼリーみたい。ぷるんって」

　そのとき、たるんでいたタコ糸が急にピンと張った。ウチダ君が「わわっ」と言って、あわててタコ糸を繰り出しているけれども追いつかない。彼はタコ糸の端を持ったまま、〈海〉の方へ引き寄せられた。

「アオヤマ君！　ピンチ！　ぼくはピンチ！」

　ぼくはすぐにウチダ君の体にしがみついた。ハマモトさんも双眼鏡を放り出して、ウチダ君にしがみつく。みんなでいっしょうけんめい体重をかけたけれども、まるで小学校のクラス全員と綱引きしているみたいである。三人とも草地におしりをつけたまま、ずるずると引きずられた。

「ひゃー！」

　ウチダ君が叫んで、タコ糸から手をはなした。

　あっという間に、タコ糸は〈海〉のほうへ巻き取られてしまった。〈海〉の内部でまたたいていたペンライトの光がぷつんと消えた。

　ハマモトさんが立ち上がって双眼鏡を覗いている。

「ペンギン号の消失を観測」とぼくは言った。

「〈海〉が怒ったのかな？」とウチダ君が首をすくめた。

　ふいにハマモトさんが双眼鏡から目を離し、「プロミネンス！」とささやいた。

　ぼくらが観測している前で、その現象は起こった。

〈海〉の表面がはげしく動いていた。白や紺色のもやが流れている。地球で言えば南半球にあたるところに、青白くて長い壁のようなものがいくつも盛り上がってきていた。地球上で起こる超巨大な津波を宇宙空間から見たら、そんなふうに見えるかもしれない。それらはゆっくりと北に向かって動き、その過程でたがいにつながり、もっと大きな一直線の津波をかたち作っていく。もしそれが津波だとしたら、とほうもなく大きな津波だ。日本も中国もロシアも、ぜんぶ飲みこまれてしまうだろう。

ぼくらは用心しながら〈海〉に近づいてみた。表面でふしぎな現象が起こっているほかは、何もかもいつもと同じだった。太陽の光は〈海〉に反射して、まるで水辺にいるみたいにぼくたちを照らした。

「ゆっくり動いているね」

「これがプロミネンス？」とウチダ君が聞くと、ハマモトさんは首を振った。

「まだ。これは前段階の現象」

〈海〉の表面に発生した津波のような構造は北半球まで来ると、たがいにつながって、一本の完全な直線になる。やがてそれは何かをつつみこもうとするように湾曲し始めた。最後には津波の端と端が融合して、大きな輪になった。津波はさらに盛り上がってきて、円環が煙突のように突きだしてくる。円環の外側には、クリームを泡立てたみたいに、白くてふわふわしたものがたくさん発生している。円環の内側は、外とはまったくちがって、海の底が深くえぐれていくように紺色が濃くなっていく。それらはゆっくりとした変化だけれど、まるで計算しているかのように正確で、いくら眺めていても飽きなかった。

ハマモトさんが急にぼくとウチダ君の手をつかんだ。

「さあ、そろそろ離れておかないと！」

「どうして？」

「プロミネンスが始まるから！」

ぼくらはハマモトさんに言われるままに走って逃げた。

観測ステーションまで戻って眺めていると、〈海〉の表面に生まれた円環は空に向かってのびて、青みをおびた透明のチューブみたいに見えていた。しばらくすると、〈海〉全体が脈打つように見えた。草原全体にその響きが伝わった。のびたチューブの先端がラッパのようなかたちにふくらんだり縮んだりして、小さな球体が撃ち出された。その球体は弧を描いて草原上空を横切り、森の中に飛びこんでいった。

それがハマモトさんの言うプロミネンスという現象だった。そうやって〈海〉はときどき子どもを産む。ハマモトさんはジャバウォックの森の中をその小さな〈海〉が漂っているのを見たこともあるそうだ。

○

生ぬるい風が吹いて、ジャバウォックの森がざわめいている。大気には雨の匂いがただよっていたし、ぼくの髪もくるくるしている。空にはたいへん大きな積乱雲がそびえていて、雲の下の方は墨汁をまぜたような色になっている。食べたらお腹をこわしそうである。ふいに稲妻が雲の中を走り、灰色の雲を内側から一瞬だけ明るくした。青い火花のようなものが空にはじけ飛ぶのを見た。しばらくすると、ゴロゴロという音が響いてきた。

お腹がきゅうに重くなり、ぼくは落ち着かなくなった。

「雷だ！」

「あそこの雲がピカピカしてるよ」とウチダ君が積乱雲を指さした。まるで巨人が、ぼくらのほうへかがみこんでこようとしているみたいだ。

「アオヤマ君、雷がこわいの？」とハマモトさんが言った。

「こわいわけではないんだよ。家にいるときに雷が鳴っても、ぼくは比較的落ち着いている。しかしここは草原だし、まわりに何もなくて、落雷の可能性が高いから」

また雷鳴が響いた。ぼくは首をすくめた。

「あの雲はこっちに来るのかな」

「雷が鳴りだしたら、高い木、広い木、線路、車や鉄塔の近くにいてはダメだ。こんな広々としたところにいてはいけない。金属製のものを身につけていてもいけない」

ぼくはパラソルを折りたたんで、ジャバウォックの森に向かって走った。森の中にかけこんでホッとしていたら、ウチダ君が「ハマモトさんは？」と言った。

森の中から草原を見ると、ハマモトさんはまだ草原に立っている。彼女はたいへん理論家であるのに雷の危険性を認識していないのだ。「ハマモトさんあぶない！」とぼくは叫んだ。「早く早く！」

強い風が草原の草をゆらして波みたいに見せていた。ハマモトさんは髪をおさえながら、草原の向こうを見つめている。墨汁をまぜたソフトクリームのような入道雲がぐんぐん近づいている。

「ペンギンがいる！」と彼女は叫んだ。

〈海〉のそばに、いつの間にかペンギンたちが姿を現していた。クチバシを灰色の空に向けて、規則正しくゆらしている。大気に充満している電気から、ペンギン・エネルギーを補充しているのかもしれない。彼らは一定の距離をとって〈海〉を取り巻くようにしていた。宇宙船の母艦と、宇宙飛行士たちのようでもある。そのときになってようやく、ぼくは〈海〉とペンギンの関係についてなぜ考えてみなかったのだろうと思った。〈海〉はペンギンたちに対してふしぎな動きをした。表面にテトラポッドのようなかたちの構造物ができて、それがペンギンたちに向かってくるくると回る。ペンギンたちがよちよちと歩くと、そのあとを追うようにして、そのふしぎな構造物も〈海〉の表面を移動していく。

「雷が落ちるよー！」

ハマモトさんがペンギンたちに向かって叫んだ。

「ハマモトさん、早く森の中に入ったほうがいいよ！」と叫びながら、ふいにぼくは視界の隅で何かが動いたことに気づいた。ジャバウォックの森から流れ出して、草原を蛇行していく川だ。川の表面を銀色をしたものが水しぶきをあげて進んでいく。

ハマモトさんも川のほうを見ている。

やがてその川を進んでいく銀色のものは、〈海〉のそばで大きく水面に跳ね上がるようにした。それはたいへん小さくて、犬ぐらいの大きさしかなかったけれども、シロナガスクジラだということがぼくには分かった。そうしてシロナガスクジラが水しぶきをたてると、今まで〈海〉をかこんでよちよち歩いていたペンギンたちが、キウキウとへんてこな音を立てながら、あわててちりぢりになって逃げだした。

ペンギンたちを追い散らしたあと、そのミニシロナガスクジラは小川の底にもぐった。

「ハマモトさん！　雷が落ちるってば！」

ぼくが木につかまって叫ぶと、彼女はようやく身をひるがえして、森のほうへ駆けてきた。彼女はハアハア息を切らして、ぼくに飛びつくようにした。そのとたん、大きな雷鳴が響いて、ぼくは首をすくめた。ハマモトさんは気にしないで笑っている。「アオヤマ君、あれ見た？」と彼女は言った。「川でへんな魚がはねた」

「見たよ。たいへん大きな魚だった」

「なんだかへんだったわ」

ハマモトさんはそう言って、森から草原をのぞいていた。

○

ぼくはノートに次の文章を加えることになるだろう。

□お姉さんが作りだしたシロナガスクジラみたいな生き物をペンギンたちはこわがる。

□ペンギンたちと〈海〉には、何か重要な関係がある。

episode 3

森の奥

ぼくはノートにさまざまな計画を書き、それらをちゃくちゃくと実行する。ウチダ君と探検する計画。図書館で本を読む計画。レゴブロックで宇宙ステーションを建造する計画。チェスの練習をする計画。お姉さんと二人で海辺の街に出かける計画。

ぼくはノートの方眼を利用して、きれいな時間割を書くことができる。大きな計画を小さな計画に分ける。大きな時間割を小さな時間割に分ける。そうすると時間はレゴブロックみたいである。すべてがきれいに組み合わさると、ぼくが立派な大人になるための計画になる。

ぼくは学校がきらいではないけれど、学校の時間割は自分で作ることができない。もし自由に学校の時間割を作ることができたら、たいへん楽しいだろう。

夏休みにそなえて、ぼくはノートにいくつもの計画を書く。時間を分割して、いろいろなブロックを作り、それらを組み合わせる。できるだけたくさんの楽しいことが実行できるように。

○

終業式の日のこと。体育館で校長先生の話を聞いたあと、大掃除があった。ぼくは窓ガラスを透きとおるぐらいきれいに丁寧にふく。ぼくが熱心にはたらいていると、ハマモトさんがホウキをもって歩いてきた。

「アオヤマ君、明日は夏まつり行く？」

「おそらく行く可能性が高いね」とぼくは答えた。

そのとき、スズキ君がぞうきんをふりまわしながら、「ラブラブ！」と叫んだ。スズキ君帝国の皇帝はつねに油断なく見張っているのだ。

ぼくは思わずスズキ君に抗議しそうになったけれど、それよりも早くハマモトさんがふりかえった。「そうよラブラブよ！　何か文句あるの⁉」と彼女は叫んだ。クラスがしんとしてしまうほどだった。そんなふうに言い返す子はこれまでいなかったのでスズキ君は目を丸くするばかりだ。彼はけっきょく何も言えなかった。おしまいに「ラブラブなのかよ……」とつぶやいて教室の外へ出ていった。

ハマモトさんはぼくのほうを向いて、「今のはウソだよ」とささやいた。「あんまりスズキ君がうるさいから」

ぼくは感心した。

学校からの帰り道、ウチダ君が「本当にラブラブなの？」と言った。

「ちがうよ」

「じゃあなんでハマモトさんはあんなことを言ったの？」

「ぼくらがラブラブでないと主張すると、スズキ君がもっとからかうからね。だから彼女はラブラブであると主張することで、スズキ君が何も言えないようにしてしまったんだ。あれは彼女の作戦なんだ」

「なーんだ。ぼくはアオヤマ君たちが本当にラブラブなのかと思ってびっくりした」

「ラブラブではないんだ」

ウチダ君はしばらく考えてから言った。「でもぼくは思うんだけれども、そういうウソをつくと、スズキ君はあとでもっと怒るんじゃないかなあ」

「どうして？」

「スズキ君はハマモトさんが好きなんだから」

ぼくはびっくりして立ち止まった。「それはおかしい。スズキ君はあんなにハマモトさんにいじわるな発言をしているじゃないか。本当に彼女が好きなのだったら、彼女がいやがることをするのは合理的じゃないよ」

「分からないけど。でもスズキ君はハマモトさんが好きなんだよ」

「なんでウチダ君はそんなこと知ってるの？」

「ぼくは観察した。でもみんなも知ってると思う。スズキ君がこわいから言わないだけ」

ぼくはウチダ君の観察眼に感心した。そうすると、なぜかふいにうれしいようなくすぐったいような気持ちになった。ぼくはもう少しでスズキ君と友だちになれそうにさえ思った。

「そうなのか。スズキ君はハマモトさんが好きだったのか。ぼくはちっとも知らなかった。そういう気持ちならば、ぼくにちゃんと教えてくれたらいいのにな」

「そんなこと、スズキ君言わないよ」

「なぜ？」

「恥ずかしいから」

「スズキ君がハマモトさんを好きであることがなぜ恥ずかしいんだろう？　ほかの人を好きになることはふつうのことじゃないか。ぼくのお父さんもぼくのお母さんが好きになったから結婚したんだよ。ぼくのお父さんがお母さんを好きにならなければ、ぼくは存在しなかった」

「それはそうなんだけど」

ウチダ君は笑った。「アオヤマ君は分かってないなあ」

「ぼくは分かってないのだろうか」

歯科医院の手前まで来ると、となりの空き地の草が熱い風にゆれていた。青い空には、プールサイドで食べるソフトクリームのようにおいしそうな入道雲があった。街路樹にとまったセミがにぎやかに鳴いている。ぼくらが歩いてきたアスファルト道路の遠くのほうは、お湯につかったみたいにゆれている。

ウチダ君と別れるとき、本当に明日から夏休みが始まるのだというふうにぼくは感じた。「ウチダ君、明日からぼくらは夏休みなんだ。君はこのステキな事実についてどう思う？」

「ぼくはうれしい」

「ぼくもうれしい。ぼくらはいろいろなことをするだろうな！　計画がたくさんあるよ」

「そうだね」

「ウチダ君も夏まつりに行く？」

「行く」

「ぼくも行く。ハマモトさんも来るそうだよ。夏まつりに行くと、本当に夏休みが来たという気持ちになるね。しみじみ感じる、ということを言うのだろうね」

〇

ぼくらの街の夏まつりは自治会ごとに開かれる。公園の広場に赤いちょうちんをぶらさげて、ご近所の人たちがテントをはって夜店を出すのだ。ぼくらが引っ越してきたばかりの頃は、夏まつりはちっぽけで、あまり夏まつりらしくなかった。でも、住宅地の空き地がうまるにつれて参加者も増えてにぎやかになった。

翌日の土曜日は、朝のまだ夏まつりの始まらないうちから、妹がゆかたを着ると言って母を困らせていた。母が「もう少し待ちなさい」と言うと、妹はおモチのようにふくれた。「ぶぅ」と言いさえした。

「わがままッ子だなあ」

「お兄ちゃんにはカンケイないもん」

最近、彼女は「関係」という言葉をおぼえたので、なんでも「カンケイない」「カンケイない」と言っていばっている。ぼくは本当にあきれるしかないのである。

昼すぎになると、公園のほうからにぎやかな音が聞こえてきて、ぼくは父といっしょに見物に出かけた。

サッカー広場に盆おどり用のやぐらが組み立てられていて、電線からはちょうちんがぶらさがっていた。父は町内会長のヨシダさんや「海辺のカフェ」のヤマグチさんと相談をしている。ヤマグチさんは店を閉めて、朝から夏まつり準備のお手伝いをしているそうだ。父はテントを立てる手伝いを始めたので、ぼくはいったん家にもどって、研究の整理をした。

日がしずんでから、そして夜に眠くならないように昼寝をした。ぼくは母や妹と夏まつりに出かけた。

住宅地を歩いていくと、あちこちで子どもの声がして、同じ方向へ歩いていく人たちの姿が見える。夏まつりの夜だけは、夜おそくまで人の声がする。妹はようやくゆかたを着せてもらってごまんえつだった。ゆかたを着て歩いていく妹は、ちんちくりんの金魚のようだ。途中で同級生たちと会って、きゃっきゃっと笑っていた。

夜になった公園は、別世界のようになる。六角形の公園には、父たちが焼きそばを焼いている夜店の電気や、やぐらのまわりにぶらさがっているちょうちんの明かりがいっぱい輝いている。夜の底に光がたまっているみたいだ。

ぼくは母たちといっしょに夜店をまわった。父が焼きそばを作っているのも見物した。金魚すくいもした。妹は近所の人たちに教わって盆おどりをおどり始めた。

小学校のクラスの女の子たちが通りかかった。みんなゆかたを着ていて、中にはハマモトさんもいた。彼女は「見て、ゆかたよ」と言ってひらひらさせた。「にあう？」「ちんちくりんではないね」とぼくは意見を述べたけれども、ハマモトさんは不満そうだった。母が「にあってるわねえ」と言うと、彼女はうれしそうに笑った。そうして、ほかの子たちといっしょにおどりに行った。

「あの子がハマモトさん？」

「そうなんだ。相対性理論を知っているんだよ」

「かわいい子ねえ。お人形さんみたい」

夏まつりの夜はいろんな人と出会う。

ぼくと母が盆おどりを眺めていると、人混みの中からお姉さんが出てきた。彼女は歯科医院の先生や受付のお姉さんといっしょだった。母が「こんばんは」と言って、お姉さんたちも「こんばんは」と頭を下げた。彼女はさっきまで福引のテントで手伝いをしていたけれど、交代して遊びに出てきたと言った。

「アオヤマ君も夏まつりなんかに興味あるのね」とお姉さんがくすくす笑った。「それとも夏まつりの研究？」

「今夜は休暇です」

「そうなの。たまにはおやすみもないとね。今日は眠くならない？」

「今日は大丈夫です」

ぼくらはしばらくいっしょに、妹が盆おどりをおどっているのを眺めた。

「君はおどらないの、少年」とお姉さんが言った。

「ぼくはおどらないのです」

「なぜ？」

「ぼくはおどるとロボットみたいになる。きっと理論的に考えすぎるんだと思います」

歯科医院の先生が「なにしろ科学の子だからなあ」とまじめな顔をして言ったので、お姉さんたちはみんな笑った。そして「それじゃあね」と言って歩いていった。

○

やがてぼくはウチダ君を見つけた。彼はお父さんとお母さんといっしょに歩いていた。ぼくは走っていって、「こんばんは」とあいさつをした。ウチダ君のお父さんはやせていて、お母さんは太っている。

ぼくとウチダ君は二人で夏まつりをまわることにした。

ぼくらは公園の隅の赤いちょうちんが灯(とも)っているところでかき氷を食べた。かき氷は南極のように冷たくて、ぼくの脳を冷却した。

ウチダ君はときどき用心深くあたりを見まわしていた。

「スズキ君も来るかなあ」

「きっと来ると思うよ」

「あんまり会いたくないねえ」

「ぼくもスズキ君と会ってけんかをするのはいやだ。でも彼にはぼくらの自由を妨害する権利はないんだ。ぼくらは自由に夏まつりに行くし、探検にも行く」

ハマモトさんや妹たちはいつまでも盆おどりをしている。みんなおどるのが好きなのだ。ハマモトさんがおどりながらぼくらに手をふった。ぼくも手をふった。

「アーオーヤーマー」

背後から声が聞こえた。

そのとたん、だれかがぼくのズボンをつかんでひっぱりあげた。下半身がたいへんきゅうくつになって、ぼくはバレリーナみたいにつま先で立たなくてはならなかった。いつの間にか、スズキ君の配下のコバヤシ君とナガサキ君がぼくのズボンをしっかりつかんでいたのだ。

スズキ君がぼくの前に立った。大きな顔がちょうちんの明かりで真っ赤になっている。武器みたいにかまえているのは、よだれでベトベトになった綿菓子だ。ちょうちんの明かりできらきら光っている。

「動くな、ウチダ」

スズキ君は綿菓子をウチダ君に突きつけた。そんなことを言わなくても、彼はびっくりして動けなくなっていた。ぼくもつま先立ちになったまま動けない。スズキ君は綿菓子をかじって、「コノヤロー」とうめいた。

ぼくがかき氷を食べると、「かき氷食べんな！」とスズキ君は怒った。

「なぜだい？　ぼくにはかき氷を自由に食べる権利がある」

「むかつく！　わけわかんないことを言うな！」

「ぼくは君が怒っている理由が分かったよ。スズキ君」

「なんだよ？」

「ハマモトさんのことが好きなら、そう言ってくれたらよかったんだ。ぼくはそういうことが分からなかった。それは謝るつもりだ。ぼくとハマモトさんはラブラブではない。だから君がハマモトさんのことが好きであるならば、ハマモトさんに早く『ぼくは君が好きなのだ』と伝えたほうがいいと思うな。いじわるなんてもうやめなよ」

スズキ君は「ちちちちち」と言った。「ちがうよ。なんだよそれ。勝手に決めるな！」

「人を好きになることは恥ずかしいことではないとぼくは思うのだ」

「ちがう！」

スズキ君は真っ赤になった。なぜそんなに怒るのか分からない。彼はぼくのかき氷につばをはいた。かき氷がだいなしになってしまったのは残念である。もうそのかき氷を食べることはできないから、ぼくはコバヤシ君のTシャツをつかんで、かき氷をえりのところから流しこんだ。

コバヤシ君は「ぎゃあ！」と悲鳴を上げた。

コバヤシ君をやっつけることには成功したけれども、ナガサキ君が、おすもうさんが まわしをつかむみたいに、ぼくのズボンを両手でつかんできた。ナガサキ君は力が強いので、ぼくは逃げることができなかった。そうしているうちにスズキ君がよだれでべとべとになった綿菓子をぼくの髪につっこんだ。

「やめろスズキ君。髪がくるくるになる！」

スズキ君は「コノヤロー」と言って綿菓子をぐしゃぐしゃ動かした。

「スズキ君、やめて！」とウチダ君が叫んだ。

ぼくらがワアワア言っていると、「こら諸君！」というお姉さんの声がした。「なにしてるの？」

スズキ君たちはきゅうにだまってしまった。彼らも歯科医院のお姉さんには弱いのだ。

「少年、なぜ頭に棒がささってる？」とお姉さんはぼくの髪を見て言った。

「これは綿菓子です」

「綿菓子は食べるものでしょうが。食べるもので遊んではいけません」

「スズキ君がぐるぐるしたのです」

「あ、おまえ。言いつけるのか」とスズキ君が言った。

「言いつけるとも！」とぼくは言う。

お姉さんが目をカッと開いたおそろしい顔をしてスズキ君をにらんだ。「あんまりそんなことばかりしていると、おまえの歯をぜんぶ抜いてしまうぞ。麻酔なしで」

「たいへん痛いし、血が出るよ」とぼくは言った。

スズキ君が青くなった。

お姉さんは腰に手を当てて立ち、「さあさあ」とスズキ君に言った。「もちろんスズキ君は良い子だから、アオヤマ君に謝るんでしょ？」

スズキ君はお姉さんを見て、ぼくを見て、それからお姉さんを見た。そして唇をへの字にした。断固としてゆずらない感じだ。「なんですか？」と彼は言った。「なんで俺が謝る必要があるの？」

「君という少年も強気だなあ。歯科医院では赤ちゃんみたいに泣いてたのに」

お姉さんが笑うと、スズキ君は「泣いてない！」と叫んだ。「ウソつけ！」

ぼくはたずねた。「なぜスズキ君はそんなにぼくのことがきらいなんだい？」

「きらいだからきらいなんだよ」

「生意気だもんねえ、こいつ」

お姉さんがきゅうにスズキ君の味方をした。彼はうれしそうな顔をした。「そうだよ。こいつ生意気なんだよ。へんなむずかしいこと言うし、ウソつくし」

「あれ、スズキ君。背中に虫がくっついてるよ」

お姉さんはそんなことを言って、スズキ君の後ろにまわった。そして彼を羽交い締めにした。「なんだよ！　なんだよ！」とスズキ君が叫んだ。「大人のくせにウソかよ！」

「大人だからウソをつくのだ」とお姉さんは言った。「さあ少年！　目には目を！　べたべたにはべたべたを！」

ぼくはスズキ君の顔に、自分の頭をこすりつけた。彼は「やめろお！」と叫んで暴れたけれども、お姉さんがおさえているので動けない。スズキ君はちょっと太っているので、頬はぷよぷよしていた。ぼくの髪は綿菓子とスズキ君のよだれでべたべたなので、必然的にスズキ君の頬も綿菓子とスズキ君のよだれでべたべたになって、つやつや光るのだ。

やがてお姉さんはスズキ君を放した。「スズキ君もべたべたになったことだし、今日はここまで！」

「ずるいぞ、もう！」

スズキ君が頬をこすりながら言った。「アオヤマばっかりひいきすんなよ、大人のくせに！」

「大人はひいきしないとだれが決めた？」

「うわ、ひでえ！」

お姉さんが鼻で笑って胸をはった。おっぱいがゆれた。「くやしかったら私をやっつけてごらん。子どものくせに！」

○

スズキ君たちが逃げていったあと、ぼくとウチダ君はお姉さんといっしょに公園の隅の水道のところまで行った。ぼくは髪をぬらしてみたけれど、ちょっと洗ったぐらいでは髪はもとにもどりそうになかった。スズキ君のよだれと綿菓子で固まったぼくの髪は、形状記憶合金みたいだった。

「ちょっと乱暴だったかな」とお姉さんは言った。

「お姉さんはおとなげないと思います」

「君が言うな」

「でも助かりました。ありがとう」とウチダ君が言った。「ぼく、なにもできなかったし」

「ホントは子どものけんかには手を出さない方針なんだけど、もういいや」と言ったあと、お姉さんはぼくの頭を指さした。「少年、頭がカチンコチンだぜ」

「平気です」

「スズキ君はなぜ君に意地悪をするのか、分かってる？」

「ぼくがあんまりかしこいからですか？」

お姉さんはウチダ君に笑いかけた。「ウチダ君は分かる？」

彼はうなずいた。「ぼくは分かる……と思うんだけどなあ」

「さっきスズキ君がハマモトさんの盆おどりを邪魔してたよ。彼女プンスカ怒ってたね」

「スズキ君はハマモトさんに意地悪をするのです」

「スズキ君はハマモトさんが好きなんでしょうよ」

「どうしてお姉さんもそんなことが分かるんですか？」

ぼくはまたびっくりさせられた。「ぼくはウチダ君に教えてもらうまで分からなかった」

「意地悪をするのは、ハマモトさんが気になるからでしょう。少年がいつもハマモトさんとぺちゃくちゃしゃべってるのを見たら腹立つだろ、それは」

「うーん」

「君にはまだまだ勉強することがあるね」

「認めざるを得ません」

「認めざるを得ません、だってさ」

お姉さんはちょうちんの明かりの下でけらけらと笑った。

そのあと、ぼくらはもう一度夏まつりを見物した。やぐらの上にあるスピーカーから流れだす音や、福引をする音、子どもたちや大人たちの笑い声がまじりあって、すっかり紺色になった空に消えていった。いつもの夜の公園とはぜんぜんちがう世界であることがぼくをふしぎな気持ちにさせる。お姉さんは夏まつりが本当に好きなので、大人だけれども真剣に金魚すくいをしたし、綿菓子をはむはむ食べた。

焼きそばの夜店の前に来ると、父はもう鉄板の前に立つのはやめて、「海辺のカフェ」のヤマグチさんたちといっしょにビールを飲んでいた。ぼくらの姿を見ると、父は立ち上がった。お姉さんに頭を下げた。

「焼きそばはもう売り切れですか？」とお姉さんがたずねた。

「すみませんね。思わぬ人気で」

「出遅れてしまいました」

父はぼくの頭を見てふしぎそうな顔をした。「おや、どうした？　頭が少し、おしゃれだね」

「うん。事故で綿菓子とスズキ君のよだれがくっついた」

「それは災難だったなあ」

「でもぼくは平気なんだ」

ウチダ君はお父さんとお母さんと会って先に帰った。父は夜店の後片づけをするので、ぼくと母と妹は先に帰ることになった。

公園から出るとき、ハマモトさんが駆け寄ってきた。

「アオヤマ君、もう帰るの？」

「うん」

「髪の毛がなんだかヘンだね」

「そうなんだ。ちょっと事故があったのだ」

「〈海〉の研究、忘れないでね」

「もちろん」

ぼくらは公園から外へ出て行った。お姉さんの帰る方角は反対なので、公園の前で別れた。お姉さんは頭を下げて、一人ですたすたと歩いていった。給水塔の丘にある白いマンションに帰るのだ。

母と妹といっしょにしばらく歩いてから、ぼくはふりかえった。

もうお姉さんの姿はどこにも見えなかった。暗い住宅地の真ん中で、夏まつりが遊園地のメリーゴーラウンドみたいに輝いているだけだった。

◯

ぼくがノートにさまざまな計画を書き、それらをちゃくちゃくと実行していることはすでに書いた。

夏休みになって、ぼくは多忙になった。ふだんからぼくはこの街でもっとも多忙な小学生だったけれども、夏休みになって自分で一日の計画を立てるようになると、ぼくはさらに忙しくなるばかりだった。ぼくはもはや世界で一番忙しい小学生かもしれないのだった。

ぼくは朝の起きる時間を早くした。朝の五時に起きることさえあった。その時間に起きると、父でさえ起きていない家の中は耳を澄ましても何の音も聞こえない。ぼくの部屋も廊下も、カンブリア紀の海の浅瀬のような水色だった。そうしてぼくが朝の住宅地に向かって窓を開けると、冷たい空気が流れこんできて、ぼくの頭脳をメイセキにする。だからぼくの研究は朝に進む。

朝早く起きるかわりに、ぼくは昼寝をする。〈海〉の観測に出かけているときはパラソルの下で眠ったし、家にいるときは母や妹といっしょにリビングの床に寝ころがって、お腹にタオルケットをかけて眠った。もし昼寝をしないと、ぼくは夕方にはもう眠くてグッタリしてしまい、妹のぬいぐるみのクマのように動かなくなる。

あんまり暑い日は、ウチダ君やぼくの家でレゴやゲームをしたり、宇宙について議論をした。図書館に行くこともある。ウチダ君といっしょにハマモトさんの家に行って、ハマモトさんのお父さんの宇宙の本を読ませてもらうこともあった。ハマモトさんの家はウチダ君の家と同じマンションにあるから、すぐに遊びに行ける。部屋の中で見るための小さなプラネタリウムがあったし、ハマモトさんのお母さんはぼくらにすてきなお菓子をくれる。夏休みというものはたいへんすばらしい発明だと思う。

ぼくらは〈海〉の研究の合間に、パラソルの下でチェスをしたこともあるし、ウチダ君がもってきたボールで遊んだこともある。ハマモトさんはあちこちトランプをならべて、雄大な神経衰弱をしたこともある。草原にトランプをめくったあと、「神経が衰弱した！」と叫んでパラソルの下に寝ころんだりした。ぼくらは丸一日その草原ですごすこともあったけれど、ジャバウォックの森から人が出てくることは一度もなかった。そこは森の奥深くに隠れている秘密の草原なのだ。

その草原にいると宇宙的気分になるので、ぼくらは宇宙の話をした。

ぼくとウチダ君は「ワームホール」に夢中だった。ワームホールというのは、ぼくらの宇宙とべつの宇宙をつなぐ通路である。ブラックホールもワームホールではないかという意見もあるそうだ。ウチダ君はブラックホールが行き止まりではなくてべつの宇宙につながっているというアイデアをたいへん気に入っていた。

「もしかするとブラックホールに吸いこまれても、すり抜けてべつの宇宙に行けるかもしれないんだ」とウチダ君は主張した。「途中の重力でつぶされなければね」

「それじゃあ向こう側はどうなっているの？」とハマモトさんが聞いた。

「ブラックホールとは逆だから、ホワイトホールなんだよ」

ハマモトさんは話をしているとき、レゴブロックで遊んでいることが多かった。彼女はカバンに入れてもってきた青いブロックで、きっちりとした壁を作るのだ。彼女はぼくのように宇宙ステーションを建造したりすることはない。彼女は壁を作るだけだし、使うレゴブロックは青色だけだ。それでも彼女は楽しそうに作るし、となりで見ていると本当にそれが楽しいことであるように思えてくる。

「ハマモトさんは壁しか作らないの？」とぼくは聞いてみた。

「なんだか好きなの」

レゴブロックがなくなったら、彼女は作った壁をこわしてしまって、また最初から作り直す。「もっとたくさんブロックがあったらいいのに。大きな壁を作ったら楽しいだろうなあ」

「それは楽しいかもしれないねえ」とぼくは言った。

「ハマモトさんはへんだなあ」とウチダ君が言った。

「そんなにへん？」

ハマモトさんに問い詰められると、ウチダ君は困った顔をした。

「……へんって言うほどへんでもないけど」

ハマモトさんはレゴブロックを胸に抱きしめるようにして「うふふ」と笑った。

大きな長方形の青い壁が草原にたくさんならんでいるところを、ぼくは想像した。はしごにのぼったハマモトさんが小さな青いブロックを一つ一つ積んでいくのだ。プラスチック製の青い壁は太陽の光でつやつや光るだろう。たくさんならぶ青い壁の向こうには、〈海〉が静かに浮かんでいる。それはたいへんきれいな光景だろうとぼくは思う。

〇

朝から空はきれいに晴れていて、熱い風が吹いていた。山の向こうに積乱雲が盛り上がっていた。

午前中、ぼくは涼しい自分の部屋でスズキ君帝国の研究を進めた。

これまでのメモを整理したあと、ぼくはノートの一ページにクラスの子たちの名前を書いて、グループごとに〇でかこんだ。つるつるのタイルに落ちた水滴みたいに、いくつもの〇ができた。一番小さな〇の中にぼくとウチダ君がいる。同じ〇の中にハマモトさんを入れることもできる。

そうやって描いてみると、スズキ君帝国は決して大きくないということがわかる。スズキ君といつもいっしょにいるのはコバヤシ君たちである。人数だけではぼくとウチダ君、ハマモトさんのグループと変わらない。それではなぜスズキ君がクラスの王様のようにしているかというと、ほかの小さなグループが、いざとなるとスズキ君の言うことをきいてしまうからだ。ふしぎな仕組みである。たいへん興味深い。

昼食を食べたあと、ぼくはリュックを用意した。〈海〉の研究に出かけるのだ。ぼくが玄関でクツをはいていると、妹が「お兄ちゃんどこ行くの⁉」とさけんだ。「実験だよ」とぼくは答えた。

「あたしも行く！　行く！」

「だめだよ」

「どうして⁉　どうして⁉」

「だって、たいへんむずかしい実験だからね。おまえにはわからないよ」

「そんなことない。わかる！」

「3たす5たす8は？」

「えー、あー」

妹が考えこんだすきに、ぼくは帽子をかぶって家から飛び出した。妹がわあわあ文句を言うのが聞こえて、少しかわいそうな気もしたけれど、これはだれにも秘密の実験だからやむを得ない。

給水塔のある丘でハマモトさんやウチダ君と待ち合わせて、ぼくらはジャバウォックの森を抜けた。熱い風が森の木をざわざわさせて、陽射しがもれてきた。

ぼくらはもう一度探査船を〈海〉に送りこむつもりだった。ぼくは草原のパラソルの下で、探査船「ペンギン二号」の建造を始めた。ハマモトさんは大きな白い帽子をかぶって、一人で草原を横切って小川のほうへ歩いていった。ウチダ君はパラソルの下でイスに座って、哲学者のような顔をしてノートをにらんでいた。熱い風が彼のノートのページの端をぱたぱたさせていた。

「ウチダ君はノートにどんなことを書いてるの？」

「うーん」とウチダ君は頭をかかえた。「……ぼくは説明するの、ヘタなんだ」

「そうかなあ。ウチダ君は上手だと思うけどな」

「これは自分で考えたことだから」

「自分で考えたことだから説明するのはムズカシイ？」

「説明がヘタで、なんだそんなのカンタンだって言われたらさみしいから。それに、ホントにつまんないことかもしれないし」

「ぼくは決して、つまらないなんて言わないだろうけどな」

「アオヤマ君は言わないだろうけど、でも、なんだか恥ずかしいんだ」

「恥ずかしいのはやっかいなことだね」

「うん、やっかい」

「スズキ君がハマモトさんのことが好きなのに好きと言わないみたいなものだろうか」

「わからない。そうかもしれない」

「それならば、ぼくは聞かない。ハマモト先生も言っていた。本当に大事な研究は、あんまり人にしゃべったらいけないんだ。大事にすべきなんだって」

それからウチダ君はノートに集中し、ぼくは探査船ペンギン二号の建造に集中した。

ぼくがあらかた探査船を完成させて顔を上げると、ハマモトさんが一人で〈海〉に近づいているのが見えた。「ハマモトさん、気をつけてね！」とぼくがさけぶと、彼女は手を上げてひらひらさせた。双眼鏡をのぞいてみると、〈海〉の表面には、太くて青い血管みたいなかたちの構造物が浮かび上がっていて、血液を循環させているみたいに動いている。これまでに見たことがない構造だ。ハマモトさんは手を後ろで組んで、〈海〉のまわりを用心しいしい歩いている。そして首をかしげている。

いきなり彼女がこちらを向いて大きく手をふった。「来て！　来て！」とさけんでいる。

「なんだ？」

ぼくはあわてて立ち上がって、草原を走っていった。

ぼくがとなりまで行くと、彼女は何も言わずに〈海〉の周囲をめぐった先のほうを指さした。湾曲する〈海〉の表面に隠れるようにして、男の子と女の子がこちらに背を向けて立っているのが見えた。女の子はハマモトさんと同じような白い大きな帽子をかぶっている。男の子のほうはぼくと同じ半ズボン姿だ。「あの子たちはだれ？　どこから来たの？」とぼくはハマモトさんにささやいた。

「わからない」

「パラソルのところからは見えなかったよ」

「さっきは女の子だけだったんだけど、きゅうに男の子も増えた」

ハマモトさんは眉（まゆ）をひそめて心配そうな顔をしている。この秘密の草原にほかの子どもが現れたことなんて一度もなかった。しかもそのふしぎな子どもたちは、〈海〉のかげに隠れるようにしているだけで、ぼくらに声をかけようともしない。ぼくとハマモトさんは、ゆっくり〈海〉の周囲をめぐってみた。そうすると、そのふしぎな子どもたちは、ぼくらと同じように進んでいくので、いつまでたっても追いつけないのだった。

「おおい！　君たちはだれ？」とぼくはさけんだ。

そこへ「アオヤマくーん」という声が聞こえた。ぼくとハマモトさんがふりかえると、ウチダ君がふしぎそうな顔をして立っている。「何が見えるの？」

ぼくらがそのふしぎな子どもたちについて説明しようと前を向くと、相手は三人に増えていた。

「増えている！」とぼくはさけんだ。「男の子が二人になった！」

そのときハマモトさんが目を細めて観察し、「ひょっとしてあれは私たち？」と言った。

「そんなことがあり得るだろうか？」

ぼくは右腕を大きく振ってみた。すると、向こうにいる男の子の一人が同じように腕を振った。

「ハマモトさん、後ろを向いてくれない？」

彼女が後ろを向くと、向こうにいる女の子がこちらを向いた。その女の子はハマモトさんと瓜二つだった。そして向こうにいるハマモトさんそっくりの女の子がぼくの顔をまじまじと見て、「こっちにも見える！」と言った。ぼくのとなりで後ろを向いているハマモトさんも同じことを同時に言った。たいへんややこしい事態だ。

ぼくらが振り向くと、同じように湾曲した〈海〉のかげにかくれて、三人の子どもたちが〈海〉の向こう側をのぞきこんでいるのが見える。

「どうなってるの?」とウチダ君が言った。「ぼくらがたくさんいる」

◯

ぼくらはパラソルのところまで戻って、観察したばかりのふしぎな現象について検討した。

ぼくはノートに丸い〈海〉を描き、そのとなりに立っているぼくらを描いた。そして、〈海〉のまわりをめぐる矢印を描き込んだ。「ぼくらの後ろ姿が見えたということは、光が〈海〉のまわりを一周して、ぼくらの目に届いたということなんだ。〈海〉のまわりで光の進み方がゆがんでるのかもしれない」

「ブラックホールみたいなもの?」

ウチダ君が言った。「でもそれじゃあ、なんでぼくら吸いこまれないの?」

「光を曲げているけれど、重力が強いわけじゃないんだね」

「それ、おかしいと思う」とハマモトさんが言った。「光がまっすぐ届かないんだったら、ここから〈海〉を観測したときに、もっとへんてこなかたちに見えない?」

ぼくは考えこんでしまった。たしかにハマモトさんの言うとおりなのだ。

「だとしたら、ぼくらがあそこに立っているとき、特定の光だけが〈海〉の外側を一周したことになるね」

「そんなことできる？」

「わからない。でも、さっきハマモトさんが〈海〉のまわりを歩いているとき、ぼくは〈海〉の表面で新しい活動が起こっているのを見たよ。青い血管みたいなものが浮かんでいた。あの構造物と、光をねじ曲げることは関係があるのかもしれない」

「あいつ、ぼくらをからかってるのかもしれないよ」

ウチダ君が不安そうに言った。「だって、ぼくらみんな本当にビックリしたよ」

「探査船を放りこんだしかえし？」とハマモトさんがつぶやく。

ぼくらはパラソルの下で寄りそうようにして、〈海〉を眺めた。〈海〉はたいへん大きくふくらんでいる。でも、さっきぼくが目撃した血管のような構造物は消えていた。

「ぼくらはどうすべきだろう。探査船を放りこむのはやめたほうがいいのだろうか」

ぼくは建造中の探査船ペンギン二号を見せて言った。ウチダ君もハマモトさんも考えこんでいる。

ウチダ君が顔を上げて、小川のほうを見た。

「また光がおかしくなってる」と彼は言った。「あそこの川のところに人が見えるよ」

ぼくは顔を上げた。草原の中を横切っていく小川の岸辺に、三人の子どもが立っていた。

「なんかちがう」とハマモトさんが言った。

「ウチダ君、あれは、ひょっとしてスズキ君たちじゃないか？」

そのとき、「とつげきーッ！」というスズキ君のさけび声が草原に響いた。汗で顔をぎらぎらさせたコバヤシ君たちが「わああ」と声をあげながら、ぼくらの基地に向かって走ってきた。

体の大きなナガサキ君が一番足が速くて、ぼくらの基地へ突入してくる。

「ひゃあ！」とウチダ君は逃げだし、ハマモトさんは横に突き飛ばされた。

ナガサキ君とコバヤシ君が二人して体当たりしてきたので、ぼくはバランスを失って尻もちをついた。すかさずコバヤシ君がおおいかぶさってくる。押し返そうとしてがんばっているうちに、ぼくの上にのっかっているコバヤシ君の上からさらにナガサキ君がのっかってきた。コバヤシ君が「ぐへ」と言ってよだれをたらした。ぼくは「うぐ」と言った。たいへん重いし、たいへん暑い。これはつらい戦いだった。

そこへスズキ君帝国の皇帝がゆうゆうと現れた。彼はコバヤシ君とナガサキ君の上に王様みたいに座った。ますます重くなって、ぼくは息をするのがやっとだった。「重いよ！」と主張した。

スズキ君は「重いか！　重いか！」と体をゆらした。ぼくもうめいたけれど、コバヤシ君たちも「重いー」とうめいた。楽しそうなのはスズキ君だけである。王様というものはそういうものなのだ。スズキ君がコバヤシ君とナガサキ君の上から、ぼくの顔をのぞきこんだ。得意そうな顔だ。彼の汗がぽたぽた落ちてきた。

「俺の勝ちだ。まいったって言え！」

「言わ、ない」とぼくは言った。「なぜ、ならば、まだ、まいった、わけ、では、ないから」

「おまえ、ホントしつこいな！」

「ぼく、は、しつ、こい」

ハマモトさんが立ち上がって、スズキ君を突き飛ばそうとした。スズキ君は彼女をにらむ。「動くなよ。アオヤマの顔をふんづけるぞ！」

「どうしてそんなしょうもないことをするの？」

ハマモトさんは怒っているというよりも、あきれている。「バカね」

「だまれよ。アオヤマがまいったって言えばゆるしてやるんだから」

「アオヤマ君。まいったって言えばいいよ」とハマモトさんは冷たい声で言った。「くだらないもん」

「言わ、ない、よ」

「アオヤマ君、意地をはらないで。つぶれちゃうよ」

スズキ君は「つ・ぶ・れ・ちゃ・う・ぞ！」と叫び、またゆさゆさした。「またお姉さん助けてって言うか？　お姉さんに助けてもらうのはずるいぞ。二度と言いつけないと約束しろ！」

「そんな、約束は、しない」

「なんだよそれ、ずるいやつ！」

「ぼくは、ずるい」

スズキ君はびっくりしたように言葉につまった。つばを飲みこんでから、「ずるいのはだめだぞ」とまじめな顔をして言った。「ずるいのはだめだ」

「どう、して、ここ、が、わかった、の？」

「俺たちは川を探検してきたんだ」とスズキ君は探検地図をふりまわした。「おまえとちがって、俺たちは夏休みにもぐんぐん探検を進めたからな。今日はそこの危険な森をぬけてきた」

「あの、川？　小学校の、裏、から？」

「そうだよ。俺たちはずっと川をたどってきた」

この草原を流れている小川は、あの小学校の裏の空き地を流れている川の下流だったのだ。ぼくはスズキ君にその発見で先を越されたことを、ちょっぴりくやしく思った。あくまでちょっぴりであるけれども。

「プロミネンス！」とハマモトさんがさけんだ。

「なんだ？」とスズキ君が顔を上げる。

ぼくの上にかぶさっているコバヤシ君が顔を持ち上げて、〈海〉のほうを見た。〈海〉の表面からラッパのようなかたちをした構造物がいくつも突きだしている。プロミネンスが始まったのだ。「なんだ、あれ、動いてる」とコバヤシ君が苦しそうに言った。「きもち、わるい」

「あれは危険なのよ。地面からガスが出てるの」

「なにそれ、ガスって？　吸ったら、死ぬ？」とコバヤシ君。

「死ぬわね」とハマモトさんは言った。

「それ、やばいんじゃないの」とナガサキ君が言った。

てっぺんにいるスズキ君はちっとも動じない。「どうせウソだろ？　おまえたちは平気じゃないか。俺はぜんぜんこわくないね」

「もうすぐこわいことが起こるのよ！」

そのとき、キウキウキシキシという音が、どこからか聞こえてきた。

「なんだ、あの音？」とスズキ君がつぶやいた。

ぼくが首をひねって見ると、草原の南の森の入り口にお姉さんの姿がさかさまに見えた。彼女は大きな麦わら帽子をかぶって、まるで親分みたいにいばってペンギンたちをひきつれていた。森の木立の奥からペンギンたちがあふれだしてきた。

「さあいけ、ペンギン諸君！　スズキ君をやっつけろ！」

お姉さんがさけぶ声が聞こえ、スズキ君の顔色が変わった。

キウキウキシキシという音がどんどん大きくなってこちらへ向かってくる。コバヤシ君がびっくりして立ち上がろうとしたので、スズキ君はバランスをくずしてころげ落ちてしまった。ぼくはようやくゆっくり息をすることができたので、たいへんありがたかった。スズキ君は「なにしてんだよ！」と怒り、コバヤシ君とナガサキ君は「重いんだよ！」と怒る。「あ、おまえら、さからうのか？」とスズキ君がさけぶ。

そうしてスズキ君帝国の内紛が起こっているところへ、ペンギンたちが突撃してきた。およそ十羽ぐらいのペンギンがいた。彼らはパラソルを押し倒し、イスをひっくり返し、フリッパーをパタパタさせて暴れまわった。ぼくはあやうくペンギンに踏んづけられるところだったし、スズキ君たちはフリッパーでパチパチと太ももをたたかれて、「痛い！」と悲鳴を上げた。ペンギンたちが強いのは当然なのだ。彼らはそのフリッパーを使って、海の中を宇宙ロケットのように飛び交うのだから。

ペンギンたちの大群が通り過ぎたあと、気がつくとスズキ君の姿はなかった。コバヤシ君とナガサキ君はぼうぜんとして立っている。

「スズキ君はとっくに逃げたみたいだね」

ぼくは草地に寝ころんだまま言った。

「なんだよ、それ。ちくしょう！」

彼らは集まっているペンギンたちを見つめ、それからぼくを見つめた。そうして舌打ちをして、ジャバウォックの森のほうへ逃げていった。森と草原の境目のところにお姉さんが立っていて、逃げていくコバヤシ君たちに向かって叫んだ。「森はあぶないよ。またペンギンをけしかけるぞ！」

お姉さんは歩いてきて、ぼくを助け起こしてくれた。そうして麦わら帽子のひさしを持ち上げて、草原の向こうにある〈海〉を見つめた。「なるほど、あれが君たちの研究対象か」

「そうです」

「ふしぎなものを見つけたもんだね。それで、けっきょくのところ、あれは何なの？」

「わかりません」

お姉さんははなれて立っているハマモトさんにニッと笑いかけたけれど、ハマモトさんは笑わなかった。白い帽子の下からお姉さんをギュッとにらんでいる。

「ウチダ君はどこだろう？」

「あそこだね」とお姉さんが草原の西を指さした。

ウチダ君が森から出てきて、こちらに向かってくるのが見えた。

「ウチダ君、プロミネンス！」

ハマモトさんがさけんで、〈海〉を指さした。

大きくのびたラッパ形の構造物の先端から、小さな〈海〉が撃ちだされた。一つはぼくらの頭の上を越えて、森の中に飛びこんだ。そしてもう一つはころころと草原をころがって、まっすぐウチダ君のところへ向かっていく。

「ウチダ君あぶない！」

ぼくはさけんだけれど、彼は立ち止まって、自分に向かってころがってくる小さな〈海〉を見つめたまま動かない。あまりにも驚いたので、体がかたまってしまったのだ。

小さな〈海〉は太陽の光をきらきらと反射させながら、まるで夏の空の破片みたいに草原をころげていく。

お姉さんが草の上にころがっていた探査船ペンギン二号を手にとった。

彼女は大きくふりかぶり、それを投げた。

ずんぐりむっくりした探査船ペンギン二号は、宙を飛びながらぷくぷくとふくらみ、ペンギンに変貌(へんぼう)した。フリッパーをパタパタさせながらウチダ君のところへ飛んでいく。

次の瞬間、ころがる小さな〈海〉にすべりこんだ。丸いゼリーのかたまりのように〈海〉がぷるんと震えた。ペンギンが〈海〉内部で宙返りするような動きをしたかと思うと、〈海〉はパチンとはじけてしまった。古い体温計が割れて外へ出てきた水銀のように、きらきらと輝くソフトボールぐらいの大きさの破片たちが草原をころがっていく。

スズキ君たちをやっつけてくれたペンギンたちが集まってきて、その〈海〉の破片をクチバシでつっつくと、それらはこなごなに砕けて、霧みたいになって消えてしまった。

ペンギンたちは楽しそうにクチバシを動かした。

そんなペンギンたちの中で、ウチダ君がちょこんと座りこんでいた。

「それじゃあ、君たち。研究がんばってね」

お姉さんは手をふり、草原を北へ横切っていった。何羽かのペンギンがお母さんのあとをついていくみたいに彼女のあとからよちよち歩いていたけれども、お姉さんは気にしないでどんどん歩いていく。ペンギンたちは置いてけぼりにされて、草原に立っていた。さみしそうだった。

ぼくが「おーい」と手をふると、お姉さんは森の入り口でふりかえって手をふった。そうして暗い木立の中へ消えてしまった。まるでニュートリノが草原を横切ったみたいに素早かった。

「どうなってるの？」とハマモトさんが言った。

○

ぼくは新しい発見を記録しなければならない。

□ペンギンたちは〈海〉をこわしてしまう。

○

ぼくは父といっしょにドライブに出かけた。

海辺のドライブウェイみたいなバス通りを走ったあと、大学のほうへいってみた。大学の建物の間をぬけていくと山のほうへ入っていく細い道があった。ぼくらはくねくねと山をぬけ、高速道路みたいに立派な道路の高架下をくぐった。

「この道はどこにいくだろう？」と父は言う。

「どこにいくだろうね」とぼくは言う。

ぼくは父といっしょにドライブに出かけるのが好きである。

家を出かけるとき、ぼくらはとくに行き先を決めない。「この道はどこに行くのだろう?」と興味をひかれた道を選んで走る。ぼくは自分たちがどこにたどりつくのか知らない。父でさえ知らない。父がハンドルをにぎって「この道はどこに行くだろう?」とつぶやくとき、ぼくはそのアスファルトの道路が、父でさえ見たことのない世界の果てまで通じているように感じる。しかし、父とぼくが世界の果てに到着したことはない。ぼくらは知らない街に到着して、その街の喫茶店やハンバーガーショップで一休みをして、帰ってくるだけなのだ。

その日、ぼくらは丘につくられた街に到着した。

大きな坂道の両側に住宅地がずっと続いていて、人はあまり歩いていなかった。太陽の光が降り注いで、あたりはしんとしている。まだ午後二時だったけれど、建物にあたる陽射しの色が夕方のように見えるのがふしぎだった。丘のてっぺんにある給水塔までのぼっていく途中で、ぼくらはスポーツクラブの茶色の建物を見つけた。その中には喫茶店があったので、ぼくらは駐車場に車をとめて中に入った。

喫茶店は冷房がきいていて涼しい。父はコーヒーを飲み、ぼくもコーヒーを飲む。父はコーヒーをそのまま飲み、ぼくはコーヒーに砂糖を入れる。母はぼくがコーヒーを飲むことを知らない。なぜなら、母はぼくがコーヒーを飲むことを喜ばないので、ぼくは父とドライブに出かけたときしか飲まないからである。ぼくは少しずつ砂糖をへらして、本当のコーヒーが飲めるように訓練中である。

「帰りに本屋さんによろうか」と父は言った。「宇宙ステーションの本は読んだのかい？」

「読んだよ。あの本を参考にして、ぼくはレゴブロックで宇宙ステーションをつくった」

「どんなところがおもしろかった？」

父に新しい本を買ってもらうとき、ぼくは父の試験に合格しなくてはならない。前に買ってもらった本について、どんなところがおもしろかったかということについて、父に説明しなくてはいけない。その試験に合格できなければ、本を買ってもらうことはできない「おきて」だ。でも、ぼくが試験に合格できなかったことはない。

ぼくは国際宇宙ステーションの仕組みと歴史について、おもしろいと思ったことを父に述べた。父はうんうんとうなずいて聞いていた。最後には「なるほど」と言った。

「おまえが大人になるころには、宇宙旅行ができるようになっているかな？」

「きっと、たいへんお金がかかると思うな」

「それは困るね」

「でも宇宙エレベーターができたら、もっとかんたんに行けるようになるかもしれない。そうしたら、ぼくはウチダ君といっしょに行こう」

「ウチダ君も宇宙に行きたいのかい？」

「……ひょっとすると、ウチダ君は行かないかもしれない。彼はブラックホールがこわいんだ。宇宙に出てもブラックホールに吸いこまれる確率は低いとぼくは思うんだけどな」

「確率がいくら低くても、ウチダ君がいやならダメだね」

「うん。それなら、ウチダ君といっしょにロケットの打ち上げを見に行こう。それは約束した」

喫茶店の窓からは駐車場が見えていて、スポーツクラブに通う大人たちがうろうろ歩いていた。スポーツクラブの中には、ハムスターが運動する器具みたいに、いくら歩いたり走ったりしても前に進まない機械があることをぼくは知っている。ぼくはいつもふしぎな機械だなあと思う。

「ぼくは父さんとドライブに行くとき、なんとなく世界の果てに到着しそうな気がする」

「そうであればおもしろいね」

「でも、世界の果てはそんなに近くにはないということも、ぼくはわかっているんだ。ぼくはもう小学校の四年生になるのだから。世界の果てはもっともっと遠くにあるんだろうね。宇宙の果てとか」

「そんなことはないだろう」父はまじめな顔で言った。「世界の果ては遠くない」

「そうかな？」

「そうとも。世界の果ては外側にばかりあるものではないと父さんは考える。『ワームホール』もそうじゃないのかな？　おまえと父さんの間にあるこのテーブルの上に、じつはワームホールが出現しているかもしれない。それは本当に一瞬のことだから、私たちに見えないだけかもしれないじゃないか」

ぼくはコーヒーカップを見た。そしてそのとなりに、べつの宇宙への入り口が開いたり閉じたりしている様子を想像した。それが本当だとしたらおもしろい。

「世界の果ては折りたたまれて、世界の内側にもぐりこんでいる」

父はふしぎなことを言った。

だからぼくはいつも世界の果てが見つけられそうに感じるのだろうか。

父はコーヒーを飲んで笑顔になった。「お姉さんの研究は進んでいるか？」

「たいへんむずかしい」

「この間、大学にいったときに、父さんはあの人と話をした。頭のいい、おもしろい人だが、謎めいたところがあるね。歯科医院の先生もそんなことを言っていた」

「研究が進むと、ますますわからなくなるんだ」

「おまえの研究がどんなものかわからないけれども、父さんが前に言ったことをおぼえているかい？」

「問題とは何か」

「おまえが解くべき問題とは何か？」

「わからない。問題がいくつも出てきた。どれもたいへんむずかしい」

「それは解決に近づいているのかもしれないぞ」

「なぜ？」

「それらの問題の正体は、けっきょく一つの問題かもしれないからさ」

「そういうことがあるの？」

「そういうことがあるね」

ぼくはノートをとりだして、「それは一つの問題かもしれない」と書いた。ぼくはその言葉の意味を繰り返し考えてみるべきだ。ペンギン・ハイウェイの研究と、〈海〉の研究は、じつはべつべつのものではなく、一つの研究なのではないだろうか。

「ぼくはよく考えてみよう」

「毎日の発見を記録しておくこと。そして、その発見を復習して整理すること」

父はそう言って、コーヒーを飲む。

○

ハマモトさんの青ノートには〈海〉の大きさが記録されている。彼女は方眼を上手に使って、正確なグラフを書いている。そのグラフによると〈海〉の大きさはこのところ拡大を続けていたけれども、最近になって拡大がゆるやかになった。

その日、草原のパラソルの下でぼくらは共同研究会議を開いた。ハマモトさんは白い帽子を深くかぶって、折りたたみ式のイスに座っていた。不機嫌そうに膝をかかえて、無口だった。ウチダ君はぼくとならんで草の上に座って、不安そうに彼女を見上げている。なぜハマモトさんが不機嫌であるかというと、お姉さんがペンギンをつくるということをぼくが秘密にしていたことにこだわっているからだ。

ハマモトさんはイスの上から、まるで尋問するみたいに言った。

「アオヤマ君はずっと前から知ってたんでしょ？」

「そうだね」

「アオヤマ君はずるい。私は〈海〉の研究のことを教えてあげたのに、アオヤマ君は自分の研究のこと教えてくれなかったのね。私だってペンギンがどこから来たのか知りたかったのに」

「ぼくは秘密にしておかなくてはいけなかったんだよ。お姉さんと約束したから。それに、ペンギンのことがほかの人にばれて、お姉さんが研究者につかまることを心配した」

「私、秘密はちゃんと守るよ？」

「それはそのとおりだね」

「アオヤマ君は私を信用してなかったの？」

「そういうわけではない」

ぼくが困っていると、ウチダ君が「でもさ」と言った。「今はもうハマモトさんも知ってるでしょ？　だからもう、いいんじゃないの」

「今度からそういうことは秘密にしないで。研究のさまたげになるでしょ？」

「そうかなあ」とウチダ君が言った。

「それはハマモトさんの言うとおりだ。ぼくは〈海〉の研究と、ペンギン・ハイウェイの研究をべつべつのものと考えていた。でも、これまでに発見したことを整理すると、〈海〉とペンギンたちの出現には関係があると思うのだ。それらをべつべつに研究しても、問題は解決できない。これは一つの問題なんだ」

「そういうこと！」とハマモトさんがぴしゃりと言った。

ウチダ君がしょんぼりした。「ぼくはわからなかったんだ」

「だから、ペンギン・ハイウェイの研究についてハマモトさんやウチダ君にだまっていたことをぼくは反省する。そしてぼくは一つ提案をしたい。お姉さんにもこの研究に加わってもらうのはどうだろうか」

ハマモトさんとウチダ君はぼくの提案について考えこんだ。

ハマモトさんは眉（まゆ）をひそめた。

「私、あの人がアオヤマ君に本当のことを言ってるって信じられない。あの人は本当になぜ自分がペンギンを出せるのか知らないの？」

「それはお姉さんにとっても謎なんだ」

「そんなのおかしい。だって自分のことでしょ？」

「でもお姉さんは悪い人ではないし、ペンギンのことでぼくにウソはつかない。お姉さんにとってもわからない。だからぼくは研究するようにお姉さんに頼まれている」

「どうかしら」

「ハマモトさんは歯医者さんがきらいだから、そんなふうに言うのかい？」

「そんなことない」

「またけんかになってるよ」とウチダ君が言った。「お菓子食べない？」

ハマモトさんが魔法瓶から氷で冷たくした紅茶を出して、紙コップに注いでくれた。ぼくはリュックからおっぱいケーキを三つ取りだした。「きっとみんないらいらするから、おいしいお菓子を買っておいたほうがいい」とウチダ君が助言してくれたので、ジャバウォックの森をぬける前に買っておいたのである。

紅茶を飲んでおっぱいケーキを食べるうちにハマモトさんは少し冷静になったようだ。

「考えてみる」と彼女は言った。

共同研究会議が終了したあと、ぼくらはしばらく〈海〉を観測してみたけれど、少し大きさがちぢんでいる他はとくにめずらしい現象は発生していなかった。ときどき、森と草原の境目にペンギンがよちよち歩いているのが見えるたびに、ハマモトさんは「ペンギン！」とさけんだ。

〈海〉に探査船を送りこむ計画は今のところ延期になっている。探査船ペンギン一号は消失し、ペンギン二号は本物のペンギンになってしまって、今ごろは森の中をうろうしているのだろう。そして探査船ペンギン三号はまだ完成していない。レゴブロックが次々に消えてしまうのは困ったことだし、ペンギン一号の中に組みこんでいた温度計やペンライトのかわりはないのだ。さらに、こないだのふしぎな光学的現象から、〈海〉がぼくらをからかっているという仮説が立てられ、そのこともぼくらを不安にしていた。ウチダ君が自分で作った凧を飛ばす準備を始めた。ぼくらはそれを手伝った。歯科医院でもらってきた雑誌からきれいな写真をぼくが切り抜くと、ウチダ君はそれらの写真を凧に貼りつけた。

やがて明るいきれいな凧ができた。

その凧をぼくらは草原から空に飛ばして遊んだ。

○

それから一週間、ぼくら家族は祖父母の家に行った。毎年夏になって父が夏休みをとると、ぼくらは車にのって出かけていく決まりである。

〈海〉の観測ができないのはかなしいことだけれども、ぼくだけが家に残ることはできなかった。それに、ぼくが泊まりに行かなければ、祖父と祖母はたいへんかなしむにちがいない。ちなみに祖父と祖母は、ぼくの父の父と母である。出かける前の日、ぼくはハマモトさんとウチダ君に「しっかり研究しておいてね」と頼んだ。

祖父母の家は、ぼくらの街から車で二時間ぐらい走ったところにある。ぼくらの住んでいる住宅地よりもずっと古い町だ。祖父母の家の裏には小さな山があって、夏休みにはセミの声がずっと聞こえている。山の奥には水たまりみたいに小さなかわいい池がある。家のとなりには祖父が野菜を育てている畑がある。泊まっている間、ぼくは祖父のあとをくっついて歩いて、畑の野菜の世話をする。

ぼくは祖父が好きである。

祖父はゆっくり歩き、のんびりしゃべる。ぼくらのだれよりも、祖父はのんびりしゃべる。ぼくがあんまりしゃべりすぎると、祖父は「ゆっくりしゃべりなさい」と言う。

「何を言っているのかわからんよ」

祖父は甘いものが好きなので、ぼくと二人で散歩に出かけると、いつも何か甘いお菓子を買う。ぼくと祖父は畑の隅にあるくぼ地でたき火をしたり、山の竹林を歩いたりしながら、そのお菓子を食べる。ぼくはそうして祖父といっしょにすごしながら、いろいろな話を聞くのだ。祖父が若いころに外国に行った話や、父が大学生だったころの話。それらをぼくはあとでノートに書いた。

夜になって、ぼくが祖父の部屋にノートを見せに行くと、祖父はたいへん感心してくれた。

「おまえは学者だなあ」

祖父の部屋は古い本や道具がたくさんあって、お線香のような匂いがする。祖父は部屋を整理するのがきらいだし、だれかが自分のものを動かすのもきらいである。祖父の部屋には、祖父が座る緑色のやわらかい古いソファと、小さな木のイスがある。祖父はソファに座って魔法瓶から注いだコーヒーに砂糖をいれて飲む。ぼくは小さな木のイスに座って、祖父とおしゃべりをする。祖父の部屋はたいへん混乱しているから、どこに何があるのかわからない。ぼくが祖父にあげた地図も、どこにあるのかわからない。でも祖父は「どこかにあるだろう」とゆっくり言って、コーヒーを飲んでいる。「どこかにあるから大丈夫」

祖母は祖父とはぜんぜんちがう。

ぼくは祖母も好きである。

祖母はいつも家の中を動いているし、ぼくらのだれよりも早口である。父によると、若いころはもっと早口で、怒っているときは何を言っているのかだれにもわからなかったそうだ。祖母は家の中を動きまわりながら、ぼくに部屋の掃除の仕方や整理の方法を教えてくれる。上手に分類するとたいへん気持ちがよいことを、ぼくは祖母に教わった。

祖母の分類三原則。

□よく使うものと、ときどき使うものを分けること。

□ぜったいになくしてはいけないものと、なくしてもかまわないものを分けること。

□分けにくいものは決して分けないこと。

祖母はいろいろなものをいろいろに分けて、たくさんの引き出しがついた大きな棚にしまっている。ぼくは祖母がその棚を整理しているのを見るのが好きである。となりでぼくが見ていると、祖母は引き出しの中にあるふしぎなものを取り出して、その使い道をぼくに当てさせる。割れたお皿とか、ワインのコルクもある。祖母は使わないものは捨ててしまうので、そこにあるものはすべて使うものなのだけれども、使い道を当てるのはかんたんではない。ぼくが悩んでいると、祖母は得意そうな顔をする。

祖父母の家の中で、片付いていないのは祖父の部屋だけである。

「あの部屋を片付けたら、あの人は死んじゃうような気がするよ」と祖母は言った。

「だから片付けてはだめだよ」

母は、ぼくの父は祖母に似ているという。でも一部ではやっぱり祖父にも似ているそうだ。

「お父さんはふだんはおばあちゃんに似ているのよ。でも仕事に夢中になったりすると、だんだんおじいちゃんになってくるのね」と母は言う。

祖父母の家に泊まっている間、ぼくら家族は二階のあいた部屋で眠る。はじめのうちはぼくらの家と匂いがちがうのが気になる。その匂いになれてきて、もうすっかり平気になったころには、ぼくらは帰らなくてはならない。

◯

祖父母の家から一週間ぶりに帰ってきた次の日は小学校の登校日だった。久しぶりに学校に行くと、クラスの中には真っ黒に日焼けしている子がいた。太陽の光を浴びてこんなふうに変身するのはおどろくべきことだ。ぼくはあまり日焼けしない。

先生がくるまでの間、ぼくはハマモトさんやウチダ君に、祖母の家でのできごとを話していた。そうするとハマモトさんがふと顔を上げて、「スズキ君がへん」とつぶやいた。「なんだかへん」

ぼくはふりかえって、スズキ君のほうを見た。彼は自分の席に座ってぼんやりしていた。そんなことは彼らしくなかった。クラスの子たちは久しぶりに会ったのがうれしくてにぎやかに話をしているけれど、スズキ君のまわりは台風の目みたいに静かである。コバヤシ君とナガサキ君もなんとなくスズキ君に近づきにくいような感じで、ぎくしゃくしている。

ぼくが観察していると、スズキ君は顔を上げて、こちらを見た。そして目をそらした。

「スズキ君、なんだか静かだね」とウチダ君が言った。「どうしたんだろ？」

スズキ君帝国皇帝が一人で考えこんでいるなんて見たことがなかった。

開いた窓から熱い風が吹きこんで、大きなクリーム色のカーテンをふわふわさせていた。教室は楽しそうな声でいっぱいだったけれども、一つのふしぎな噂が流れていた。

その噂を聞いたウチダ君がぼくに教えてくれた。

べつのクラスの子が市営グラウンドの北にある水路で、へんな生き物を目撃したという噂だ。

その水路はバス通りの下をくぐるために十メートルほど暗渠（あんきょ）になっていて、「トンネルくぐり」というスズキ君帝国の有名な刑罰に使われていた。雨がたくさん降ったときに水を流すための水路だから、ふだんは乾いていて、四つん這いになれば通ることができる。ぼくは一度、自主的に探検したことがある。

その子が水路を通りぬけようとすると、暗い水路にうずくまっている大きな生き物を見つけた。その生き物はぬれていて、魚のような生臭い臭いがした。大きさは大型犬ぐらい。けれども毛は一本も生えていなくて、つるつるしていた。ぎゅっと丸まっていたので、どこに頭があるのかもわからなかったそうだ。その子がびっくりしていると、ふいにその生き物ははねるようにして体を広げ、ビタビタと足音を鳴らしてトンネルの向こうへ逃げていった。生き物がうずくまっていたところはコンクリートがびっしょりぬれていたそうだ。

「新種の動物だろうか？」

ウチダ君が言った。

「ノラ猫とかノラ犬じゃないだろうか。雨にぬれたので、休んでいた可能性があるね」

「でも雨は降ってなかったって」

ふしぎな話だった。

登校日はほかに何もすることがないので、学校は午前中で終わってしまった。

その日の午後、ぼくは歯科医院へ検診に出かけた。ぼくが知らないうちに虫歯菌が成長していないかどうか、しらべてもらったほうがいいと考えたのだ。そこでぼくが歯科医院に入ると、いつかの日のようにスズキ君が先に来て座っていた。彼はちょうど学校にいたときみたいにぼんやりとして、魚のかたちをした銀色のモビールを見上げていた。彼はぼくが入ってきたことに気づくと、びくんとした。そして目をそらした。

ぼくは雑誌をめくりながら「スズキ君」と言った。「こないだはたいへんな戦いだったね。ペンギンたちが来なかったら、ぼくらは敗北していただろう」

スズキ君は何も言わない。

「でもスズキ君たちが川を探検してくれたのはうれしい。これで街の地図が充実する。小学校の裏にある川を下ると、あの草原までいくっていうのは、立派な発見だと思う」

ぼくがほめても、スズキ君は上の空だ。何かがおかしかった。

「今日のスズキ君はへんだなあ」

スズキ君はムッとした。「俺はヘンじゃない。おまえらのほうがヘンだ。こないだのペンギンだってさ」

「ずいぶんたくさんのペンギンだったね。ぼくもびっくりした」

「なんであんなにたくさんペンギンがいるんだ?」

「だれかのペットが逃げだしたのかもしれない」

「テキトーなこと言うなよ。おまえ、ホントにウソばっかりつくな」

「ぼくは『かもしれない』って言っただけだよ。可能性を示唆しただけだから、ウソにはならない」

「またわけのわかんないこと言うし」そこでスズキ君は声をひそめた。「ここのお姉さんはなんであのペンギンたちに指図できんの？」

「それはたしかに謎だね」

「それだけじゃないぞ」スズキ君はつぶやいた。「あの草原の、あのへんな、浮かんでるやつ……」

「地面から出てるガスのこと？　あれがどうしたの？」

ぼくが待っていても、彼は宙をにらんだまま何も言わない。

「何か気になることがあるのかい？」

「もういい」

「何かぼくに話したいことがあるんじゃないの？」

「べつに」

そうしてスズキ君はだまってしまった。

「何もないんだったら、いいんだ。ぼくは無理に聞かないよ」

彼はけっきょく何も言わないままだった。ぼくが検診を終えて出てくると、スズキ君はもう帰っていた。

ぼくがソファに座って、呼ばれるのを待っていると、お姉さんが診察室から出てきた。彼女はぼくのとなりにどっかり座った。ソファがお姉さんの重みでへこんで、ぼくは重力の大きい星にひっぱられるように、お姉さんのそばに引きよせられた。

「スズキ君に何か言ったな、少年」と彼女は言った。「様子がへんだったよ」

「ぼくは何も言いません」

「本当？　私の目を見て言ってごらん」

ぼくはお姉さんの目を見て、「ぼくは何も言いません」と言った。彼女は「あれ？」と言った。「じゃあ私のことをこわがってたのかな。ペンギンをけしかけたから」

「そうかもしれません。そうではないかもしれません。スズキ君は今朝から様子がへんなんです」

ほかに待っている人がいなかったので、ぼくはお金を払ったあとも、お姉さんとしばらく小声で話をした。

「お姉さんがハマモトさんたちの前でいきなりペンギンを出すものだから、ぼくはおどろいた。もうちょっとでスズキ君たちにも目撃されるところでした。お姉さんはもっと慎重に行動すべきだと思います」

「ごめんね。ウチダ君がピンチだったもんだからね」

「お姉さんのおかげでウチダ君は助かりました」

「そうだろ？」

「お姉さんはペンギンが〈海〉をこわすこと知ってましたか？」

「知ってるわけないじゃないの。ただ夢中で投げただけ」

「あの実験で、〈海〉とペンギンには関係があることが明らかになりました。ぼくはお姉さんにも〈海〉の研究に協力してほしいんです。でもハマモトさんは反対します。ぼくはハマモトさんを説得する必要がある」

お姉さんはぼくの顔を見て、なぜかニッと笑った。

「それはむずかしいと思うぜ」

「そうでしょうか？」

お姉さんはしばらく考えてから、ぽんと膝(ひざ)をたたいた。

「ハマモトさんたちと仲良くなるために、みんなでプールでも行くかい？」

「それはたいへん楽しそうだな。ぼくは泳ぐのは得意です」

◯

スズキ君帝国皇帝が一人で草原にやってきたのは、登校日から数日後のことだった。

彼はジャバウォックの森と草原の入り口に立って、ぼくらのほうをうかがっていた。ぼくとハマモトさんはチェスをしていて、ウチダ君はノートを前に腕組みをして、考えごとをしていた。チェス盤から顔を上げたハマモトさんが森のほうを見て、「スズキ君がいるよ」とつぶやいた。

スズキ君帝国皇帝は一人だった。彼はぼくらが森の入り口につるしたハンモックのとなりに立って、だまってこちらをにらむようにしていた。草原の方に入ってこようとはしない。ぼくらが見返すと、彼はくるりとふりかえって帰っていきそうになったけれども、また戻ってきて、やっぱり森と草原の境目に立っている。

「決闘の申しこみにきたのかもしれないよ」とウチダ君が言った。

「決闘はごめんこうむりたいなあ」とぼくは言った。

「決闘なんてつまんない」とハマモトさんは言って立ち上がり、スズキ君に向かって手を振った。「そんなところで何してるの？　何か用？」と言った。

それでもスズキ君は森から出て来ないので、ぼくらはそこまで歩いていった。

スズキ君は何も言わずに手に持っていたものをさしだした。ぼくとウチダ君が作って、スズキ君に没収されていた探検地図だった。広げてみると、小学校の裏から流れ出す川が街と森をぬけてこの草原まで続いていることが、不器用なぐにゃぐにゃの線で描きこんであった。「返してくれるの？」とぼくが言うと、彼はうなずく。先日ぼくらの観測ステーションを襲撃したときの元気はない。彼は〈海〉のほうをちらちらと見た。

ハマモトさんが拍子抜けしたみたいに言った。「けんかしにきたんじゃないの？」

「ちがう」

「スズキ君、何か話したいことがあるんだったら観測ステーションにくるかい？」

「俺、ここでいい」

スズキ君は〈海〉のほうを見ている。そうしてしばらくだまったまま、短く切った髪をぐしゃぐしゃとかいたりしていた。そんなふうに真剣に悩んでいるスズキ君を見るのは初めてのことだ。

「だまってたら、わからないよ」

ハマモトさんが怒ったように言った。

スズキ君も怒ったような顔をした。

「すごくへんてこなことが起こったんだ」

「へんてこなこと？」

「おまえら何か知ってるんだろ？」

「君がちゃんと説明してくれれば、ぼくらはまじめに聞くよ」

そうしてスズキ君は、そのへんてこな体験について話をした。

その話は先日、ぼくらの観測ステーションをスズキ君帝国が襲撃したときから始まる。

あの日、お姉さんが「さあいけ、ペンギン諸君！」とさけんでペンギンたちをけしかけてきた混乱の中、スズキ君はいったん退却しようと思って、草原からジャバウォックの森の奥へ逃げた。コバヤシ君やナガサキ君も来るかと思っていたけれども、彼らはなかなか逃げてこなかった。スズキ君は「ドジなやつら！」と思って、森の中から様子をうかがっていた。そのうち、コバヤシ君たちはスズキ君とはべつの方向へ逃げてしまった。

スズキ君はコバヤシ君たちを追いかけようとしたけれど、そのときハマモトさんが「プロミネンス！」とさけぶのが聞こえた。「なんだろう？」と思って木立をすかして草原を見ると、水でできた大きなボールのようなものが、ものすごい勢いで草原の上を飛んで、スズキ君に向かってきたのだ。

彼はアッと思って目をつぶった。大きなゼリーがぶにょんと体をつつんで、そのまま通りすぎるような感触がした。そのあと、とくに何もないのでこわごわ目を開けると、彼はさっきと同じように森の中に立っていた。体はぬれてもいなかったし、どこにもケガはなかった。でも草原を見ると、つい一瞬前までいた、ぼくらの姿が見えない。お姉さんもいない。

スズキ君はちょっとへんに思ったけれども、コバヤシ君たちを追いかけるためにジャバウォックの森の中を走っていった。ところがコバヤシ君たちはどこに行ったのか分からなかったのだ。森から出てコバヤシ君の家にいってみると、さっきスズキ君の家に遊びに出かけたばかりだと言われた。スズキ君はますますへんてこな気持ちになった。

そうして彼が住宅街のケヤキ並木を家のほうへ歩いていくと、ちょうど自分の家からコバヤシ君たちが飛び出してくるところだった。後ろから声をかけようとしたスズキ君は、コバヤシ君とナガサキ君といっしょに家から出てきた男の子の姿を見て、「だれだ、あいつ？」と思った。その男の子がコバヤシ君に何か言って横を向いたとき、スズキ君はそれが自分にそっくりであることに気づいて、声を上げそうなぐらいおどろいた。思わず電信柱のかげにかくれていると、その自分そっくりの男の子はコバヤシ君たちといっしょに歩いていった。

スズキ君が家に入ると、お母さんがびっくりした。「あれ、どうしたの？　もう帰ったの？」

時計を見ると、さっきまで夕方だったはずなのに、時計の針はまだお昼すぎだった。頭がくらくらして何もわからなくなり、スズキ君はそのまま自分の部屋に戻って、布団をかぶって眠ってしまった。

夕方になってお母さんに起こされて玄関にいってみると、コバヤシ君とナガサキ君がきていた。彼らはぷんぷん怒っていた。スズキ君が自分だけ先に逃げだしたこと、家にもどって一人で寝ていたことを非難した。スズキ君は自分の身に起こったできごとを説明しようとしたけれども、上手に説明できない。もごもご言っているうちにコバヤシ君たちはますます怒って、帰ってしまった。

そのあともスズキ君は、あのとき自分が見たもう一人の自分が帰ってくるんじゃないかとこわくて、晩ごはんも食べられないぐらいだったそうだ。

それがスズキ君のふしぎな体験だった。

「俺、へんなことを言ってるだろ？　バカにしてるんだろ？」

ぼくらが何も言っていないのに、スズキ君はさけんだ。「コバヤシたちもバカにしてるに決まってる！」

「たしかにへんな話ね」

「でもホントのことだからな。ウソじゃない。あの、俺にそっくりなやつは何だ？　俺はあの飛んできたへんなものにさわって、おかしくなったのか？」

「たしかにスズキ君の経験は謎だ。でもぼくは君をバカにしたりしないよ。ぼくらはその君がさわったへんなものについても研究をしているからね」

「スズキ君がウソをついていないという証拠はある？」とハマモトさんが言った。

「ウソじゃないって言ってるだろ！」

スズキ君は地団駄を踏んで顔を赤くした。「ウソじゃない！」

あたりはだんだん暗くなっていた。森を越えて届く真っ赤な夕陽が、草原の向こうを赤く染めていた。〈海〉はぎらぎらと光っている。早くジャバウォックの森をぬけなければ日が暮れてしまう。

「研究してるんだったら、あれが何なのか俺にも教えろ」

「それはできないわ」とハマモトさんは言った。

「なんでだよ？」

「これは私たちの研究だもん。部外者には秘密なの」

「アオヤマ、あの俺にそっくりなやつ、あれはなんだ？　教えろ」

「ぼくはもっと時間をかけて研究しないと何とも言えない。それに君は本当に知りたいんだったら、もっと丁寧にぼくにお願いすべきだ」

スズキ君は怒って頬をふくらました。

「おまえら、ずるいな！」

「ぼくたちはずるくない」

「おまえたち、何かへんだぞ。こそこそしてさ。こないだのペンギンたちもそうだし、そこに浮かんでるへんなやつもそうだし。おまえたち、何か陰謀してるんだろ？」

「陰謀じゃないよ。ぼくらは研究活動をしてるんだ」

「俺に教えないなら、おまえらが森の中で何かへんなことしてるってみんなに言うからな。そうしたら、おまえらもぜんぶ白状しなくちゃいけなくなるからな」

「それは困るなあ。ぼくらの研究活動に支障が出る」

ハマモトさんは一歩前に出て、「やってみればいいじゃない？」と言った。「そんなことしたら、どうなるかわかってるんでしょうね。私は一生スズキ君をゆるさないから。一生うらむからね」

スズキ君はだまってしまった。

きっと彼はハマモトさんから一生ゆるされないのはいやなのだ。

急にハマモトさんが〈海〉のほうをふりかえって、「アッ！」と大きな声を出した。

ぼくらはまた〈海〉が何か活動を始めたのかと思って、あわててふりかえった。けれども、〈海〉は草原の向こうに静かに浮かんでいるだけで、どこにも変わったところはなかった。

「ハマモトさん、何か見えたの？」

「ううん。ウソよ」

彼女は平気な顔でそんなことを言った。

そうしてぼくらが前を見ると、もうスズキ君はいなかった。彼はびっくりして逃げてしまったのだ。よっぽど〈海〉にビクビクしていたにちがいない。

○

その夜、ぼくは眠いのをがまんしてノートをにらみ、スズキ君の体験について研究した。

重要なことは以下の事実だとぼくは考えた。

□スズキ君がもう一人のスズキ君を目撃したこと。

□森にいたときは夕方だったはずなのにお昼だったという現象。

□コバヤシ君たちはスズキ君が先に逃げたと思いこんでいたこと。

これらの事実から、ぼくは次のような仮説を立てた。

「〈海〉を通過することでスズキ君は時間旅行を経験した」

もちろん、これはあくまで仮説にすぎない。

○

駅の向こうに「厚生年金休暇センター」という施設があって、そこには大きなプールがある。夏になると大勢の人たちでにぎわう。水が流れるすべり台もあるし、プールサイドではチョコミントアイスや焼きそばを売っている。ぼくはチョコミントアイスがたいへん好きだ。そのプールは川のように流れている。

小学校で水泳大会があったとき、一学年の生徒みんなで水の力を知るための実験をした。生徒たちがみんな水に入り、プールの外周に沿って歩いていく。だんだん流れが生まれて、プールの水がぐるぐるまわり始める。ぼくらが歩くのを止めようとしても、流れに押し流される。プールサイドに立った先生が「はい逆向き！」と手をたたくと、ぼくらはこれまでとは反対の方向へ歩こうとする。みんなきゃあきゃあ言って足をふんばる。でもこれは困難な作業なのだ。水の力はたいへん強い。産卵のために川をさかのぼるシャケたちはたいへんなエネルギーをもっているのだなあとぼくは感心した。シャケではないぼくたちはきゃあきゃあ言いながら流されるしかない。

たいへんおもしろい実験だった。

動かない水に浮かんでいるよりも、流れる水に浮かんでいるほうがおもしろい。「流れるプール」を発明した人はたいへん頭の良い人だとぼくは思う。

その日は快晴で、まるで南の島みたいな天候だった。お姉さんがプールに連れて行ってくれることになったので、ぼくらは午前十時に歯科医院の前に集まった。お姉さんは紺色の野球帽をかぶっていて、まるで男の子のようだった。ぼくが歯科医院の前に行ったときには、もうハマモトさんとウチダ君は来ていた。ハマモトさんは外国の女の子のような栗色の髪の毛を短くしていた。「髪の毛が短くなっている」とぼくが指摘すると、彼女は「そうなの」と言った。

お姉さんはこれから探検に出かけるように、ぼくら一人一人を指さし確認して、「では行きましょう」と言った。ぼくらは市バスに乗って、駅前まで出かけた。

プールに到着して着替えが終わると、お姉さんはぼくらに入念に準備体操をさせた。「ちゃんと体操をしてからプールに入らないと、心臓麻痺で死ぬのですよ」とお姉さんは言った。

夏休みだからプールはたいへん混んでいた。太陽の光をはねかえすプールの水面が白っぽく見える。大人も子どももプールを流れていく。ちゃぷちゃぷという水の音と、プールで泳ぐ人たちの歓声が響いているのを聞くと、ぼくは頭がぼうっとしてくる。すべり台の向こうに真っ白でくっきりしたかたちの入道雲が見えていて、プールサイドで売っているソフトクリームのように、今にも食べられそうだった。

お姉さんはスマートなイルカみたいである。体操をしてぴょんぴょんとはねるたびに、おっぱいがゆれている。お姉さんのおっぱいを見ているうちに、イルカのおっぱいはどこにあるのだろうか。イルカの赤ちゃんはどうやっておっぱいを吸うのだろう。海水もいっしょに口に入ってきて、塩からくならないのだろうか。さらにぼくは考えた。イルカにおっぱいがあるならば、シロナガスクジラにもおっぱいがあるのだ。シロナガスクジラの赤ちゃんは生まれたときからぼくらよりも大きいのだから、おっぱいはおっぱいと思えないほど大きいだろう。

「少年！」とお姉さんが大きな声で言った。「何を見ている」

「考えごとをしていました」

「ウソをつけ」

「本当です」

「おっぱいばかり見ていてはいかんぞ」

「見ていません。おっぱいについては考えていましたが、お姉さんのおっぱいのことではありません」

お姉さんはため息をついた。「スズキ君が君をきらいになる理由がわかるよ」

そのあと、お姉さんの許可が出たので、ぼくらはプールに入った。流れるプールはぼくらをゆっくり運んでいく。「泳ぐ必要がないねえ」とお姉さんは浮かんでいる。ウチダ君は浮き輪で水に浮かんだまま、ニコニコしている。彼は浮き輪が好きなのだ。ハマモトさんがウチダ君の浮き輪につかまってゆらすと、彼は「あぶない」とさけんだ。ハマモトさんはアハハと笑った。

プールを二周ぐらいしたあと、ぼくは得意の潜水をした。思いきり水をかくと、ぼくの体は自分でも驚くぐらいのスピードで進んだ。宇宙空間を飛んでいくロケットみたいである。しかもぼくは的確にコースを見さだめて、いっしょに流れていくほかの人たちの間をすいとすりぬけていくのだ。おどろくほど高速である。

だれよりも速く泳いだことに満足して、ぼくは水面に顔をだした。

そうすると、置いてけぼりにしてきたはずのお姉さんの顔が目の前にあっておどろいた。顔をつるつる走る水滴が見えるぐらい顔を近づけて、お姉さんは「くひひ」と笑った。「ぼくはなんて高速なんだろうか、って思ってた？」

「お姉さんも高速であることを認めます」

「ありがとう。でも私は高速であることに疲れたから、ちょっと休憩しよう」

お姉さんはすいすいとプールサイドのほうへよっていって、水から上がった。お姉さんのおしりがイルカみたいにつやつや光った。彼女はふりかえって、プールを流れていくぼくらに手をふった。

ぼくが低速で泳いでいると、浮き輪で浮かんだウチダ君が近づいてきた。

「あれ、ハマモトさんは？」とぼくは言った。

「はぐれちゃったよ。でもいいんだ。ハマモトさんはいたずらするからいやだよ。ぼくのことを水にしずめようとするから」

「それはやっかいだね」

ぼくらはいっしょに流れていく。

「ウチダ君、シロナガスクジラにもおっぱいがあるという事実を君はどう思う？」とぼくは言った。

「そんなこと言ってると、またお姉さんに叱られるよ」

ウチダ君はあきれたみたいに言った。「アオヤマ君はおっぱいが好きすぎるね」

「ぼくは好きなんじゃないよ。おっぱいを研究しているだけだよ」

「それ、好きってことじゃないかなあ」

「必ずしもそうではないと思うな」

ぼくらはすいすい泳ぎながら、おっぱいについていろいろ話をした。でもウチダ君はあまり返事をしない。彼はおっぱい研究にはあまり興味がないのだ。

「ハマモトさんにはおっぱいが存在しないね」とぼくは言った。

「大人じゃないもの」

「ふしぎだなあ。なんだかふしぎなものだなあ」

ウチダ君はへんな顔をしている。

ぼくが存在するおっぱいと存在しないおっぱいについて考えていると、となりの水の下からハマモトさんが飛び出してきて、ウチダ君の浮き輪にしがみついた。彼は「わわわ！」とさけんでプールにしずんだ。ハマモトさんはアハハと笑うのだ。ハマモトさんがウチダ君を水にしずめたがるのは困ったことである。

やがてぼくは先に一人でプールから出た。そしてお姉さんをさがしてプールサイドを歩いていった。彼女は外国の人のようにサングラスをかけて、大きなパラソルの下のイスに座ってテーブルに肘(ひじ)をついていた。大きな透明のコップに入ったコーラをストローで飲んでいた。

向かいのイスにぼくが座ると、彼女はバスタオルを渡してくれた。

「あとでみんなにソフトクリームを買ってあげようか」とお姉さんは言った。

「みんなよろこぶだろうな」

「見てごらん、あの雲。すごいね」

ぼくは青い空を見上げた。入道雲はまだそこにあった。プールサイドはわあわあとにぎやかだけれども、あのつやつやした雲の上はものすごい風が吹くからっぽの世界だ。

ぼくはいつもそんなことを考える。

「ハマモトさんはまだ私に用心してるみたいだね」

「むずかしいです」

「私にとって大事なのはね、君がきちんと謎を解いてくれることだからな」

「ぼくが解くべき問題はたいへん多い」

「また弱音はくの」

「でも父によると、たくさんの問題の正体は、何か一つの問題かもしれないそうです」

「君は何が一番大きな謎だと考えている？」

「ぼくは〈海〉だと思う」

「〈海〉か……あれは手強(てごわ)いね。よくわからないものだね」

「ペンギンも、お姉さんの能力も、あの〈海〉に関係がある。ぼくはそういうふうに考えています」

「君の好きなようにやればいいんじゃないのかな？　私にはわからないもんね」

お姉さんはそう言ってコーラを飲んだ。そしてプールサイドを眺めている。

ぼくはお姉さんの横顔を見ているうちに、あの給水塔の丘にある白いマンションに遊びに出かけた日、床で眠ってしまったお姉さんを観察していたときのことを思いだした。ぼくはあの日のこともノートにきちんと記録したし、今日のこともノートに記録するだろう。だから、どれだけ未来になっても、こういうふうにお姉さんとすごしたことは克明に思い出せるはずだった。

でも、そのときぼくはふと考えたのだけれども、今こうしてお姉さんといっしょにいるということは、お姉さんといっしょにいることを思い出すこととは、ぜんぜんちがうのではないだろうか。お姉さんといっしょに今、このプールサイドにいて、たいへん暑くて、水の音や人の声がうるさくて、そして空にソフトクリームのような入道雲が出ているのを見上げていることと、それらのことをノートに記録した文章をあとから読むことは、ぼくがこれまで考えていたよりも、ずっとちがうのではないかという気がした。たいへんちがうことなのだ。

そういうふうなことをぼくは思ったのだけれども、その感じをぼくにはうまく記録できない。

「ねえ、少年」とお姉さんがつぶやいた。「もし私がペンギンを出したりできなくなったら、もう君は私の研究をやめちゃうかしら？」

「そんなことはないと思います」

「なぜ？」

「なぜならお姉さんはたいへん興味深い人だからです」

ぼくは、きらきらと光るプールを眺めた。ハマモトさんたちがプールを一周してきて、ぼくらに手をふっているのが見えた。太陽の光をはねかえして光る大人や子どもやいろいろなかたちをしたフロートがみんな流れていく。今そこで響いているみんなの笑い声を、ぼくはなぜか遠くの世界から聞こえてくる音のように感じた。

お姉さんはテーブルに両腕をおいて、ぼんやりした顔をしてプールを眺めている。

「夏休みのうちに、海辺の街に行きたいね」

彼女は言った。「海が見たいだろ、少年？」

○

ぼくらは草原に集まって、〈海〉の観測を行った。

ハマモトさんがノートにグラフを描いているのを、ウチダ君が興味深そうにのぞいていた。ハマモトさんの観測によると、〈海〉は縮小期を迎えて、ふたたび小さくなっていた。たまに表面に波のようなものが動くだけで、プロミネンスなどの大きな現象は起こらなくなってきている。

ぼくはパラソルの下でノートに図を描き、スズキ君の時間旅行仮説について説明してみた。でもそれはあまりにも大胆な仮説だった。ウチダ君もハマモトさんも首をかしげた。「もっと実験が必要だと思う」とハマモトさんは言い、ウチダ君も「そうだね」と言った。彼らは正しいとぼくは思った。

「スズキ君にもういっぺん〈海〉に入ってもらえばいいんじゃない？」

ハマモトさんがまじめな顔をして言った。

「スズキ君はあんなにこわがってるのに、入ってくれるわけないよ」とウチダ君。

「たしかにこの仮説を証明するのはたいへんむずかしい。もしプロミネンスが発生するのを待って、もう一度だれかが飛んでくる〈海〉に接触したとしても、今度はカンブリア紀とかにいってしまうかもしれない。そうしたら二度と帰ってこられないよ」

「探査船を使う？」

「プロミネンスが発生したときに上手に探査船を放りこめるかしら？」

「むずかしいだろうね。しかも〈海〉は縮小期に入っている」

午前中をぼくらは〈海〉の観測と議論に使った。

十二時になったので、ぼくらは海辺でピクニックをするように、パラソルの下で昼食を食べた。ハマモトさんとぼくはサンドイッチを持ってきたけれども、ウチダ君は魔法瓶に入れてもってきていたお湯を注いで、カップラーメンを作った。「いいなあ」とハマモトさんが言った。ウチダ君は得意そうだった。草原でカップラーメンを食べるのは、まるで本物のキャンプのようですてきである。

お姉さんが研究に参加するためにやってきたのは、ぼくらが昼食を食べ終わったころだった。ぼくがチェスをしている途中で顔を上げると、彼女はジャバウォックの森と草原の境目に日傘をもって立っていた。彼女はぼくを見てニッと笑うと、日傘をゆらしてみせて、草原を横切ってきた。陽射しが強いせいかもしれないけれど、お姉さんの顔は少し白っぽいようだった。

「暑いねえ。研究は進んでる？」

「あんまり進んでいないんです」とぼくは言った。「〈海〉はあまり元気がない」

「前に見たときよりも小さくなってるみたい」

ハマモトさんがお姉さんにノートを見せた。「今は縮小期なんです」と彼女は言った。

お姉さんは「なるほど」とだけ言って、双眼鏡で〈海〉を観察している。

「あれは宇宙船なのよ、じつは」

お姉さんは言った。「私はあれに乗って地球に来たのだ。諸君を支配するために」

ぼくらはあんまり驚いたので、シンと静かになってしまった。

「ホントですか？」とウチダ君が言った。

「ウソよ」

お姉さんはそういうウソをまじめな顔をして言うのだから、困ってしまうのである。

「本当は何だと思いますか？」とハマモトさんがたずねた。

「何だろうね。それはあなたたちが研究してることだからさ。私はわかんないよ」

「ペンギンと〈海〉の関係は？」

「わかんないなあ」

「ペンギンはなぜ〈海〉をこわしてしまうんですか？」

「びっくりしたよね」

ハマモトさんはまるで尋問するみたいにお姉さんに質問をぶつけたけれど、お姉さんはにこにこ笑っているだけで、ほとんど何も答えられないのだった。ハマモトさんはいらいらしたみたいにボールペンをかんだ。

ぼくらはお姉さんにペンギンを出してもらう実験をすることにした。

お姉さんはぼくがリュックから出したコーラの缶をにぎり、パラソルの下から出ていった。

「諸君、よく見ておきなさい」

ぼくらが息をつめて見守る中、お姉さんは缶を放り投げ、缶はきちんとペンギンになって、ころころ草原をころがった。その現象は何度見てもふしぎなものだ。ペンギンはあわてて起き上がり、お姉さんのところへ歩いていく。彼女が人差し指をつきだしてぐるぐるまわすと、ペンギンはびっくりしたみたいに立ち止まって、お姉さんの指の動きを目で追った。

「あのペンギン、目がまわっちゃうね」

ハマモトさんが小さな声で言った。

「かわいいやつ」とお姉さんはペンギンにしゃべりかけている。「まじめな顔しちゃって！」

お姉さんの指に飽きると、ペンギンはぼんやり空を見上げた。

「暑くないのかなあ」とハマモトさんが言う。

「あのペンギンたちは平気なんだ」とぼくは言った。

ぼくはペンギンと〈海〉の関係をしらべる実験方法を検討した。ペンギンを探査船みたいに〈海〉に送りこむことはできない。もし〈海〉がそのせいでこわれてしまったら、ぼくらの研究は終わってしまうだろう。逆に〈海〉が探査船を送りこんだときのようにペンギンを消してしまったら、ペンギンがあまりにかわいそうだ。これはいわゆるジレンマという状態であることをぼくは知っている。

「〈海〉に近づけてみるだけならいいんじゃない？」

ハマモトさんが提案した。

そういうわけで、ぼくが代表してペンギンを抱き、ぼくらは〈海〉の近くまで行ってみた。

ペンギンを抱いて〈海〉に近づいていくと、〈海〉の表面にテトラポッドみたいなかたちの構造物が浮かんできた。お姉さんが「お！」と言った。テトラポッドは青くてかたいゼリーのようだった。ぼくがペンギンを抱いて〈海〉のまわりを歩くと、テトラポッドは追いかけるようにして、〈海〉の表面を移動する。

ぼくはさらに〈海〉に近づいてみた。

「あぶないって……」とウチダ君が後ろから言った。

ペンギンはクチバシを〈海〉のほうへ向けて、おとなしくしている。テトラポッドがぶるぶると震えだし、ぐにゃぐにゃにくずれて、〈海〉の表面がすり鉢みたいにぎゅうっとへこんでいく。そのへこみもぶるぶると震えている。まるで〈海〉がペンギンをこわがっているみたいなのだ。震えがどんどんはげしくなっていって、表面がざわめき、バットぐらいの大きさの円錐(えんすい)がたくさん生えだしてきた。

「やばいよ、やばいよ」とお姉さんが楽しそうに言った。

そのとたん、円錐のうちの一本が〈海〉からぼくに向かってのびてきた。みんな悲鳴をあげてばらばらに逃げだした。走りながらふりかえると、〈海〉の表面では何本もの円錐がゆらゆらとゆれて、ぼくとペンギンをさがしているようなのだった。

ぼくらはパラソルの下にもどって、〈海〉を観測した。たくさん生えていた円錐はだんだん小さくなって、もとのとおりにおさまった。

それきり静かになった。

ぼくは草に座って、〈海〉から円錐が生えている様子を絵に描いた。となりにハマモトさんも座ってノートを広げている。お姉さんとウチダ君はペンギンと遊んでいた。お姉さんが腰をかがめて手のひらを打ち合わせると、ペンギンは音のするほうへよちよち歩いていく。

「あの人はもっと何かを知っているんだわ」とハマモトさんがつぶやいた。ぼくが顔をあげると、彼女は眉（まゆ）をひそめて、お姉さんのことを見ていた。「ペンギンの秘密も、〈海〉の秘密も、きっと知ってる」

「お姉さんは知らないんだよ。だからぼくらが研究しなくてはならないんだ」

「アオヤマ君はお姉さんと仲良しだから、冷静に考えられないのね」

「そうじゃない」

ハマモトさんはぼくを見た。「怒った？」

「怒っていない。ぼくは決して怒らない。二十四時間冷静なのだ」

「そうじゃないときもあると思うよ」

「ハマモトさんはなぜそんなに疑（うたぐ）り深いんだろう」

ハマモトさんはノートをぱたんと閉じて、またボールペンをかんでだまっている。

ウチダ君たちが「あそこ！」とさけんで、草原を横切る小川の向こうを指さした。草原と森の境目にペンギンたちが現れて、まるで海に飛びこむ前みたいに、体をよせあってゆれていた。お姉さんのとなりにいるペンギンがフリッパーをぱたぱたゆらした。森のほうにいるペンギンたちが彼に気づいたかどうか、ぼくにはわからない。

そのときぼくは、お姉さんが少しふらふらしていることに気づいた。

○

土曜日の夕暮れ、ぼくは「海辺のカフェ」へ歩いていった。

県境の山々の向こうに入道雲が盛り上がっていた。イチゴのシロップをかけたような色をしていて、ぼくにはその雲が甘いデザートのように見えた。ぼくは雲が水の粒子の集まりであることを知っている。それなのに、いつも「おいしそうだなあ」と思って雲を見上げてしまうのはなぜだろうか。ぼくがあんまり食いしん坊であるせいだろうか。ぼくが甘さを想像して歩いているうちに、雲はゆっくりかたちをかえて、全体的にずんぐりした。ぼくはお姉さんのおっぱいのことを想像した。

「海辺のカフェ」の窓際の席からお姉さんが手をふっていた。

カフェの中は涼しくて、空気がすべすべしている。天井からぶらさがっている銀色のシロナガスクジラがエアコンの風に吹かれてゆれていた。お姉さんはテーブルに頰杖(ほおづえ)をついて、むずかしい顔をしてノートに何かを書いていた。数日会わないうちに、お姉さんはまたやせたようだった。

ぼくが向かいに腰かけると、お姉さんはノートをとじてニッと笑った。

「なにを書いているんですか？」

「秘密の日記」

「秘密の日記？」

「だから見せてあげないよ。日記というものは、人に見せるものではないからね」

「お姉さんも自分を客観的に観察しているのですか？」

「ムツカシイこと言うね。『客観的に』だって」

「ぼくのことも書いてありますか？」

「もちろん書いてある」

お姉さんは笑った。「研究してるのよ」

「ぼくを研究しても何も発見することはないと思います」

「そんなことはない」

お姉さんと二人でチェスをするのは久しぶりである。チェス盤をにらむお姉さんの顔は青白くて、チェスをする指も細い。おっぱいさえ縮小してしまったようだ。

「お姉さんはやせました」とぼくは言った。

「ごはん食べないからね」

「なぜ食べないんですか？」

「なぜだろう。食欲がないんだね」

ぼくとチェスをしながら、お姉さんは水ばかり飲んだ。そんなに飲むとお腹がたぷたぷになってしまうだろう。「水は生命の源」と彼女は言うけれど、海の魚たちも水だけで生きているのではない。ぼくたち動物にはエネルギーが必要である。バナナとかお肉とか親子丼とか栄養のあるものを早く食べるべきだとぼくは主張した。

ぼくがチェスで三回連続で勝つと、お姉さんは「やめた」と言った。「君はだれよりもチェスが強い小学生だ。私なんて相手になんないよ」

「お姉さんはごはんを食べないから、頭が働かないんです」

「だって食べたくないんだもの」

「ぼくはすぐにお腹がすくけどな」

「君はお腹もすくし、夜もすぐ寝る。いいことだ」

「お姉さんは眠れませんか？」

「あんまり眠れないなあ」

お姉さんは暗い窓の外を見ている。窓に映っているお姉さんはいっそうやせて見える。

「お姉さんはもうペンギンを出したりしないほうがいいかもしれない」

「それじゃあ研究できないんじゃない？」

「でもお姉さんはペンギンを出すと元気がなくなるから、ぼくは心配です。それにお姉さんの能力のことがバレたら、きっと政府の人やテレビ局が来ます。大学の先生たちが来て、お姉さんを実験台にするかもしれない。アメリカ航空宇宙局の人も来るかもしれない。たいへんな騒ぎになって、きっともうぼくとチェスをしたりもできなくなるでしょう。そうしたらお姉さんはさみしくありませんか？」

「そんなことにはならないよ。こんな話、大人が信じるもんですか」

「ぼくは油断できないと思う」

「たとえばお父さんに話してごらんよ、きっと信じないだろうね」

「たしかに父が信じるかどうか、ぼくにはわからない」

「ほらね」お姉さんはなんだか得意そうに言った。「それに万が一そんな大騒ぎになりそうだったら、私は実験台なんかにされる前にプイッと消えちゃうよ。それでいいんじゃない？」

それではよくないとぼくは思うものだ。

その夜、ぼくらは海辺の街へ行く計画をねってすごした。お姉さんの食欲が出て、もう少し元気になったら、二回乗り換えれば、ぼくらはいっしょに出かける。父が毎日のっている電車に乗って、それから二回乗り換えれば、お姉さんがかつて住んでいた海辺の街まで行けるそうだ。ぼくはお姉さんに教えてもらった線路の名前をノートに書いた。父の会社があるところよりもずっと遠くに行く。ぼくらは三時間ぐらい電車に乗らねばならない。

「私が住んでいた家のそばに教会があるよ」

「この街の教会みたいなところですか？」

「もっと立派だな」

「お姉さんはそこにも通いましたか？」

「通わない。そのときはいつも外から見てただけなのよ」

ぼくには神様がいるかどうかわからないので、お姉さんが教会に通うこともよくわからない。

「神様はいるんでしょうか？」

「どうだろう」とお姉さんは首をかしげた。「わからないな」

「教会に通っていてもわかりませんか？」

「神様はいるのかいないのか、お父さんに聞いてごらん」

お姉さんはそんなことを言う。

そのうちぼくはだんだん眠くなり、やがて父が迎えにきた。父はお姉さんがやせたことに気づいて、「顔色が悪い」と言った。「お疲れのところをすみません」

「いいんです」

お姉さんは笑ってぼくに手をふった。「おやすみ」

ぼくは父といっしょに夜の住宅街を歩いて帰った。夜になると大気は涼しくなる。空には星がたくさん出ていた。もしジャバウォックの森の奥にある草原でキャンプをしたら、もっとたくさんの星が見えるにちがいない。天体望遠鏡があれば土星の輪を見ることもできるだろう。でも真夜中の森と、真っ暗な草原に浮かんでる〈海〉のことを考えると、さすがのぼくもこわいような気がした。夜の〈海〉はどんなふうに見えるだろう。銀色に光るだろうか。

「お姉さんは顔色が悪かったね。それに、ずいぶんやせたようだ」

父が心配そうに言った。

「食欲がないんだって」

「お姉さんが疲れているときに遊んでもらうのはよくないな」

「ぼくもそう思ったよ。だから今度からは遠慮することにしよう」

ぼくは父にペンギンのことを話してみようかと思ったけれど、やっぱり父に話をする気持ちにはなれなかった。ぼくは父に信じてほしいような気もしたし、信じてほしくないような気もした。

○

ぼくは風が窓にぶつかる音で目を覚ました。六時半だから太陽が出ている時刻なのに、まるで冬の朝のように暗かった。ブラインドの隙間から見える空は墨汁を落としたみたいににごっていて、庭にあるハナミズキの枝が風に吹かれてゆれていた。台風が来たのだ。

ぼくがベッドに座って空を観測していたら、母が一階で「いってらっしゃい」と言う声が聞こえた。父が会社に出かけるところだった。ぼくが水滴の流れるガラス越しに外を見ていると、バス停に向かって歩いていく父の背中が見えた。傘が風でゆがんでいる。父が吹き飛ばされないかと思ってぼくは心配した。窓を少し開けてみると、生ぬるくて湿った風が吹きこんできて、雨粒がぼくの顔にぶつかった。

ぼくは起きだしていった。家の廊下も階段も暗くて、家中から窓ガラスのゆれる音が聞こえる。

一階のリビングルームでは母が朝ごはんの準備をしようとしていたので、ぼくは母に今日の実験のことを説明した。ぼくはお姉さんの様子を見て、自分がごはんを食べないとどういう状態になるか実験してみようと考えたのである。

「だからぼくは今日はごはんを食べないことにするよ」

「そんな実験にはお母さんは反対ですよ」

「明日は二倍食べるから。一日だけなら大丈夫でしょう？」

「モグラは一日ごはんを食べなかったら死んでしまうの」

「ぼくはモグラではないもの」

母はしぶしぶうなずいた。

「オレンジジュースだけでも飲みなさいね」

これは実験なのだから、お姉さんと同じ条件にしなくてはならない。

「ぼくは水を飲むことにするよ」

「あきれた！」と母はかなしそうに言った。「勝手にしなさい！」

台風の雨と風がはげしいので、その日は家の外に出ることができなかった。ぼくは部屋の窓を小さく開けて、ぼくが独自に開発した風速計で、吹きこむ風の強さを測定したりした。そういう実験をしていても、すぐにお腹のへり具合が気になる。ぼくはノートにお腹のへり具合を客観的に記録しようとしたけれども、どれぐらいお腹がへっているかということをどのように書けばよいのかわからなかった。お姉さんのお腹のへり具合とぼくのお腹のへり具合を比較するにはどうすればよいだろうと考えようとしても、頭に浮かんでくるのはお腹のことばかりだ。もし机の引き出しにお菓子の備蓄があったら、ぼくはすぐに食べてしまっただろう。

ぼくは昼食も食べなかった。

たいへんつらいところを通りすぎると、いったん楽になった。ぼくはレゴブロックでハマモトさんのようにたくさんの壁を作ってみた。それからベッドに寝ころがって生物図鑑を読んでみたけれども、またお腹がへってきて、集中して本を読むことができなくなった。ぼくは朝食と昼食を食べていない。そして夕食も食べないことを考えると、泣きたくなってしまった。

午後になってぼくは一階におりて水を飲んだ。

妹がガラス戸にはりついて庭を見つめていた。強い風が吹きつけてガラスをゆらすと、彼女はびっくりしてはなれた。「ああびっくりした！」と言った。

「窓がこわれるー」

「こわれないよ」とぼくが教えた。

ぼくは元気がなかったので、リビングルームの床に寝ころんだ。妹がぼくのとなりに座って、「お兄ちゃんはなんでごはんを食べないの？」と言った。「病気なの？」

「病気じゃないよ」

「でも元気ないね」

母が「お昼寝しますか」と言って、タオルケットを出してきた。ぼくらはタオルケットをお腹にまいて、リビングの床に寝ころんだ。妹は何かぐずぐず言っていたけれども、やがて眠ってしまった。妹はお腹にタオルケットをまくと眠ってしまう仕組みになっているのだ。ぼくもたいていはすぐに眠るのだけれど、今日はお腹がへっているせいでなかなか眠ることができなかった。

「今日は晩ごはんもいらないの？」と母が眠そうな声で言った。

「いらない」

「あきれた。お腹がすいたでしょう」

「でもぼくは実験をすると決めたからがまんする」

強情ねえと母は言って、寝息を立て始めた。

ぼくは台風が家全体をがたがたさせる音を聞きながら、天井を見上げていた。ぼくはたいへんかなしい気持ちになっていた。家の中も外も薄暗いし、何をする元気も出ない。お腹がへったあとの世界というのはたいへんさみしい世界であると思うものだ。

それでもぼくはうつらうつらしたらしい。

だれかがぼくの体をゆらした。ぼくがなぜだかハッとして起きると、家の中はいっそう暗くなっていた。台風の風は弱まっているけれども、まだ空は灰色で、雨がぱらぱら降って庭のポーチをぬらしている。母はいなくて、母の分のタオルケットが畳んでおいてあった。タオルケットを体にまいた妹が、ぼくのとなりにぺたんと腰をおろして、不安そうな顔をしていた。

「どうしたの？」

ぼくが言うと、妹は急にしくしく泣きだした。

妹は泣きながら「お母さんが死んじゃう」と言うので、ぼくは本当にびっくりした。寝ている間に母に何かたいへんなことが起こったのかと思った。ぼくはあわてて立ち上がって「お母さんはどこ？」と聞いたけれども、妹は首をふるだけなのだ。ぼくは妹のとなりに座って、「どうしてお母さんが死んじゃうんだい？」とゆっくり聞いてみた。

そうすると、妹が「お母さんが死んじゃう」と言ったのは、「いつの日かお母さんが死んじゃう」ということであるということがわかった。妹は未来のことを考えて、こわがっているのだということがわかった。

「それはずっとずっと先のことだよ」とぼくは言った。

妹はたいへんこだわるのだ。「お父さんもお兄ちゃんも死ぬんでしょう？」

「でも死ぬんでしょう？」

「それはそうだね」

「なんでそうなの？」

「なぜなら人類は生き物だからね。生き物はいつか死ぬんだよ。犬も、ペンギンも、シロナガスクジラも」

「そんなのいや」

「そんなわがままを言っても困ってしまうよ」

妹はタオルケットをかぶってぐずぐず泣き続けた。お昼寝からふと起きたら、母がどこかに出かけていて、台風で家の中は暗いものだから、彼女は一人ぼっちでいろいろな考えごとをしたのだろう。

ぼくには妹が泣いている理由がわかった。

ぼくがもっと何も知らなくて、わがままで、あまえんぼうであった時代、ぼくも妹と同じように大事な人たちがじつはみんないつの日か死んでしまって会えなくなるのだという事実に気づいて、本当にびっくりしたことがあった。ぼくはもちろん生き物がいつか死ぬことは知っていたけれども、そのことが本当の本当に自分に関係があるものだという気がしなかったのだ。どんなに運がよくても、どんなにいやだと思っても、ぜったいにそれから逃げられないのだという事実に気づいたとき、真っ黒の大きな壁がぐいぐい迫ってくるような気がした。

ぼくがそのおそろしい発見をしたのは夜中だったので、ぼくは父と母が寝ている部屋まで行って、その発見について説明しようとした。でも、それがあんまりおそろしい発見だったので、一言もしゃべることができなかった。ぼくはそのことを口にすると何かたいへんなことが起こるような気持ちにさえなったはずだ。

妹がしくしく泣いているのを見ても、ぼくはお腹がへりすぎて頭は働かなかったし、妹を元気づけるようなことを言ってあげることはできなかった。でも、たとえお腹がいっぱいであっても、何も言えなかったかもしれない。「生き物はいつか死ぬ」ということをいくら説明しても、彼女が納得しないということが、ぼくにはわかっていた。なぜならぼくも、あの夜にそんな説明では納得しなかったと思うからだ。

ぼくは泣いている妹の頭をなでた。それぐらいしかできることがなかったのだ。

やがて母が帰ってきた。母はちょっとだけご近所に届け物に行っていたのである。

母は「あれえ、どうしたの？」とにぎやかな声で言って、カーテンを引いて部屋の電気をつけた。ぼくと妹が味わっていた不安な気持ちは、急に雪が溶けるみたいに消えていった。

ぼくは母に妹が泣いていた理由を教えた。

母は「おやまあ、かわいそうに」と言って、妹を抱きしめた。

○

その日の夜、ぼくは夕食の時間になっても二階の自分の部屋にいた。

あまりにもお腹がへっていたのと、妹が泣いたせいで、ぼくはかなしい気持ちになっていた。最後にこんなにかなしい気持ちになったのはいつのことだったか、思い出せないぐらいにかなしかったのである。ぼくはこういうことはノートに記録していなかったので、まったくわからない。このかなしいという気持ちも計測することができないということにぼくは気づいた。自分がどれだけお腹をすかしているかということが計測できないように。

ぼくは力が出ないので布団にころがって窓の外を見ていた。台風は通りすぎて、空の雲には切れ目が見えていた。ぼくの鼻は敏感になっていて、夕食のおいしそうな匂いが階段にまでただよってきているような気がした。リビングルームのテーブルに食器をならべる音が聞こえて、妹が「お兄ちゃんは？」という声もした。そのとき、ぼくは、自分がどんなにか母の夕食が好きであるかということを発見した。

お姉さんはどれだけ苦しいだろうかと考えた。そういうときにお姉さんが青白い顔をして、あんなふうに元気がないのも無理はないと思った。

ぼくはノートをとりだして、お姉さんについてのメモを整理した。お腹がへっていくのを忘れようとして、ぼくはお姉さんが元気であったときと、お姉さんが元気でなかったときのことを、すべて思いだして、日付をつけてノートに書いた。そうやって一覧表を作ると、彼女は元気になったり、元気でなくなったり、潜水艦が浮かんだりもぐったりするみたいに繰り返している。ぼくはお姉さんが会えないぐらい元気がないときを0、電話や伝言ができたときを1、会えたけれども元気がなかったときを2、元気だったときを3、ペンギンを出せたときを4、というふうに数値を与え、横軸に時間をとってグラフを描いた。点をゆるやかに結ぶと、お姉さんの元気さの波ができた。

ぼくはお腹がへっているにもかかわらずそこまで研究できたことに満足して、布団にもぐった。

次に目を覚ましたのは真夜中だった。

もう次の日になっていた。ぼくはちゃんと実験を一日やり通したのだ。とても朝まで待てないと思ったので、ぼくは一階に下りていった。母や妹はもう眠っていたけれども、リビングルームには明かりがついている。父がお酒を飲みながらテレビを見ているのだ。ぼくの足音を聞いて、父はふりかえった。

「おや、起きたね」と父は言った。「お腹がすいてるんだろう?」

「父さん、ぼくはエネルギーが完全に切れた」

「たいへんな実験をやったそうだね」

父は「ちょっと待ちなさい」と言って立ち上がり、台所へ行った。そして母が用意しておいてくれたサンドイッチを出してきて、ジャガイモやベーコンの入ったスープを鍋(なべ)であたためてくれた。湯気の立つスープがテーブルにおかれたとき、ぼくはまるでその匂いまでぜんぶ自分が食べてしまうような気がした。口に入れたときはうれしくて涙がにじんだ。ジャガイモのごろごろ入っているスープも、チーズのサンドイッチも、ぼくがこれまでに食べたどんな食べ物よりもおいしかった。ぼくはスープをおかわりして、鍋に残っていたものをすべて食べた。

「おいしいだろう?」

「おいしい」

「それで、実験の結果はどうだった? 納得がいったか?」

「うん。ぼくは納得した」

○

台風が通りすぎてしまうと、また暑い毎日がもどってきた。八月も後半になった。そのころ、街にふしぎな噂が流れているのを母が教えてくれた。郵便ポストや自動販売機が消えてしまった話。バス通りにならんでいる街灯のランプがいつの間にか消えていたという話。ほかにも、図鑑にのっていない大きな鳥が高圧鉄塔に何羽もとまっていたという話もあったし、夕暮れに給水塔の上で猿みたいなケモノがおどっているような影を見たという話もあった。夜、白っぽい魚のようなトカゲのようなへんな生き物が集会所の前の路上を歩いているのを見たという話もあった。

「ペンギンが出てから、へんな事件ばっかりねえ」

母はそんなことを言った。

郵便ポストや自動販売機の消失は、だれかが盗んでいったのかもしれない。高圧鉄塔の鳥、給水塔の猿、路上のトカゲみたいな生き物は、だれかのペットが逃げだしたのかもしれない。けれども、ぼくはそれらのふしぎな現象がすべて、ぼくらの研究に関係しているのではないかと考えた。父が言ったように、すべての問題が一つの問題であるとすれば。

ぼくはお姉さんに会いたかったけれども、彼女は元気がなくなってからどうしているのかわからなかった。ぼくは一度お姉さんのマンションまで行ってみたことがある。インターホンを鳴らしてもこたえはなかった。ぼくはお姉さんに何かごはんを食べてほしかったので、オレンジジュースとやわらかい菓子パンが入った袋を、ドアノブにぶらさげた。「ぼくです。アオヤマです」と書いたノートの切れ端を袋に入れておいた。

でもぼくは自分で作ったグラフによって、お姉さんはもうすぐ元気になるはずだと予測した。なぜならグラフは一定の波を描いているから、もうすぐ次の回復期がくるとわかったからである。

そして、そのグラフがぼくを次の発見にみちびいたのだった。

○

ぼくらは観測ステーションに出かけた。

ジャバウォックの森から草原へ出たとき、ハマモトさんが「あれ?」と声を上げた。なぜならば、縮小期に入っていたはずの〈海〉がまた拡大期に入って、ふくらみ始めていたからだ。青い空から太陽の光がさして、〈海〉はぴかぴか光り、表面にはいくつも渦巻きができていた。

その日、ぼくはパラソルの下に座って、自分のノートを読み返して索引をつけていた。ウチダ君は凧(たこ)をあげている。ぼくのとなりではハマモトさんがノートに〈海〉の観測記録をつけている。彼女は蛍光ペンで〈海〉の半径のグラフをきれいに描き直しているところだった。

「ハマモトさんは上手だなあ」とぼくは言った。

「上手でしょう？」とハマモトさんはにこにこした。

ぼくはハマモトさんにグラフを写させてもらおうと思ってノートを取りだした。そうしてノートをぱらぱらめくっているとき、ぼくは自分の描いたお姉さんの元気さを表したグラフを見つけた。ぼくは空腹実験中だったものだから、ハマモトさんの〈海〉のグラフよりもずっとぐなぐなしている。でもおおよそのかたちはたいへん似ていた。

「これを見て」

ぼくはノートを草に置いた。そうしてハマモトさんのノートをその下にならべた。

二つのグラフは同じようなペースで波を描いていた。〈海〉が拡大期になると、お姉さんは元気になる。〈海〉が縮小期に入ると、お姉さんは元気でなくなるのだ。

ハマモトさんは目を丸くしておどろいたあと、ちょっと冷静になった。

「でも、ちょっとずれてるわ。ぴったり同じにはなってない」

「〈海〉の動きに数日遅れてお姉さんの体調が動いている。このピークも、このピークも、両方とも同じ間隔で来ている。連動しているんだよ」

「アオヤマ君、すごい！」

ハマモトさんはさけんだ。「大発見！」

ぼくらがわあわあ言っていると、ウチダ君があわてて走ってきた。そこでぼくが今の発見について説明すると、彼も「大発見だね！」と言って喜んだ。「でも、つまりどういうことなの？」

「お姉さんは〈海〉と深い関係があるということだ」

「つまり？」とウチダ君が言う。

「つまり……」

ぼくは考えこんだ。これはつまりどういうことなのだろうか。お姉さんはペンギンを作る。ペンギンは〈海〉をこわす。そして〈海〉の大きさとお姉さんの体調は連動している。これはどういう関係なのだろうか。

「まだ発見をしただけで仮説は立てられないよ。もっとお姉さんに協力してもらって、ちゃんと研究しないと。今はお姉さんの具合が悪いからダメだけれど」

「あの人には用心したほうがいいわ」

ハマモトさんがまじめな顔で言った。「この発見もだまっておいたほうがいいと思うの」

「なぜだい？」

「もしあの人が本当に宇宙人だったらどうするの？」

ウチダ君が不安そうな顔をした。「お姉さんはウソだって言ったよ」

「あの人は宇宙人で、あの〈海〉は宇宙船だったらどうするの？　もし私たちに秘密を知られたと思ったら、あの人は私たちを殺してしまうかも……」

「ハマモトさんの意見はおかしい」

ぼくは言った。「それなら、ぼくたちがここまで研究するのを宇宙人たちがだまって見ているわけがないもの」

「私たちが子どもだから油断していたのかもしれない」

「ハマモトさんは疑り深い」

「なぜアオヤマ君はあの人を信じるの？　冷静になって」

「ぼくは冷静だ。ハマモトさんこそ論理的に考えてほしい」

「アオヤマ君こそ論理的じゃないと思う」

ぼくとハマモトさんは言い合って、ぎゅっとおたがいの顔をにらんだ。

ウチダ君が手をふって「けんかはやめて」と言った。「二人とも今は論理的じゃないと思うよ」

ハマモトさんはフンと鼻を鳴らした。

「アオヤマ君はおっぱいが好きだから、お姉さんのことが好きなんでしょ？」

「ぼくはおっぱいが好きであることを認める。でもお姉さんを好きであることとはべつだ」

「でもお姉さんにはおっぱいが存在してる」

「おおいに存在しているね」

「もういい！」

ハマモトさんがさけんだので、ぼくとウチダ君はびっくりした。

　もうぼくには何がなんだかわからなかった。そのあと、ハマモトさんは唇をかんでだまってしまい、話しかけても返事をしなくなった。まるで雪の女王みたいに冷たい顔をしてパラソルの下に座り、レゴブロックで青い壁をもくもくと作っている。パラソルの下の居心地が悪くなってしまったので、ぼくとウチダ君は草原を歩いた。

　パラソルから遠くはなれたところで、ウチダ君はふりかえった。

「ああびっくりした。ハマモトさんがあんなに怒るなんて」

「謎だね」

「ハマモトさんは困った人だね」とウチダ君が言った。「でもハマモトさんが怒った理由、ぼくにはなんとなくわかるような気がするな」

「ウチダ君、わかるの？」

「でも言わない。だって本当かどうかわからないんだもの」

「教えてくれると、ぼくは助かるんだけどなあ」

　そのとき、森の向こうでキイキイギシギシという音が聞こえた。

苦しげな鳥の悲鳴のようなものも聞こえた。

　ウチダ君がぼくの腕をぎゅっとつかんだ。「なんだろう？」と言った。音は草原の向こうにある南側の森の奥から聞こえていた。何か大きなものが木にぶつかって、ざわざわと木の葉がゆれていた。

　暗い木立を何か白いものがすりぬけるのをぼくらは見た。木に邪魔されてよく見えなかったけれども、大きさは犬ぐらいで体はのっぺりとして白く、ぬれたみたいに光っていた。その手足は人間みたいな手足だった。あまりに不気味な光景だったので、ぼくらは身動きがとれなかった。

その白いものが木立の奥の暗がりへ消えたあと、また鳥の悲鳴のようなものが聞こえた。

「なんだろ？　今の」とウチダ君が言った。

「何かへんなことが起こっている」

ぼくは言った。

◯

ぼくは重要な発見をノートに記録する。

□〈海〉が拡大すると、お姉さんは元気になる。

□〈海〉が縮小すると、お姉さんは具合が悪くなる。

episode 4

ペンギン・ハイウェイ

プロジェクト・アマゾンの最終報告。

ぼくとウチダ君は川の探検を進めることに決めた。なぜならハマモトさんはご機嫌がななめであるし、お姉さんも体調をくずしていたからだ。一つの研究が停止するとき、ぼくらはほかの研究を進めなくてはいけない。

前回の探検で、ぼくらは小学校の裏にある空き地を流れている川が、大学の裏から流れて来ていることを明らかにした。だから、今回はその地点からさかのぼる計画を立てた。

ぼくらは表通りのバス停で待ち合わせをして大学行きのバスにのった。市立図書館を通りすぎて、バスは国道を走る。窓から見える田んぼは稲がぐんぐん育って、緑の草原のようになっていた。青空には羊のような雲が浮かんでいた。乳歯がぬけかかってぶらぶらしていることをのぞけば、探検にふさわしい日である。

バスにゆられながら、ぼくは「二人で探検するのは久しぶりだねえ」と言った。ウチダ君は「そうだねえ」と楽しそうに言った。

国道沿いの「大学前」というバス停でおりたときは、暑さで頭がくらくらした。太陽の光が大学の門をぎらぎら照らしていた。国道の向かいにある林からはセミの声が規則正しく響いている。トラックが熱い風を起こして砂埃（すなぼこり）をまきあげていった。「空気がよごれているね」とウチダ君が言った。

ぼくらはシンとしている大学を歩いていった。ビルの間の通路をすりぬけていくと、迷路を歩いているようだ。カフェテリアは明かりが消えていて、「閉店」の札がガラス扉にぶらさがっていた。

大学の裏までぬけてしまうと、ぼくらは前回探検を終えた地点にたどりついた。草がたくさんのびて虫が飛びまわっている。川はフェンスにはさまれている。ぼくらは地面にしゃがみこんで地図を広げた。方位磁石で方角を確認した。

川は大学の敷地の外側をまわるようにして流れていた。そこには整地された空き地が広がっていて、コンクリートで四方をかためられた土がカラカラに乾いていた。空き地ばかりではなくて、宇宙船が着陸したみたいなふしぎな建物もいくつかあった。

「ここは何かの研究所だろうか？」

「未来みたいだね」

でもぼくらはあんまり建物をしらべている時間がない。

整地されたところを抜けていくと、林の間を抜けるアスファルト道路があって、水路はその道の右側を流れていた。その道路が林をぬけていく感じに見覚えがある。父とドライブに出かけたときに通った道だ。水路の対岸には竹がしげっていて、ひんやりした空気が流れてきた。

その先はY字路になっていた。左手に続く道は、ぼくと父がドライブで探検した道である。右手に続く道は、古い町の中へ入っていく。水路もそちらへ流れていく。

「この間、父さんといっしょに車でこっちの道に行ったんだよ」

「この道はどこに行くの？」

「正確に地図を描いたわけではないから、ちゃんとはわからないんだ。でもぼくらは坂道につくった街についたよ。そして喫茶店でコーヒーを飲んだ。父さんとぼくは車で探検に行ったときは必ずコーヒーを飲む」

「アオヤマ君はコーヒー飲むの？　大人みたいだね」

「でも家では飲まないんだ」

「ぼく、コーヒーゼリーは好きだけども」

「ぼくも本当はコーヒーゼリーのほうがおいしいと思う。でもなにごとも訓練だからね」

ぼくらは古い家の間をぬけていった。ぼくらの街にあるレゴブロックで作ったような家ではない。大きな石垣があるし、古い瓦屋根がある。玄関の前には畑を耕す機械が置いてあることもある。あちこちに畑や田んぼがあって、トンボがたくさん飛び交っていた。畑の中で働いていたおばあさんが顔を上げ、タオルで汗をぬぐっているのが見えた。ちりんちりんと風鈴の音が聞こえてきた。祖父母の家に来たみたいだ。

「ぼくらは遠くに来たねえ」とウチダ君は言った。

「すごく遠くに来た感じがするね」

「アオヤマ君、この川はやっぱり世界の果てから流れてくるような気がする？」

「そうだね」

「もし本当にそうだったとしたら、きっとおもしろい。ぼくもそう思うようになった」

その古い町は、ぼくらの街よりも涼しいような気がした。きっと田んぼがたくさんあるせいだろう。

ぼくらはずいぶん歩いたので、小さな神社の石段に毛布をしいて基地を作った。そして魔法瓶から冷たい麦茶を注いで飲み、リュックから出した蒸しパンを食べた。田んぼのほうから吹いてくる風がぼくらの汗を乾かした。

○

神社の石段のとなりには大きな古いマツの木が生えていた。この神社はぼくらが生まれるよりもずっと前からあったのだろうし、そのマツもぼくらの生まれるより前から生きているはずだ。

「木は人間よりも長生きだろうね」とぼくは言った。

「そうだね」

「地球の歴史に比べたら、人間はすぐに死んじゃうね」

「本当にそうだね」

そうしてぼくは、台風の日に暗いリビングルームで妹が泣いた日のことを考えた。あの日はたいへん不安な気持ちになったけれども、こうしてウチダ君といっしょに冷たい石段に座って、暑い太陽の光を浴びていると、あまり不安にならない。

ぼくが妹が泣いた日の話をすると、ウチダ君は「ぼくはわかるな」とつぶやいた。

「ウチダ君もそんなことを考える?」

「ぼくはいつも考えるよ。とくに夜になると」

「毎日?」

「毎日ね。ぼくは父さんや母さんがいつか死んでしまうということもこわいし、自分が死んでしまうということもこわい。どうしてぼくらは死んでしまうんだろう、だれがそんなふうに決めたんだろうって思う」

「でも生き物はみんな必ず死ぬよね。ウチダ君はそれはわかってるんだろ?」

「ぼくはわかっている。でもわかっていることと、安心することは、ぜんぜんちがうことなんだよ」

ウチダ君は慎重にゆっくりしゃべった。「ぜんぜんちがうんだ」

「そうだろうね。ぼくもそんなふうに感じた」

「だからぼく、アオヤマ君の妹の気持ちがわかるな」

しばらくしてから、ウチダ君はリュックの中からノートを取りだした。彼がいつも草原の観測ステーションでメモを書いていたノートだ。ウチダ君は哲学者みたいな顔をして、ノートをめくった。そして「ぼくはすごくふしぎなことを発見したんだよ」と言った。

「ぼくはそれを聞くことができる?」

「上手に説明できるかな。ぼくはへんなことを言うかもしれないよ」

「それでもいいよ。ぼくは聞きたい」

「アオヤマ君だから話すんだ。ハマモトさんたちには言わないでね」

「わかったよ」

ウチダ君は発見をしたはずなのに、ちっとも得意そうではなかった。まるでその発見について口にすることが、おそろしいことであるかのようだった。

「ぼくが研究してたのは、死ぬっていうのはどんなことかということなんだ」

ウチダ君は話し始めた。

「ぼくが死んだあとの世界のこと。ぼくが死んで、そのあともみんなは生きていて、でも生きているみんなについてぼくはもう考えることもできないってこと。それはどういうことなんだろうって考えていた。ずっと考えてきて、ぼくは気づいたんだ。もしかすると、ぼくらはだれも死なないんじゃないかなって」

ウチダ君は不安そうな目でぼくを見る。

ぼくはだまって聞いていた。

「ほかの人が死ぬということと、ぼくが死ぬということは、ぜんぜんちがう。それはもうぜったいにちがうんだ。ほかの人が死ぬとき、ぼくはまだ生きていて、死ぬということを外から見ている。でもぼくが死ぬときはそうじゃない。ぼくが死んだあとの世界はもう世界じゃない。世界はそこで終わる」

「でもほかの人にとっては世界はまだあるよね？」

「それはほかの人はぼくが死んだことを外から見てるから。ぼくとして見てないから」

「たとえばウチダ君がここで急に死んだとしたら、ウチダ君にとっては世界は終わるよ。でもぼくはまだここにいて、ぼくにとっての世界はまだ終わってないね」

「そうなんだけど……そうなんだけど……」

ウチダ君はたいへんもどかしそうだ。ぼくはよけいなことを言うべきではなかったかもしれない。ぼくは彼の言いたいことを理解しようと努力した。

ウチダ君は真っ赤な顔に汗をいっぱいかいている。彼はしばらく考えてから、ノートの新しいページに線を引き、Yの字に枝分かれさせた。一方の先には「いきてる」と書き、もう一方の先には「しんでる」と書いた。

「たとえばぼくがここで交通事故にあうとする」

「それは大事故？」

「大事故なんだ。ぼくは死ぬかもしれないし、死なないかもしれない。それで、こっちの線はぼくが死んだ世界、こっちの線はぼくが生きている世界」

「じゃあ、ぼくらは今こっちの世界にいることになるね」

「ぼくは生きているうちにいろんな事件に出会って、死ぬかもしれないし、死なないかもしれない。どんなときでも、どちらかだよね？　そのたびに世界はこうやって枝分かれする。それで、ぼくは、自分というものは、必ず、こっちのぼくが生きてる世界にいると思うんだよ」

「でも、もう一方の世界にいる君は死んでるんだろう？　こっちの世界にぼくがいたとすると、ウチダ君は死んじゃったと思っているはずだよ」

「アオヤマ君の世界では、そうなんだ。でもこっちの世界では、ぼくは必ず生きている。枝分かれがくるたびに、ぼくはこっちの生きるほうへ、生きるほうへ進んでいくんだ」

「なぜ断言できるの？」

「このことを考えるぼく自身は、必ず生きているから。ぼくが死んでしまったほうの世界では、こういうことを考えられない。もう世界は終わっているんだから」

「でも……」

「アオヤマ君の世界では、ぼくは死ぬかもしれない。でもそれはアオヤマ君がぼくが死んだのを外から見るからなんだ。ぼくがぼくを見ているわけじゃない。ぼくはこっちの世界にいる。……分かる？」

ウチダ君は不安そうにぼくの目をのぞきこんだ。

ぼくはなんとなく彼の言いたいことがわかってきたような気がした。

「つまり、たとえぼくがウチダ君が死ぬのを見たとしても、それが本当にウチダ君本人にとって死ぬということなのか、ぼくにはわからないということだね？　それは証明できない」

「そうなんだ！　そうなんだ！」

ぼくは腕組みをして考えこんだ。たいへんふしぎな気がした。ぼくは本当に、これまでにそんなことを考えてみたこともなかったのだ。

「それはウチダ君だけではなくて、ぼくにもあてはまることだね」

「ぼくらはだれも死なないんじゃないかって、ぼくが言ったのはそういう意味だよ」

「これはたいへんすごい仮説だ」

「ぼくも思いついたときにはびっくりした。でもアオヤマ君に上手に説明できる自信がなかったから、ずうっと一人で研究してたんだね。でも、これは仮説だけどね」

「立派な研究だなあ」

ウチダ君はまるで重い荷物をおろしたみたいに、うれしそうに笑った。

〇

ぼくらはそこからさらに歩いて、古い町をぬけた。

行く手には、また国道が現れた。川は暗渠（あんきょ）になって国道の下をくぐる。その先はうっそうとした森だった。ぼくらは森の入り口で地図を広げ、ここまでたどった川の流れを描きこんだ。川は国道に面した大学をぐっと囲むようにして曲線を描く。目の前の森は、おそらく国道とぼくらの街の間を南北にのびている森で、ぼくらはまだ探検したことがないはずだった。

「まだ日が暮れるまでは時間がある。行けるだけ行ってみよう」

ぼくらは虫よけスプレーをして、森に入った。

川の両側は下草の生いしげった斜面だった。暗くてじめじめした谷間の底をすりぬけるようにして、川は続いていく。四方八方からセミの声が聞こえてきて、ぼくらを押しつぶしそうだった。

あんまり森が深いようだったら引き返そうと思っていたのだけれど、ぼくらはすぐに森の向こう側へ突き抜けた。そこは広々とした草原だった。草原の向こうにはまた森が見えている。ぼくらから見て左手には草原と住宅地をへだてる長いフェンスが続いていて、向こうにはレゴブロックで作ったような小さな家が行儀よくならぶ。おそらくとなりの住宅地だろう。そしてぼくらから見て右手にはプレハブみたいな高い壁が続いている。万里の長城のようだなあとぼくは考えた。その壁はフェンスみたいに気楽に乗り越えられそうもなかった。

ぼくらは川をたどって草原をまっすぐ歩いていく。

ウチダ君は長い草をちぎってふりまわした。「水源はあの森の中かな?」

「わからない」

「水源はどんなのだろうね?」

「これはあくまでぼくが想像したことだけれども、カンブリア紀の海みたいに大きな池があってね、透明の水がいっぱいたまっている。そしてふしぎな生き物たちがいるんだ。池のそばには池を観測するための小さな研究所がある。あくまでぼくの想像だけれどもね」

「そうだったらおもしろいね」

ぼくらはすぐに草原を突っ切ってしまった。川は森の奥から流れてくる。

その森を歩きながら、ぼくは何度も方位磁石で方角を確認し、地図を見た。そして川がどこから流れてくるのか推測しようとした。川はゆるやかに右に曲がっていく。

「へんだなあ」とぼくはつぶやいた。「この森はジャバウォックの森とつながっている。この川はジャバウォックの森から流れてくるみたいなんだ。ぼくらはどんどんあの草原のほうへ戻っていくみたいだ」

ぼくが歩きながら見上げると、木々の葉の隙間から太陽の光がちらちらともれている。

その光はだんだん赤っぽくなって、夕方が近づいているのがわかった。

ぼくが方位磁石をのぞいていると、ウチダ君が「ペンギン！」と言った。

向こうの川べりに、一羽のペンギンが立っていた。あたりにはほかのペンギンはいなかった。一羽だけでいるペンギンは、まるでバスターミナルにある自動販売機みたいにさみしいようなところがある。そして自動販売機と同じように平然としている。ペンギンはまっすぐ前を見ているだけで、ぼくらが近づいていっても動かなかった。何か考えごとに夢中になっているみたいだった。

「よしよし」

ぼくらは声をかけて、ペンギンの前を通りすぎた。

しばらく歩いてふりかえると、まだペンギンは同じかっこうのまま、川のとなりに立ってボンヤリしていた。

そのとき、ぼくらはペンギンの前を流れている川から、白くてぶよぶよした生き物が這いだしてくるのを見た。その生き物は太った人間の大人ぐらいある。シロナガスクジラを小さくしたようなかたちをしているけれども、背中にはコウモリみたいな小さな翼がある。そして、まるで人間のものを短くしたみたいな手足を使って、よちよちと四つん這いで歩くのだ。ぼくは図書館で生物図鑑を丸一日ぜんぶめくってみたことがあるけれども、そんなぼくでさえ一度も見たことがない生き物である。

ウチダ君がびっくりしてぼくの服をつかむ。

次の瞬間、そのシロナガスクジラもどきがペンギンにおそいかかった。ボンヤリしていたペンギンがキウッと悲鳴をあげる。シロナガスクジラもどきはあんぐりと口をあけて、ペンギンを丸呑み(まるのみ)にしてしまった。そうするとヘリウムをつめたみたいにそいつの体がむっくりふくらむ。かすかに開いた口から風が吹きだし、森の木々と下草をざわざわさせた。そしてその生き物はゲフとへんな音を立てて、ずるずると川へもどっていったのだ。

「ウチダ君、今のを見たかい？」

ぼくは言った。「あのへんな生き物はなんだろう？　ペンギンを呑みこんでしまった」

「あんな生き物、見たことないよ」

ペンギンが消されてしまうのを見たぼくらは、たいへん不安な気持ちになった。その場所にいると、さっきのへんな生き物がまた川から這いだしてくるように思ったので、ぼくらは足早に歩いた。そうして森をぬけながら、ぼくは街に広まっている噂を思いだしていた。高圧鉄塔にとまっていたという大きな鳥。給水塔の上にいた猿みたいなケモノ。集会所の前の路上を歩いていたトカゲのような生き物。

木立の向こうに明るい光が見えた。

「もうすぐ森をぬけるよ」とウチダ君が明るい声で言った。「水源かも！」

ぼくらは木の幹を楽器のようにたたきながら、光のほうへ走った。そして暗い森から飛びだすと急に青い空がぼくらの頭上に広がって、南国みたいな太陽の光が射した。熱い風が吹いて、ぼくらの目の前に広がる草原を海のように波打たせていた。ぼくはいつの間にかセミの声がぱたりとやんでいることに気づいた。風の音以外には何の物音も聞こえない。

「アオヤマ君。ここはぼくらが知ってる場所だよ」

「これはおかしいぞ」とぼくはつぶやいた。

ぼくらがたどってきた川は草原の中を左手にゆるやかに曲がって流れていた。川の向こうの草原には〈海〉が浮かんでいた。たいへん大きくふくらみ、表面にあった太陽の光を草原いっぱいに散乱させていた。〈海〉が反射するゆらゆらした光の網の中を歩いていくとき、ぼくらはまるでカンブリア紀の海の浅瀬にしずんでいるみたいだった。

ぼくは草原に座って地図を広げた。

「スズキ君は小学校の裏から川の下流に向かって探検したと言っていたね。そしてこの草原に着いた。ぼくらの観測ステーションを彼らが襲撃した日のことだよ」

「ここに描いてある青い線だね」とウチダ君は地図を指さす。

「その一方で、ぼくらはスズキ君たちと同じ地点から、川の上流に向かって探検した。そうして市立図書館の裏や大学のほうをまわって、けっきょく同じこの草原にたどりついた。つまりこの川は下流に下っても、上流にさかのぼっても、この草原に到着することになる。こんなことはあり得ないとぼくは考える」

それは本当にたいへんな謎だった。

ぼくとウチダ君はだまって立ち上がり、草原を歩いていった。

観測ステーションのパラソルが近づいてきた。ハマモトさんがイスに座っているのが見えた。彼女はぼくらの姿に気づくと、双眼鏡をのぞいた。そして手を挙げた。「おーい」と呼ぶ声が聞こえた。

ぼくらも手をふりかえした。

「ハマモトさんは証拠がないと言うだろうね。それか、科学的におかしいとか」

「ぼくらは〈海〉が光を曲げる現象を観測した。この草原の上空で雲がへんなかたちになる現象も観測した。そして、スズキ君が〈海〉に接触することで時間旅行を経験したという仮説も立てた。〈海〉のまわりでは時空がぼくらの常識とはちがうふうになっている。だから、ぼくらが探検した川が同じ場所を循環しているという事実も、ここに〈海〉があることが原因ではないだろうか？」

「新しい仮説だね」

「ぼくの仮説によれば、ここは存在してはいけない草原だ。なぜなら、あんなふうに光が曲がることも、時間を飛び越えることも、川が循環することも、ぼくらの世界の法則に反しているから」

「この〈海〉は何なの？　アオヤマ君はもうわかってるの？」

ぼくはふりかえって、草原の向こうにそびえている〈海〉を見上げた。

ぼくは丘にある喫茶店で父の語った言葉を思いだしていた。

世界の果ては折りたたまれて、世界の内側にもぐりこんでいる。

◯

ぼくはノートを入念に見返す必要があるだろう。

プロジェクト・アマゾンは終了し、〈海〉の研究と一つになった。

これまでの発見から、〈海〉の研究はペンギン・ハイウェイ研究と同じであることが明らかになっている。

そしてペンギンたちを研究することは、お姉さんを研究することである。

すべては一つの問題なのだ。

◯

お姉さんから電話がかかってきた。

「やあ少年。元気になったよ」

「お姉さんはきっと元気になっているとわかっていました」

「なんで？」

「ぼくはお姉さんの研究家だからです。世界で一番くわしい」

お姉さんは電話の向こうでくすくす笑った。

「研究は一休みして、そろそろ海に行こうか？　夏休みが終わっちゃうわよ」

「はい」

そうして、ぼくらは海辺の街へ行く約束をした。

約束の日の朝、ぼくはふだんよりも早起きをした。ただでさえぼくはたいへん早起きだから、その日にぼくが起きたときには太陽さえのぼっていなかった。ぼくは窓を開いて朝の空気を吸いこんだ。ガラスみたいな紺色の空を観察して、今日は初めて海に出かけるのにふさわしい天気になるだろうとぼくは考えた。窓辺で朝を待っていると、すぐに太陽がのぼって、空は暗い紺色から透明の水色に変わっていった。

ぼくは海辺の街の朝のことを想像した。お姉さんの生まれた家は海が見晴らせる高台にあって、蔦のからまった古い家なのだそうだ。そこにはお姉さんのお父さんとお母さんが二人で暮らしていて、いつも潮の匂いのする風が吹いていて、となりの坂道をのぼった先には古い教会がある。

待ち合わせ場所のバスターミナルへ出かけていくと、お姉さんが大きな白い帽子をかぶって、バスの時刻表を見ていた。「久しぶりだね」とお姉さんは笑った。彼女が元気であることをぼくはうれしく思うものだ。

「オレンジジュースと菓子パン、ありがとうね」と彼女は言った。

「栄養とりましたか？」

「とった」

「ぼくもお姉さんみたいにごはんを食べない実験をしました」

「あきれた。なんでそんなことするの？」

「苦しい実験でした。もう二度としないでおこうと思います」

「そりゃそうだよ」

彼女はぼくの荷物を指さして笑った。「すごい荷物ね。冒険旅行にでも行くつもり？」

「ぼくはいろいろなことに備える。備えあれば憂いなしなんです」

バスターミナルから市バスに乗って、ぼくらは駅に向かった。

もしぼくらの街に計画通りに新しい鉄道がやってきたら、こんなふうにバスに乗って遠まわりをしなくても、そのままお姉さんの生まれた海辺の街に行けるようになる。早くその日がくればいいとぼくは思う。でも新しい鉄道がぼくらの街にやってくるまでには、まだ何年もかかる。ひょっとするとぼくが大人になるまでかかるかもしれない。ぼくはとてもそれまで待っていることはできない。

お姉さんと二人きりで遠くへ出かけるのは初めてのことだったので、ぼくはいささか緊張した。

「人生で初めての海ね？」

「記念すべき日です」

「君を海に連れて行ってくれる親切な人はだれか述べよ」

「それはお姉さんです。ぼくは感謝します」

お姉さんはバスにゆられながら、海辺の街の話をしてくれた。その街は山の斜面に作られているので、雨が降ると家の前の路地を雨水が滝のように流れたとか、隣町の学校から電車で帰ってくるときには暗い山の斜面に街の灯がたくさん散らばっているのが宝石みたいに見えたとか。

駅につくと、ぼくはお姉さんに教えてもらって、行き先の駅までの切符を買った。路線図の隅のほうまで探さなければ見つからない遠い駅だった。ぼくらはホームのベンチに腰かけて電車を待った。

「明日から父がフランスに行きます」

「おやまあ、遠いところに行くのね」

「父は会社の用事でフランスの大きな研究所に行く。ぼくは外国に行ったことがない。お姉さんはありますか？」

「私もないよ。でもフランスはいいね。お父さんの出張は長いの？」

「三週間です」

「じゃあ、君がしっかり家を守らないといけないな」

「ぼくはしっかりしますよ。戸締まりもきちんとする。明日は父が早く出発するから、ぼくは早起きしなくてはいけない」

やがて電車が来て、ぼくらは乗りこんだ。

窓の外を駅前のビルや住宅地や田んぼの風景が流れていった。空は海みたいに青い。

なぜ海も青く、空も青いのだろうかという疑問が浮かんだ。ぼくはノートをとりだしてメモをした。

そのまま電車に乗って県境のトンネルをぬけていけば、ぼくらは海辺の街へ行けるはずだった。でも次の駅を通りすぎたあたりから、急にお姉さんの元気がなくなってしまったのだ。彼女はぼくの体にもたれるようにして、苦しそうに息をした。ぼくがびっくりして見上げると、お姉さんは目をつむって、額にはぷつぷつと汗が浮かんでいる。彼女の頰はペンギンのお腹のように白い。

「具合が悪いですか？」

「ちょっとだけ、めまいがする」

お姉さんは目をつむって、みけんにシワをよせた。

お姉さんが苦しそうに息をはく音を聞いているうちに、ぼくはいつかこんなふうに電車に乗っていて、途中の駅でおりたことがあることを思いだした。そのまま電車に乗っていくと悪いことが起きるような気がした。

「今日は海へ行くのはやめましょう」

お姉さんは不満そうだった。「どうして？　ちょっと休憩すれば……」

「無理をするのはよくない。今日はやめるべきとぼくは考えます」

県境のトンネルに入る手前の駅で、ぼくはお姉さんの手を引いて電車をおりた。がらんとしたホームの向かい側には、反対方向へ戻る電車が止まっていた。「帰ることないよ」とお姉さんは言ったけれども、ぼくは彼女をそのままひっぱってその電車に乗りこんだ。

そうしてぼくらは今まで見ていた風景が逆に流れるのを眺めながら、帰っていった。ぼくらの街の駅で電車を降り、バスに乗って帰る間、お姉さんはあまりしゃべらなかった。ぼくも寡黙だった。

バスターミナルにもどってきたのは十一時頃だった。

バスが駅に向かってUターンしてしまうと、バスターミナルはがらんとした。お姉さんは待合室のベンチに腰かけて休んだ。ぼくは彼女のとなりに座って魔法瓶の紅茶を飲んだ。ぼくが冷たい紅茶をすすめても、お姉さんは飲まない。こんなに調子の悪いお姉さんを見るのは初めてのことだった。待合室の中はたいへん暑くて、水みたいな汗がどんどん流れた。

やがてお姉さんは立ち上がった。足がふらふらしていたので、彼女はぼくの肩をつかんだ。ぼくは彼女が倒れないように踏ん張った。「今朝までは元気だったのに」と彼女は言った。「海へ行けなくてごめん」

「いいんです」

「紳士だな。だけど、子どもはもっとわがままを言うもんだよ」

「ぼくは子どもではないのです」

「子どものくせにさ」とお姉さんはかすかに笑った。「明日、もう一度行こう」

「ぼくはもう少し先でもいいんです」

お姉さんは自動販売機で買った冷たいコーラの缶を額に当てた。そうして、草原に立っていたペンギンたちのようにぼうぜんとして、青い空を見上げていた。

「夏休みが終わってしまうね」

「どんなに楽しくても、必ず終わるのだなあと思います」

「真理だね」

お姉さんはそんなことを言って、よろよろと歩きだした。

ぼくはあわてて彼女のそばへ行って支えた。

フライパンみたいに熱くなっているアスファルトに、ぼくらの真っ黒な影ができた。ターミナルの真ん中まで来たとき、ぼくの肩につかまって歩いていたお姉さんが、ふいにしゃがみこんでしまった。ぼくもいっしょにしゃがんで彼女の背中をさすった。アスファルトは熱いのに、お姉さんの体は冷たかった。まるで氷みたいだ。それなのに彼女の白くてすべすべした額には汗の粒が浮かんでいた。

彼女はうつむいたまま、苦しそうにうめく。

お姉さんの額から落ちた汗の粒が、アスファルトの上で光った。その汗の粒は、まるでガラス玉のようにアスファルトの表面に盛り上がっていた。見ていると、その汗の粒がゆっくりと動きだす。でもそれはぼくの錯覚で、実際は汗の粒をのせているアスファルトが動いていたのだった。

ぼくはお姉さんの背中に手をおいたまま、あたりを見まわした。

ぼくらを中心にして、バスターミナルのアスファルトがやわらかい粘土のように流れて、渦を作っていた。音はまったくしない。流れの速度によってバウムクーヘンの断面みたいにいくつもの層ができている。そのうち、それらの層が波を打つように上下にうねり始めた。やわらかくなめらかに動くアスファルトはぬれたようにきらきらして、ぼくはキャラメル工場みたいだと思った。

溶けたようになったアスファルトの波の間から、いろいろなかたちのものがのぞいた。それは人間の手や足のようなものであったり、ぱくぱくと動く魚のエラのようなものだったり、複雑に枝分かれしたツノや、大きな翼だった。それらがくっついたりはなれたりしながら、アスファルトの表面に浮かんでは消える。何かが地面の下から出てこようとしているのだけれどそのかたちが決まらない、というような感じがした。

アスファルトが盛り上がり、小さなクジラの背中のようなものが見えた。それらが何頭も現れて、ぼくとお姉さんのまわりをぐるぐるまわる。その背中からはツノが生えたか、翼が生えたり、手足が生えたりしている。

お姉さんが苦しそうに「ジャバウォック」とつぶやいた。

ぼくは何をすることもできずに、その不気味な現象を観察していた。

どれぐらい時間がたったのかわからないけれども、だんだんその現象はおさまっていき、アスファルトはもとのかたちに戻った。さっきまで起こっていた現象の痕跡（こんせき）はほとんど残らなかった。

「どうしたんだろう、私」

お姉さんがつぶやいた。両手で顔をおおうようにした。

「へんなことばっかり。真夜中になると、私の家から生き物が森へ出ていく。ぬれていて、ぺたぺた四つん這い(ば)になって歩くの。気味の悪いやつよ」

「ジャバウォック？」

「わからない。いつも私は眠ってるから。出ていった気配だけわかるの」

「お姉さんはジャバウォックを作っている」

「自分で知らないうちにね。これはどういうことだろう、少年？」

ぼくには何も言えなかった。

○

父がフランスに旅立つ朝は、たいへん濃い霧が街をつつんでいた。

ぼくは父を見送るためにいっしょにバスターミナルまで歩いていった。父はショッピングセンターで買った新品の旅行カバンを持っている。妹がまだ眠っているので、母は家に残っていた。

霧が父とぼくの体を湿らせて、朝の空気は秋のように冷たかった。バス通りに出て歩いていくと、アスファルトの道の果ては霧の中に消えている。ぼくらの街の街路樹も、家も、草の伸びた空き地も、自動販売機も、すべてが霧にしずんでいた。そこに太陽の光がさして、あたりがぼうっと金色に輝いていた。彼方(かなた)が霧につつまれた広い空き地の前に立つと、まるでアフリカの朝のように見えるのだった。

「フランスまでどれぐらいかかるの？」

「十時間以上、飛行機に乗らなくてはいけない」

「ぼくもいつかフランスに行こう」

「おみやげは何がいいかな？」

「ぼくはノートがほしいよ。ハマモトさんがもっているみたいな外国のノート」

「それじゃあノートを買ってこよう」

ぼくらは霧の中を歩いていく。父は大きな旅行カバンをもってずんずん歩く。旅行カバンは、ぼく一人ではもてないぐらい重い。父はたいへん力持ちである。

「研究はうまくいっているか？」

ぼくは考えた。「いろいろな問題が一つであることはわかってきた」

「父さんは三週間帰って来ない。だから聞きたいことは今聞いておきなさい」

「ぼくは何を聞くべきかわからない」

「おや、弱気になってるな」

「ぼくはそれらがつながっていることはわかるんだけれども、どういうふうな仕組みでつながっているのかはわからないんだ。たいへん複雑なものだから仮説が立たない」

「大きな紙に関係のあることをぜんぶメモしなさい。ふしぎに思うことや、発見した小さなことをね。大事なことは、紙は一枚にすること。それから、できるだけ小さな字で書くこと」

「どうして小さな字で書くの？」

「大事なことがぜんぶ一目で見られるようにだよ。そのようにして何度も何度も眺める。ずっとどのメモとどのメモに関係があるのか、いろいろな組み合わせを頭の中で考える。ごはんを食べるときも、歩いているときも。書いたメモが頭の中でいつも自由に飛びまわるようになる。そうしたら、毎日よく眠る」

「そうすればわかる？」

「あるときいろいろなものが突然つながるときがくるよ。一つのメモがもう一つのメモにつながって、そこにまたべつのメモが吸いよせられてくる。そして、エウレカだ」

「それでもわからないときは？」

「そういうときは、わかるまで遊んでいればいいさ。遊ぶほうがいいときもあるんだよ」

「じゃあ、ぼくはやってみよう」

父とぼくはバスターミナルについた。

霧の中のバスターミナルはたいへんさみしい。バス停も待合室も霧の中でぼやけている。バスターミナルの向こうの木立は半分ぐらい濃い霧の海にしずんでしまっていた。

アスファルト道路も霧にしずんで、ぼくは本当にバスがやってくるのか心配になったほどである。

父とぼくがバスを待っていると、霧の向こうから人影がこちらへ歩いてきた。散歩するようなのんきな足どりだった。「お姉さんだ」とぼくはびっくりして言った。

「おはようございます」と彼女は言った。

「散歩ついでにお見送りです。散歩ですか？」と父は言った。

「昨日、アオヤマ君がお父さんがフランスに行くと言っていたから。アオヤマ君、しっかり留守番しないとね」

「ぼくはしっかりするよ」

父はお姉さんの顔を見て、「顔色がよくなりましたね」と言った。「先日カフェでお会いしたときはずいぶん具合が悪そうだったので心配していました」

「昨日もアオヤマ君と海に行く約束したのに、途中で疲れてしまって」

「息子が無理を言うようだったら……」

「ぼくは無理は言わない」

「息子は研究熱心すぎるところが欠点でしてね」

「私は平気ですけど。お父さん、心配になることありません？」

「もちろんいつも心配していますよ。しかし、もうそんなことはあたりまえになってしまって、心配らしい心配とも言えないな。そういえば、息子は今、手強い問題をかかえているそうです」

「知ってます」

「でも、世界には解決しないほうがいい問題もある」

「そうかしら？」

「もし息子が取り組んでいるのがそういう問題であったら、息子はたいへん傷つくことになる。私が心配するのはそれだけですよ」

父はそんなふうに謎めいたことを言った。

エンジンの音がして、お姉さんが振り向いた。

霧にしずんだ道路の向こうから、大きなシャトルバスがゆっくり走ってきた。ぼくらの街の果てにあるバス停に、空港へ行くバスが走ってくることをぼくはふしぎに思った。いつの日かこんなふうにバスに乗って、宇宙へ出発する日がくるとしたらすてきなことだと考えた。

運転手さんがおりてきて、父の旅行カバンをバスの下のトランクに入れた。

「行ってくるよ」と父は言って、ぼくの頭に大きな手をおいた。

「行ってらっしゃい」とぼくは言った。

シャトルバスが走っていったあと、ぼくとお姉さんは霧の中を歩いていった。「街がぜんぶ世界の果てみたいだねえ」と彼女は言った。ぐらぐらする乳歯をぼくがいじっていると、お姉さんは「ぬいてあげようか」と笑った。

「けっこうです。ぼくは自分でぬくんだ」

ぼくらがかつて同じやりとりをしたことはノートにちゃんと書いてある。ペンギンたちが初めて街に現れて、ぼくがペンギン・ハイウェイ研究に着手した五月のことだった。あれから百十三日が経過した。たいへんいろいろなことがあったので、ぼくは百十三日分以上成長したような気がするのだった。

「少年、謎はまだ解けないか？」

「まだもう少しかかります」

「待ってるからね」

ぼくの家の前でぼくらは別れた。

お姉さんはすいすいと霧にしずんだ住宅地を歩いていった。ぼくは乳歯をひっぱりながら、彼女が歩いていくのを見ていた。お姉さんが霧の向こうで何か言ったので、ぼくはあわてて「何ですか？」とさけんだのだけれども、彼女はそのまま歩いていってしまった。お姉さんが何と言ったのかわからない。

ぼくは濃い霧につつまれたまま立ち、乳歯をひっぱった。ふいにぽろりと取れて、口の中に血の味が広がった。

ぼくは手のひらに乳歯をのせて観察したあと、家に戻った。

○

夏休みが終わった新学期早々、ぼくらの学校は大騒ぎになった。

なぜかというと、スズキ君たちがだれも見たことがないふしぎな生き物をつかまえて、学校にもってきたからだ。ほかのクラスの子たちが見せて見せてとやってきたし、ほかの上級生も下級生も入れかわり立ちかわり見物に来た。先生たちでさえ見物に来たぐらいである。

先生たちは慎重にその生き物を点検したけれど、その生き物はどこからどう見ても本物に見えたそうだ。「すごい発見だ」と言う先生もあったし、気味悪がって逃げてしまう先生もあった。

スズキ君帝国皇帝がどれほどいばったことか。

スズキ君たちはその生き物をいれた水槽を教室の一番後ろに置いて、やってくる子たちに見せてやっていた。大勢の子たちが水槽を取り囲むみたいにして輪になった。スズキ君は「生き物が驚くから」と言って、水槽に布をかけてちょっとずつしか見せない。そうして、市営グラウンドでその生き物がのそのそ動いているのをつかまえた場面を得意そうに説明するのである。

ぼくらも見せてもらおうと思ってならんでいたのだけれど、ぼくの順番がくるとスズキ君は水槽を素早く隠してしまって、「おまえはダメ」と言った。「これは俺たちの研究だからな」

ハマモトさんが「みんな見てるじゃない」と言った。「なぜ私たちだけダメなの？」

「おまえら、自分らの研究のこと教えてくれなかったろ？　だからさ」

スズキ君の主張にはある点で理屈が通っているということをぼくは認めた。

あんまり大騒ぎになったので、スズキ君の水槽は先生たちが職員室に運んだ。水槽がぼくらの教室になくなったあとに見物に来た子どもたちはガッカリして帰って行った。

スズキ君は自慢話ができないものだから不満そうだったけれども、先生が「あとでこの発見について研究者の人たちに協力してもらいます」ということを言うと、誇りを取り戻して大いばりだった。

「先生たちがこの生き物はえらい研究者の人に調査してもらったほうがいいって言ってたよ」とウチダ君が教えてくれた。「もし新種だったら学会に発表することになるだろうって」

その生き物を見た子たちから話を聞いて、ぼくはノートに想像図を描いてみた。大きさは猫ぐらい。かたちはクジラみたいで、皮膚はぬれてつやつやしている。へんな手足が生えている。まるで人間の手足を短くしたみたいなものらしい。背中にはコウモリみたいなかたちの翼がある。ずいぶん小さいけれども、それはぼくとウチダ君が森の中で目撃した、ペンギンを呑みこんでしまった生き物とそっくりだった。

ハマモトさんがぼくのノートをのぞきこんだ。「この生き物はあの人が作ったものだと思う？」とささやいた。

「これはジャバウォックだ」

ぼくはつぶやいた。「お姉さんが作った」

スズキ君たちがふしぎな生き物をつかまえたという二ュースは、あっという間にぼくらの街に広がったようだ。ぼくが学校から帰るころには母でさえ知っていた。

「スズキ君たちがめずらしい生き物を発見したそうね」と母はおやつを食べながら言った。

「そうなんだ。今日学校にもってきて、たいへんな騒ぎだったよ」

「どんな生き物なの？」

ぼくはノートに描いた想像図を見せて母に説明した。母は顔をしかめた。「いやだ。なんだか気味の悪い生き物なのね。こないだ集会所の前でうろうろしてたって言うのも、これなのかしら」

「わからない」

「ペンギンもそうだけれど、ペットを捨てる人は本当に困ったものね」

母はそのふしぎな生き物が図鑑にのっていない未知の生き物であるとは思っていないようだった。母は生物図鑑を隅から隅まで読んだりしないからである。

その日、ぼくは胸がざわざわするような感じがして落ち着かなかった。ぼくはたいてい冷静なので、これはめずらしいことだ。そうするとハマモトさんから電話がかかってきて、観測ステーションに出かけることになった。ぼくはウチダ君にも電話をかけた。

ぼくらは給水塔の丘で落ち合って、ジャバウォックの森をぬけた。

森から草原に出たところで、ぼくらはあんまりびっくりして足を止めてしまった。〈海〉は信じられないぐらい膨張していて、草原の半分が〈海〉になっていると言ってもよかった。このままのペースで大きくなり続けたら、数日もしないうちに、ぼくらの観測ステーションは〈海〉に飲みこまれてしまうだろう。

ぼくらは緊急会議を開いた。

「〈海〉の拡大期が続いてる」

ハマモトさんがノートを見ながら言う。「どうしてこんなに急に大きくなったんだろ」

「ペンギンたちがいないからだと思う。最近、草原でペンギンを見ないよね？」

「そういえばそう」

「あのジャバウォックがペンギンを食べちゃうからだよ」

ウチダ君が言った。「あのいやなやつ」

「アオヤマ君たちが見た生き物は、本当にスズキ君たちが見つけた生き物と同じだったの？」

「大きさはちがうけれど、同じジャバウォックだとぼくは考える」

「あの発見、スズキ君たちが騒ぎを大きくしてる。それに〈海〉もこんなに大きくなってる。きっと大人たちが来て、この研究のこともバレてしまうと思う」

「そもそも今まで秘密がばれなかったのは、運がよかったからだ。〈海〉の研究を他の人にゆずることをぼくらは覚悟しなくてはいけない。かなしいことだけれど、その場合はぼくらの実験データを提供する。そうして大きな研究プロジェクトは進むものなんだ」

「聞いてもらえると思う？」

「わからない。ふしぎすぎるからね」

「すべての研究は一つだとアオヤマ君は言ったでしょ？」

「ぼくはそう主張した」

「そうしたら、あの人のことも話さなくてはいけなくなるよ。〈海〉をこわしてしまうのはペンギンたちだし、ペンギンたちを作るのはあの人なんだもの。アオヤマ君はそれでいいの？」

ぼくは何も言えなかった。

ぼくらはどうすればよいのだろう。

そのとき、ハマモトさんはこわい顔をして森のほうをふりかえった。暗い木立の奥をジッとにらんでいる。「スズキ君たちじゃない？」と彼女は鋭い声で言った。

「何も見えないよ」とウチダ君が言う。

ぼくは「気にしすぎだよ」と言ったけれども、確信があったわけではないのだ。スズキ君たちがあの生き物をつかまえたお手柄で得意になって、もっとふしぎな〈海〉のことまで研究しようとする可能性は高いのだから。

ぼくらは研究の行く末を心配しながら、森をあとにした。

翌日になると騒ぎはもっと大きくなった。

スズキ君たちがつかまえた生き物は職員室の奥に厳重に保管されていて、生徒たちはだれも見せてもらえなかった。スズキ君たちだけが特別待遇で職員室に出入りしている。放課後には大学の先生がやってきてスズキ君たちに話を聞いたし、テレビ局の取材が来るという噂もあった。

大学の先生と面会したあと、職員室からもどってきたスズキ君はみんなに囲まれた。

「何を聞かれたの？」と質問されても、スズキ君はニンマリ笑うだけだ。「これは重要機密だからなー」と言っている。「べらべらしゃべると社会問題になるからさ」

帰りしな、ぼくらは廊下でスズキ君をつかまえた。

「スズキ君、君は大学の先生に何をしゃべったんだい？」

「重要機密だから言えないな」

ハマモトさんはスズキ君の腕をツッとつかんだ。

「私たちの研究のこと、しゃべってないよね？」

スズキ君は平気そうな顔をしていたけれども、ハマモトさんが大きな目で彼の目をのぞきこむと、目をそらして口ごもった。「俺たちの発見だけだよ。それだけだよ」

スズキ君はハマモトさんの手をふりほどいて、まるで逃げるみたいに廊下を走っていった。

「いやな予感」

ハマモトさんはつぶやいた。

○

テレビ局や新聞の取材をする人たちが本当にぼくらの街にやってきて、スズキ君たちはそのへんな生き物といっしょに写真を撮られたり、インタビューに答えたりしていた。春に発生したペンギン事件のこともふたたび話題になった。「ふしぎな生き物の出現する街」として、ぼくらの街は急に脚光を浴びるようになった。

昼休みに先生がテレビをつけると、インタビューされているスズキ君たちの映像が映った。ぼくはそのときに初めてスズキ君たちがつかまえた生き物を見た。ぼくらが森で目撃した個体に比べるとずいぶんずんぐりした小さなやつで、かわいいところもある。ジャバウォックの子どもなのかもしれない。ジャバウォックは水槽の中で小さく四つん這(ば)いになったまま、ジッとしているのだった。

放課後、先生が前に立って説明をした。

「今日から市営グラウンドの向こうにある森で、大学の調査隊が調査をするそうです。市営グラウンドが基地になりますから、しばらく使えなくなります。邪魔にならないように気をつけましょう」

ぼくは手を挙げた。「先生、その調査隊は何のために森に入るのですか?」

「生態学と気象学の調査だそうですよ。アオヤマ君は興味がありそうね」

「それはスズキ君たちが見つけた生き物と関係がありますか？」

「先生にはよくわからないけれど、たぶんそうじゃないかしら」

「調査が終わったら、森に入れるようになりますか？」

「あの森はもともと立ち入り禁止のはずです」

先生はこわい声で言った。「調査隊の調査が終わっても、入ってはいけません」

ハマモトさんが青い顔をしてこちらを見た。

ぼくらのイヤな予感は的中したのだ。

学校が終わってから、ハマモトさんとウチダ君とぼくは、急いで学校を出た。家にいったん帰るのはもどかしいので、そのまま給水塔のある丘に向かって歩いていった。

「〈海〉は見つかってしまったと思う？」とハマモトさんが言った。

「確実に見つかっているとぼくは考える。なぜなら、ただの生き物の調査だったら、こんなに急いで調査隊がやってくるわけがないもの。きっと彼らは〈海〉を発見したんだ。そうして『これはへんてこすぎて危険かもしれない』と判断した。だからすぐに行動に出たんだ」

ぼくらは不安な気持ちで給水塔のある丘に向かって歩いていった。森に近づいていくほど、街はざわざわしているように感じる。道端で立ち話をしているおばさんたちもいる。

やがてぼくらは給水塔の丘についたけれども、丘をのぼるコンクリートの階段の下に、黄色いロープがはられていて、「調査中」「立ち入り禁止」と書かれたプレートがさがっていた。そのロープを越えて入っていこうとすると、階段の上から若くて眼鏡をかけた男の人が駆け下りてきて、「ダメダメ」ときびしい声で言った。

「ぼくら、この森に用事があるんです」

「調査中だから部外者は入れないんだよ」

その人が階段の上で見張っているので、ぼくらは森に入ることができなかった。

ほかのルートで森に入ることができないかと考え、ぼくらは給水塔のある丘をまわって住宅地をぬけ、市営グラウンドのほうへ歩いていった。グラウンドの近くはいっそうものものしい雰囲気だ。駐車場には白いテントがいくつもはられていて、むずかしい顔をした人たちがモニタをにらんだり、計測器をいじったり、小さなホワイトボードに図を描きながら何かを相談していたりする。発電機がうなる音が聞こえていた。

駐車場をのぞきこんでいたハマモトさんが、ふいに「お父さん!」と呼んだ。

ハマモトさんがテントのほうへ歩いていくので、ぼくとウチダ君もついていった。ハマモト先生はほかの人たちとモニタをにらんでいたけれども、ハマモトさんが歩いてくるのを見てのっそり立ち上がった。クマみたいな顔をごりごりかいた。右耳にボールペンをはさんで、左手にはしわくちゃになった方眼ノートをもっている。

「こんなところで何をしている?」

「お父さん、これは何の研究なの?」

「非常に奇妙な現象が森の奥で観測されている。私も急遽参加することになった」

「それはどんな現象ですか？」

ぼくがたずねると、先生はむずかしい顔をした。「それはまだ言えない。調査中だからね」

「私たち、森に入りたいの」

「安全かどうか調査が終わるまではダメだ。さあ、他の人の迷惑になるから、早く帰りなさい」

ハマモトさんはなおも先生に食い下がろうとしていたけれども、ぼくとウチダ君は彼女の手をひっぱった。ここでいくら先生に話をしても森の中に入れてもらえるとは思わないし、怪しまれてはやっかいなことになるからだ。ハマモトさんは頬をふくらまして、歩き去ろうとした。

そのとき彼女は、駐車場の奥のテントにスズキ君たちがいるのを見つけた。

「なぜスズキ君たちがいるの？」

ハマモト先生は「スズキ君たちには調査に協力してもらっている」と言った。「彼らから森の奥で起こっている現象について連絡があってね。それで今回の緊急調査が決まったのだ。森の中のことは彼らがよく知っているから、いろいろと話を聞く必要がある」

そのとたん、ハマモトさんはぼくとウチダ君の手をふりほどいた。栗色の髪をサッと払って、まるでロケットみたいな勢いで彼女は駆けだす。ハマモト先生は「待ちなさい！」とつかまえようとしたけれども、冬眠明けのクマみたいにゆっくりした動きなので、彼女はらくらくと先生の手をすりぬけてしまった。

「つかまえてくれ！」

先生の声で、調査隊の人たちがハマモトさんをつかまえようとした。彼女はひらりひらりとその人たちをかわしながら、あっという間にスズキ君たちのところへ走っていった。

スズキ君たちがびっくりして立ち上がっている。

ハマモトさんは手をふりあげて、スズキ君の頰を平手打ちした。大きな風船が破裂したみたいな音がした。スズキ君が自分をかばおうともしなかったのは、あまりにびっくりしたからだと思う。ぼくもスズキ君と同じ立場だったら、きっと同じようにぼうぜんとしただろう。となりにいる調査隊の人やコバヤシ君たちもみんなびっくりしていた。

彼女が「一生ゆるさないから！」と駐車場全体に響くような声でさけぶと、まるで今にも泣きだしそうにスズキ君の顔がゆがんだ。

「なんだよ」とスズキ君はうめいた。「なんだよう」

追いついたハマモト先生に無理矢理ひっぱっていかれる間も、彼女は「ゆるさない！」と繰り返した。

これまでの人生で、あんなに怒っている女の子をぼくは見たことがない。

○

市営グラウンドから追いだされたあと、ぼくの家で緊急会議を開いた。

ハマモトさんは壁にもたれて青いレゴブロックの壁をもくもくと作っている。お父さんに叱られて追い返されたことに腹を立てているのだ。母が用意してくれた甘いお菓子も彼女の機嫌を直してくれない。

すでに〈海〉は調査隊によって発見されている可能性が高いとぼくは考えていた。ハマモト先生が言った「奇妙な現象」とは〈海〉のことだろう。調査隊は最新式の観測器械を用いて〈海〉の研究を開始するだろう。その研究に参加できないことをぼくは残念に思うものだ。

「アオヤマ君はどうするつもり?」とウチダ君が言った。

「ぼくらは〈海〉について研究を続けてきた。ぼくらの重要な発見は調査隊に渡すべきだとぼくは思う。でもぼくらの研究の中心にはお姉さんがいる。お姉さんのことを研究者の人たちに言うことはできない。ぼくはジレンマという状態にあるんだ」

「ジレンマかあ」

ぼくはハマモトさんの顔を見た。彼女は青い壁作りに夢中になっている。

「ぼくらは研究を停止すべきだと思う。そして研究のことはすべて忘れる。研究の成果を記録したノートもだれにも見せない。〈海〉とペンギンの関係も、ペンギンとお姉さんとの関係も、ぼくらは明らかにしてきたことをすべて忘れる」

「アオヤマ君はそれでいいの？」とハマモトさんが言った。

「ぼくはたくさんの研究をかかえている。だからほかの研究をする」

「私は〈海〉の観測を続けるべきだと思う」

「でも森は封鎖されているよ」

「探検地図を見せて」

ぼくは地図を取りだして床に広げた。ハマモトさんは地図の上に身をのりだし、真剣な目をして見入っている。彼女はプロジェクト・アマゾンでぼくとウチダ君が最後にたどったルートを指でなぞった。

「ジャバウォックの森へ行くルートはいくつもある。給水塔の丘を越えて行けないなら、反対側から森をぬけていけばいいと思う。アオヤマ君たちが歩いたこのルートは国道沿いから森に入るから、調査隊の人たちも封鎖していないと思う」

ぼくはうなずいた。「なるほど。調査隊の人たちも森ぜんぶを封鎖はできないからね」

ハマモトさんは大きく息を吸って立ち上がった。

「行きましょ！」

「今から？」

「私は怒っているの。この研究は私たちの研究なんだから」

ぼくらはあわてて用意をした。少し時間が遅くなっているので、万が一森の中で日が暮れてしまったときのために、ぼくは階段下の物入れから大きな懐中電灯を出してリュックに入れた。

そしてぼくらは家を出た。

プロジェクト・アマゾンのとき、ぼくらは川の流れに沿って歩いたため、大学の敷地や古い町を通りぬけなければならなかった。これは地図上ではずいぶん遠まわりになっている。バスターミナルの端から草に埋もれた遊歩道を歩いていけば、国道まではすぐにぬけることができるし、そこから国道沿いに歩いていけば、ぼくとウチダ君が森に入った地点までは遠くない。

ぼくらは国道に出て、トラックがびゅんびゅん通って砂埃（すなぼこり）の立つアスファルト道路を歩いた。となりにはうっそうとした森が続いているので薄暗い。歩道が狭いものだから、トラックの起こす風がぼくらを吹き倒しそうになる。トラックが通るたびにハマモトさんは耳をふさいでいた。車が通らないときは森の中からツクツクボウシの声が聞こえてきた。川が暗渠（あんきょ）になって国道をくぐっている地点まで来たら、ぼくらは川に沿って森に入った。

森の中はもう夕暮れみたいに暗くて、じめじめしていた。草の生いしげった谷間を流れる川の音がたいへん大きく聞こえる。森をぬけて草原に出ると、トンボがたくさん飛びまわっていた。東の空はだんだん紺色に変わってきていて、西の空はオレンジ色になっている。草原の左手に見えているとなりの住宅地の家の窓からは明かりがもれている。

草原の向こうにあるジャバウォックの森は、真っ黒の巨大な生き物がうずくまっているみたいに見えるのだ。

ぼくらは懐中電灯をつけて、暗くなってくる森をぬけた。

そしてハマモトさんの計画通り、ぼくらは調査隊の包囲網を突破して、草原にたどりついた。森から草原に出たとき、ぼくらは三人ともびっくりして立ち止まった。

草原いっぱいに〈海〉が広がっていた。その大きさがどれぐらいなのか、測定するのもむずかしい。〈海〉の下半球は草原にめりこんだかたちになっていて、いわば巨大な水のおっぱいが草原においてあるみたいである。周囲をめぐりながら見上げると、ドーム状の〈海〉のてっぺんは夕陽を浴びて、そこだけが真っ赤になっている。

ハマモトさんが〈海〉を見上げながら、「拡大期が続いてる。これまでで最大」と確認するように言う。

「このまま拡大を続けたら、ぼくらの街まで〈海〉が来る」

そのときウチダ君がぼくの腕をつかんだ。

「アオヤマ君、何かいる」

ふりかえると、草原の向こう、ぼくらが観測ステーションを設置したあたりを中心にして、真っ黒な影があちこちに見えた。なめらかな体をくねらせるようにして四つん這いになっていることがわかる。その影たちは何かのオブジェみたいに固まって動かなかった。ぼくは小さな声で「ハマモトさん！」とささやいた。ぼくらは姿勢を低くして草に隠れた。「調査隊？ ペンギン？」とハマモトさんがつぶやいた。

「どちらでもない。あれはジャバウォックだ」

「スズキ君たちがつかまえたやつ？ 大きいわ」

「たくさんいるね」

ぼくらはそこでしばらく息を殺していたけれども、ジャバウォックたちはまったく動かないのだ。ぼくらがそろそろと移動しようと思ったとき、草原と森の境目で何かが動くのが見えた。よちよちよちよちと歩いてくるのはペンギンだった。まわりには仲間の姿も見えなかった。ペンギンはフリッパーをぱたぱたさせながらあわてたように草原を横切ってきて、ぼくらの目の前で立ち止まった。疲れてしまったみたいだ。

すると、さっきペンギンが出てきた森の木立の隙間から、ぬるりと何頭ものジャバウォックがすべりだしてきた。ジャバウォックの歩き方はへんてこである。シロナガスクジラみたいな胴体に不自然なふうに人間のような手足がくっついているので、無理してぎくしゃく歩いているように見える。ハマモトさんが「気持ち悪い」と言った。

「ペンギンがあぶないぞ」

ジャバウォックの群れは草原の上をすべってペンギンに迫っていった。ペンギンは疲れているので、自分の背後から怪物たちが近づいていることに気づかないようだった。

ふいにウチダ君が走りだした。

あまりに突然のことだったので、ぼくもハマモトさんも草むらから動けない。

ウチダ君は草原を走っていき、ペンギンを抱きかかえた。そのとたん、森から出てきたジャバウォックたちが速度を上げて、ウチダ君目指して草原を走りだした。ウチダ君はペンギンをかかえたまま、ジャバウォックたちと逆の方向へ走りだした。

ぼくとハマモトさんも走りだし、ウチダ君を追いかけた。

観測ステーションのまわりを占拠していたジャバウォックたちがこちらに気づくのが見えた。今までまったく動かなかった真っ黒な影たちがこちらを振り向き、同じように四つん這いになって走ってくる。ぼくとハマモトさんが追いつく前に、ウチダ君は横から走ってきたジャバウォックに体当たりされた。投げだされたペンギンがころころと草原をころがる。ぼくはあわててペンギンを助けようとしたけれども、ジャバウォックに先を越された。

ペンギンはあっという間にジャバウォックにぱくりと飲みこまれてしまったのだ。ジャバウォックの胴体がヘリウムを入れたみたいにぽっこりとふくらんだ。その口からもれ出した風が草原の草をゆらした。

ウチダ君が「ああ!」とさけんだ。「食べたな!」

ウチダ君はジャバウォックに体当たりしていく。そこへさらにジャバウォックがくる。ウチダ君にのしかかっているジャバウォックにぼくは突撃した。

そのとき、ハマモトさんが懐中電灯をつけて、ジャバウォックたちを照らした。そのとたん、赤ちゃんの泣き声のようなつぶやきがあちこちから聞こえた。ジャバウォックたちはハマモトさんの懐中電灯の明かりを避けるようにして草原をあちこち逃げ惑うのだ。

「光がきらいなんだわ！　こっち！」

ハマモトさんが観測ステーションのほうを指さしてさけんだ。ぼくはウチダ君の腕をつかみ、ハマモトさんの立っているほうへ走った。

観測ステーションで、ハマモトさんはノートを開き、〈海〉の大きさを素早く測定した。

すぐ目と鼻の先まで〈海〉が迫っていて、あと少し〈海〉が拡大すれば、ぼくらの観測ステーションは飲みこまれてしまうだろう。〈海〉はまるで鉄でできているように、冷たく銀色に光っていた。そして、ぼくらと〈海〉の間には、十数頭のジャバウォックが四つん這いになって立っている。彼らはもうぼくらのことを忘れてしまったようだ。まるで遠くを見るように顔を上げて、影絵のように動かなかった。その姿を見ているうちに、ぼくは草原に立って空を見上げていたペンギンたちを思い浮かべた。ペンギンも、ジャバウォックも、まるでべつの惑星からやってきた宇宙生命体が、地球上で途方にくれているように見えたのだ。

「ジャバウォックたちは何なのだろう？」

ぼくはつぶやいた。

そのとき、どこかで大人たちがさけぶ声が聞こえた。ぼくらの背後にある森から強烈な照明がさしこみ、〈海〉の表面をサーチライトみたいに照らした。ジャバウォックたちがあわてて逃げだした。森のほうをふりかえったぼくらをライトの真っ白な光がつつんだ。何も見えなかった。

「子どもたちがいたぞ！」という調査隊の声が聞こえた。

こうして、ぼくらの〈海〉研究は終わった。

市営グラウンドの基地まで連れて行かれたとき、そこにいるすべての大人たちがこわい顔をしていた。テントの白熱灯に照らされたハマモト先生は、いっそうこわかった。ハマモト先生は、ぼくらの小学校の先生のように長いお説教はしなかった。ただぼくらに「どうやって森に入った？」と聞いた。ぼくらが森の反対側から入ったことを正直に話すと、先生はうなずいた。「二度と入ってはいけない。わかったね？」

「でも……」とハマモトさんが言いかけたとたん、先生は雷鳴みたいに大きな声でさけんだ。

「二度と入ってはいけない！」

ぼくらは三人ともイスから跳び上がったほどだ。

さすがのハマモトさんも何も言えなかった。

ぼくはそれでもハマモト先生に〈海〉の危険性についてだけは伝えておこうと考えた。〈海〉の内部に入った探査船が消失してしまったことを説明しようとしたけれども、先生はその時間を与えてくれなかった。

「アオヤマ君、それは君の心配することではない」と先生は言った。

ぼくらはそのままテントの下で待たされた。ハマモトさんはうつむいたまま、一言もしゃべらなかった。ウチダ君は泣いていた。調査隊の人が来て、ウチダ君にハンカチをくれた。

やがてそれぞれの親が来て、ぼくらは家に連れ戻されてしまった。

○

翌日の朝、ぼくは学校に行こうとしたのだけれど、体がぐったりして動かなかった。まるで自分のものでないみたいに重いのだ。ぼくが起きてこないのを心配した母がやってきて、ぼくの額に手を当てた。

「熱がある」と母は言った。「昨日あぶないことをしたバツね。今日はお休みしなさい」

「ぼくは忙しいんだがなあ」

「何言ってるの」

母はリンゴの入ったヨーグルトとコーンスープをくれた。

その日、ぼくはベッドの上ですごした。妹が学校に出かけてしまったあと、母が洗濯機をまわしたり、掃除機をかけたりする音が聞こえてきた。ブラインドからは明るい光がもれている。ぼくはたいへん多忙であるから、こんなふうに明るくなっているのにベッドで寝ていることはめったにない。ふしぎな感じがした。

　ぼくは父が旅立つ前にアドバイスしてくれたことを思いだし、一枚の紙を枕元において、これまでのノートにある研究の成果を要約してメモを書いた。

□お姉さんはペンギンを作る。
□ペンギンたちはペンギン・エネルギーで生きている。
□ペンギンたちは電車に乗せると蒸発する。
□お姉さんは元気になるとペンギンを作りたくなる。
□お姉さんはペンギンを作りすぎると元気がなくなる。
□お姉さんはジャバウォックを作ると元気になる。
□ペンギンたちは〈海〉をこわしてしまう。
□ジャバウォックはペンギンを消してしまう。
□〈海〉とお姉さんの体調は連動している。
□〈海〉は時空をゆがめている。

　ぼくはベッドに腹ばいになってそのリストをずっとにらんでいた。ぼくはそのリストを繰り返し読んで、頭の中をそれらのメモがぐるぐる飛びまわるまで考えた。これらのメモにはどういう関係があるのだろう。どうすればうまくすべてが結びつくだろう。なかなかエウレカはこなかった。

　お昼前に母がやってきて、「こら！」と言った。「おとなしく寝ていないと治らないでしょう」

そして母はぼくのノートと紙を持っていってしまった。

ぼくは鋼鉄みたいにがんじょうな小学生である。ぼくが最後に熱を出したのは、その前の年の十二月のことである。ぼくはそのときの苦しさをノートにも書いておいたけれども、あらためて苦しさにびっくりした。つい昨日まで元気に動きまわっていた自分が、もう今はぐったりして動くのもいやになってしまっている。自分の体の中で何が起こっているのかわからないのは不安なことだ。

昼食には母がうどんを作ってくれて、ぼくの部屋でいっしょに食べた。母といっしょに玉子の入ったうどんを食べていると、ぼくは小学四年生であるにもかかわらず、まだノートの書き方も本の読み方も知らなかった赤ん坊の頃に戻ってしまったような気がした。

母が買い物に出かけたあと、ぼくは机からポケットに入る携帯用の小さなノートとボールペンを出した。母に見つからないように枕の下にかくした。それでようやくぼくは落ち着くことができた。ノートがそばにないとぼくは落ち着かないということを母は知らない。

○

ぼくはブラインドから入ってくる光で明るくなった天井を見つめながら、ハマモトさんやウチダ君やスズキ君はどうしているだろうと考えた。調査隊は〈海〉について調査を進めているだろうか。家の外ではきっといろいろなことが起こっているにちがいないのに、ぼくだけはそこから遠くはなれてベッドに寝ている。家の中はまるで入道雲の上のように静かだ。そしてぼくはお姉さんのことが心配だった。お姉さんは油断しているところがあるから、調査隊につかまらないように、ぼくが助けてあげなくてはいけないと思った。

そのうち、ぼくはうつらうつらした。

最初のうち、ものすごく長い登り棒をずっとすべりおりていく短い夢を何度も見た。ぼくはその棒が宇宙エレベーターであるとなぜだか思いこんでいるのだ。

そして気がつくとぼくは宇宙飛行士なのだった。

ぼくが乗ってきた宇宙船は丘の上にある給水タンクそっくりで、ぐるぐると回転して船内に重力を生みだしている。乗組員はぼくだけである。ぼくは一人で遠くからやってきて、ふしぎな星に到着する。

大きなおっぱいのように盛り上がった緑の丘のとなりに給水タンク型宇宙船を着陸させて、ぼくは未知の惑星の探検に出かけた。空は地球の夏のように青いし、入道雲が見えている。そしておっぱいのような丘の裾からは、方眼ノートのようにコンクリートのブロックで区切られた空き地が地平線まで続いているのだ。

高圧鉄塔が一列になって続いていたので、ぼくは電線を伝って歩いていった。

空き地にはところどころに自動販売機がおいてあって、そのまわりにペンギンがいた。

この惑星に生息している生き物はペンギンだけのようだった。彼らにとってぼくは空から急にやってきた宇宙人である。ぼくが「やあ」と声をかけてもペンギンたちはちっともおどろかなかった。空き地の真ん中で青い空を見上げたり、お腹を下にして寝ころんでいた。

ぼくは遠くまで歩いた。整地された空き地がだんだんまばらになって、草原が増えてきた。やがてぼくはがらんとした海辺に出た。高圧鉄塔の行列はそこで終わっていた。空は青いのに、海はたいへん冷たい色をしている。水平線の彼方にはショッピングセンターの明かりがつらなっている。

だれもいない砂浜を歩いていくと、大きなシロナガスクジラが打ち上げられていた。生きているのか、死んでいるのか、わからない。ぼくが見上げていると、「ごきげんよう」とシロナガスクジラが言った。苦しそうではなかった。むしろのんきな声だった。どこかで聞いた声であるような気がした。

ぼくはそのシロナガスクジラがジャバウォックであることがわかっていた。

ぼくは砂浜に腰をおろして海を眺めていた。

そうすると、「おかえりなさい」とやわらかい声がして、お姉さんがぼくのとなりに座った。

「なぜお姉さんがここにいるんですか？」

「昔からいるよ。だってここは地球だもの」

「ぼくはずいぶん遠くまでいった気がしたんだけどなあ」

「本当の本当に遠くまでいくと、もといた場所に帰るものなのよ」

お姉さんは目の前の海を指さした。

「カンブリア紀の海だよ、少年」

「ずうっと昔までいくと、もといた場所に帰るものなの」

「ずうっと昔だと思っていました」

砂浜をペンギンたちがよちよちと歩いてきた。彼らは立ち止まり、水平線の彼方を見て動かなくなった。

シロナガスクジラが何かぶつぶつ言っている。

「ジャバウォック、何を言ってるの？」

「神様も失敗することがありましょう」

シロナガスクジラが言った。「そうでありましょう」

「そんなことはゆるさないわよ」

「ペンギンたちはだれもがそう述べるのであります」

「私はペンギンじゃないですからね」

「海が来る！　海が来る！」

シロナガスクジラは謎めいたことを言った。

いつの間にか海の向こうが暗くなっていた。ショッピングセンターの明かりは見えなくなって、黒い雲がもくもくとわいている。そして水平線の上を紫色の稲妻がまるで花火のようにちりちりと走った。ぼくは雷がこわいはずだけれども、そのときはなぜだか平気だった。

ぼくはふと、ここが地球であるとしたら、何もかもが消えてしまったのだと思った。ぼくの父も母も妹も、ハマモトさんやウチダ君も、スズキ君たちも、「海辺のカフェ」も、歯科医院も、小学校も。ぼくが遠くへ旅をしている間に、みんな消えてしまったのだ。取り返しのつかないことをした気持ちになった。ぼくは決して泣かない小学生であるにもかかわらず涙が出てきた。

「なぜ泣いているの、少年」

「わかりません」

「……ごめんね」

「お姉さんは悪くありません」

「ごめんね」

お姉さんが謝るたびに、ぼくはいっそうさみしい気持ちになるのだった。

「かわいそうに。苦しいのねえ」

どこかで声が聞こえて、冷たい手がぼくの額に当てられた。たいへん気持ちがよい。目を開けると、お姉さんがベッドのとなりにおいたイスに腰かけて、ぼくの顔をのぞきこんでいた。彼女は頰もおっぱいもふっくらしていて、元気そうだった。部屋の中は薄暗く、ぼくには今が何時であるのかわからない。頭がぼんやりしていた。ぼくの目尻(めじり)には涙が浮かんでいて、お姉さんの顔がぼんやりして見えた。

「私は元気なのに君が倒れてる。めずらしいね」

「ぼくは発熱しているところです」

「そんなことは知ってます」

「ぼくは夢を見ていた。お姉さんが出てきた」

お姉さんは微笑んで、ぼくの頭を軽くたたいた。

「ぼくはお姉さんに連絡しようと思っていたんです。大学の調査隊が森に入りました」

「知ってる」

「だからペンギンを作ったりしてはいけません。見つかったらたいへんだから」

「そうだね。君が元気になるまでがまんする。君はいつごろ元気になるかな？」

「ぼくは強いですから、すぐに元気になる」

「栄養をとるんだね。人間にはエネルギーが必要なのよ」

「お姉さんも栄養をとってください」

お姉さんは少し考えこんでから、「少年」とささやいた。「君はごはんを食べない実験をしたでしょう？　あれを私もしてみたんだ」

「お姉さんはそんな実験をしてはいけません。おっぱいが小さくなるから」

お姉さんはくすくす笑った。「私だってたまには実験するのよ」

「苦しかったですか？」

「苦しくなかったよ。今日まで何も食べてないのさ」

そのとき、ぼくの頭は熱のせいでうまく働かなかった。

「ペンギン・エネルギーよ」とお姉さんは言った。

「それはペンギンのためのエネルギーです。人間のためのエネルギーではない」

お姉さんはぼくの目を見つめた。

「私は人間ではないのよ」

「お姉さんは人間ではない？」

「私はペンギンたちを作ったけれど、私を作ったのはだれかしら？」

「ぼくは頭がよく働かない。発熱しているからです」

「ごめんね」

お姉さんはベッドにかがみこんで、冷たい額をぼくの額に押し当てた。お姉さんはなぜそんなに謝るのだろう。夢の中で流した涙が目尻からこぼれだして、ぼくの顔を伝った。

「泣くな、少年」と彼女は言った。

「泣いていません」とぼくは言った。

○

朝、ぼくはベッドの中で目を覚まし、ブラインドの隙間からのぞいている空を見ていた。小さな雲が散らばっていた。窓を開けると秋みたいに涼しい風が部屋に吹きこんできた。熱はすっかり下がっていて、ぼくの頭は雨降りのあとの青空みたいにさっぱりしていた。

ぼくは一階のリビングルームで朝食を食べた。食欲はたいへんある。ぼくは元気になったのだ。

ぼくが眠っている間に、フランスの父から国際電話があったそうだ。ぼくが熱を出して寝こんでいることを聞くと父は心配していたから次に電話がかかってきたときには話してあげなさい、と母は言った。

「ぼくが寝ているとき、だれかがお見舞いに来た？」

「歯科医院のお姉さんが来てくださったわね。憶(おぼ)えてる？」

「ぼくは憶えているよ。でも夢だったかと思った」

空気のひんやりした朝の住宅地を学校に向かって歩いているとき、ぼくはなぜか急にかなしい気持ちになってきた。なぜそんな気持ちになるのか、最初のうちはわからなかった。かなしくなる理由を考えているうちに、まるで夢のようだったお姉さんとの会話のかけらが頭に浮かんできた。

ぼくはポケットから携帯用のノートを取りだした。ぼくはノートをとるようにじゅうぶん訓練してきたから、たとえ頭がボンヤリしているときでもノートを書いている可能性があるからだ。読みにくい字ではあったけれども、小さな方眼ノートにメモが残っているのをぼくは読んだ。別惑星を探検する夢のこと、そしてお姉さんが言ったこと。ぼくは歩きながら、それらのメモを入念に読んだ。

歯科医院を通りすぎて、ペンギンたちが初めて出現した空き地の前にさしかかったところだった。冷たい風が吹いて、ペンギンたちのいない空き地の草をざわざわさせた。そのとき、まったく突然に、ぼくが今読み返したメモと、これまでに書いてきたメモの断片が、すべて頭に飛びこんできて、まるでレゴブロックできれいな青い壁を作るように、カチカチと組み合わさった。ぼくはとくに何をしようともしなかった。ただそれらが一瞬にして組み合わさっていくのを見守っていただけなのだ。

気がつくと、もうその青い壁は完成していた。

ぼくは思わず空き地の前に立ち止まっていた。頭の奥がしびれたようなふしぎな感じがして、ほかのことは何も考えられなくなった。先を歩いていた妹がふりかえった。「お兄ちゃんってば！」と彼女が呼んだけれども、ぼくは返事をしなかった。彼女はそのままほかの子たちといっしょに歩いていってしまった。

ぼくは一人で空き地のとなりに立っていた。

そして「エウレカ」とつぶやいた。

○

朝のエウレカがぼくの頭をいっぱいにしていて、その日はほとんど上の空だった。ノートを広げて仮説を立てるのに忙しかった。ハマモトさんは〈海〉の研究について話したいようだったけれども、ぼくがあいまいな返事ばかりしているので、へんな顔をして席に戻ってしまった。

「アオヤマ君、なんだかへんだね」とウチダ君が言った。

「そうかな？」

「ちっとも話さないし。ボーッとしている。まだ熱があるのかもしれないね」

「そうかもしれない」

ぼくは授業中も窓の外を見て、空に浮かぶ雲を観察しながら、お姉さんのことばかり考えていた。

その日、スズキ君はたいへん静かにしていた。これまで彼は新種の生き物を発見したことを休み時間のたびに自慢していたけれど、今日はそのことは一言も口にしないのだ。彼はちらちらとハマモトさんを見ているみたいだったけれど、ハマモトさんはスズキ君のほうを見ようとしなかった。

放課後に彼がぼくの机までやってきた。

「ハマモトに一生ゆるさないって言われたんだけど……」と彼は言った。「俺、べつにあんなにたくさんしゃべるつもりはなかったんだぜ」

「でも君はしゃべってしまったんだろう？」

「だって、いろいろ聞かれるしさ。まるで俺らがウソついてるみたいに言う人もいたからくやしいし。いろんなこととしゃべってるうちに、ぜんぶしゃべっちゃってたんだよ。おまえらの研究のことまでしゃべるつもりは……」

「研究って何のこと？」

「おまえらの研究だよ。あの森の中のへんてこなやつの」

「ぼくらは何も知らない。ぼくらはそんな研究はしていない」

「ウソつくなよ」とスズキ君は困った顔をした。「なんでそんなこと言うんだよ」

「スズキ君。ぼくらはもう何もかも忘れることにした。ぼくらの研究は終わったんだ。あとは調査隊がきちんと研究してくれるからね」

「おまえ、怒ってるのか？」

「ぼくは決して怒らないんだよ。でもハマモトさんは必ずしもそうではない」

「スズキ君には気の毒だけれど、スズキ君のせいだね」

「俺のせいかな？」

「頼むよ、ハマモトに言ってくれよ。俺はそんなつもりじゃなかったってさ」

スズキ君がそんなことを言ってぼくの机にかじりついていたとき、天井のそばにあるスピーカーがプツプツと鳴って、校内放送が流れた。校長先生の声だった。

「みなさん、ご近所で事故があったため、先生たちの指示があるまで校外へ出ないでください。学校の中は安全です。繰り返します。先生たちの指示があるまで、校外へ出ないでください。学校の中は安全です」

そうして放送は終わった。

スズキ君がけげんな顔をして、「事故ってなんだ？」とつぶやいた。校内放送の間はしんとしていた教室の中が、しだいにざわざわしてきた。

「みんな席につきなさい」と先生が言った。「静かに」

となりのクラスの先生がやってきて、ぼくのクラスの先生と教室の入り口で話をしている。先生たちは心配そうな顔をしている。ぼくは先生たちの唇の動きをじっと観察してみたけれど、何を言っているのかわからない。そして先生たちから目をはなして、教室の中を見渡すと、ハマモトさんと目が合った。彼女はぼくのほうを見て、青い顔をしている。ぼくが首をかしげてみせると、彼女は立ち上がり、先生たちのところに歩いていった。教室のざわめきが小さくなって、みんなが息をのんでいる。

ハマモトさんと先生たちが話をしている。先生たちは困った顔をしていた。

スズキ君がハマモトさんの様子を見ている。ウチダ君がぼくのほうを見て、「ナニ？」と唇を動かした。ぼくは「ワカラナイ」と答えた。

席に戻ったハマモトさんの顔色はますます悪くなっていた。両手で顔をはさむようにしてうつむいている。ぼくは立ち上がってハマモトさんのところへ行った。「どうしたの？」と小声でたずねた。

「わからない。でも調査隊で事故があった。五人が行方不明だって」

「行方不明？」

「私のお父さんも行方不明」

「なぜわかるの？　先生たちが言ったのかい？」

「先生たちは言わない。でも顔を見ればわかる」

「〈海〉だろうか？」

「ほかに何があるの？」

　ハマモトさんは顔を上げた。大きくてうるんだ目がぼくを見ていた。「ね、本当は〈海〉の研究をあきらめてないんでしょ？　どうすればいい？　アオヤマ君はどこまでわかっているの？」

　ぼくは少し考えた。

「ぼくにわかるのは、自分たちが何を実行すればいいか、ということだけだよ」

「それを実行してくれる？」

　先生が「アオヤマ君、席にもどりなさい」と言った。

　ぼくは先生の方をふりかえって手を挙げた。

「先生。ハマモトさんが気分が悪いようなので、保健室に連れて行っていいですか？」

○

　保健室の先生に声が聞こえないようにぼくらは小声で相談をした。

「とにかく学校の外に出なくてはいけない」

「外に出てどうするの？」

「この問題を解決するにはお姉さんの力を借りるしかない。君のお父さんを助けられるかどうかは、ぼくにはわからない。でもそれ以外には方法がない」

そのとき保健室のドアが開く音がした。生徒が先生としゃべっている声が聞こえた。ぼくとハマモトさんはカーテンの向こう側の声に耳を澄ました。やがてカーテンの隙間からウチダ君が顔を出した。「どこかに行くなら、ぼくもいっしょに行くよ」と彼は言った。

ぼくらは保健室の先生がトイレに行っている間に、保健室をぬけだした。がらんとした廊下を少し走れば、すぐに下駄箱がある。ぼくらはクツを履き、クツ箱に隠れながら校門の方をうかがった。

ガラス戸の外には先生たちがうろうろしているのが見えた。また、校門からは避難してきた街の人たちが入ってくるのが見えた。みんな体育館の方へ行くようだ。みんな不安そうな顔をしていた。あの人たちの中に、ぼくの母もいるかもしれなかった。ぼくらは先生たちのスキをついて校門から出ようと思っていたのだけれど、こんなに人がいるようでは、校門から外に出ることはできない。

そこにスズキ君とコバヤシ君とナガサキ君が走ってきた。

「おまえら、何してんの？」とスズキ君が言った。

「関係ない」とハマモトさんが言った。「あなたたち、どうやってぬけだしてきたの？」

「学校から出るんだったら手伝うぜ」とスズキ君が言ったので、ぼくらはおどろいて彼の顔を見た。「事故って、あの森のことに関係あるんだろ？」と彼は言った。

「スズキ君にも推理力というものがあるんだね」

「バカにするなよ」

「でも校門に人がたくさんいるから出られないの」

「ウサギ小屋のほうに回って、塀を越えればいいよ。でもこれで、ゆるしてくれる？」

「それはわからないわ」

ハマモトさんは言った。

ぼくらはスズキ君に連れられて、中庭を抜けた。校長先生があわてたのか、ピンポンパンと校内放送を知らせる音だけが二回だけ鳴って、あとは校内はひっそりとしている。

スズキ君によると、彼らはウサギ小屋の裏にある塀から外へ何度も出ているそうだ。そこは土が盛られたようになっていて、上手に跳べば塀のてっぺんに手が届くからだ。ふつうに校門から出られるときに塀を越える必要はないのだけれど、そういう知識も思いがけず役に立つものなのだなあとぼくは感心した。

ぼくらはウサギ小屋の裏にまわった。

スズキ君が最初にのぼってお手本を見せてくれた。彼は塀の上にまたがって「急げ」とささやいた。

ウチダ君は軽く助走をつけて塀に飛びついてのぼった。

ハマモトさんは上手にのぼれなかった。「コバヤシ、土台になれ」とスズキ君が言うと、コバヤシ君はしぶしぶ地面に四つん這いになった。それでも塀にやっと手がかけられるだけで、ハマモトさんは「ごめんね」と言ってコバヤシ君の上に乗った。ハマモトさんは「ごめんね」と言ってコバヤシ君の上に乗った。ぼくは彼女のおしりを押した。

「おしり！　おしりさわってる！」とハマモトさんがさけんだ。

「やむを得ないよ」

「静かにしろよ、見つかる！」

スズキ君の言った通りだった。ハマモトさんがようやくのぼり切ったあたりで、先生たちの声が聞こえた。スズキ君とウチダ君とハマモトさんは素早く塀の向こうに飛び降りる。ぼくはあわてて塀に飛びついた。ぼくがつかまらずにすんだのは、コバヤシ君とナガサキ君が先生たちにむしゃぶりついて止めてくれたからである。

塀の向こうで先生たちが「こら！」と怒っている声が聞こえた。「戻りなさい！」

ぼくらは住宅地の狭い道を急いで走っていった。

「けっきょくどうするわけ？」とあえぎながらスズキ君が言った。彼は少し太っているので、あまり走るのは得意でない。

「歯科医院のお姉さんに会うんだ」とぼくは言った。

「お姉さんも避難してんじゃないか？」

「お姉さんはそういうことはしない」

もしお姉さんが自分自身の正体に気づいているのだとしたら、きっと落ち着いて座っているだろうとぼくは考えていた。

幸いなことに、ぼくらは避難してくる人には行き合わずに進むことができた。おじいちゃんが一人だけ歩いていたけれども、とくに問題はなかった。ぼくがおじいちゃんに「避難勧告が出ているようですから、小学校に行ってください」と言うと、おじいちゃんは「そうかいな」と頭を下げた。「ありがとうな」

細い路地を用心深く抜けて表通りに顔を出すと、二車線の道路には車が一台も走っていなくてひっそりとしていた。まるでぼくらが小学校にいる間に世界が終わってしまったようなのだ。

そして、見たこともないほどたくさんの消防自動車が通りに沿って一列にならび、ぼくらの街を分断していた。こんなにたくさんの消防自動車がどこから来たのだろうか。ひっそりした住宅地の道路に大きい消防自動車や小さい消防自動車がまるで模型みたいに行儀よくならび、真っ赤に光っている。紺色の制服を着たおじさんたちが消防自動車のとなりに立っていた。消防自動車からはなれたところに救急車も二台とまっていて、パトカーも見えた。あまりにも静かなので、何か危険があるふうには見えない。でも給水塔のある丘の森には銀色に輝く巨大なドームのようなものが生まれていて、森からは何かがこすれるようなふしぎな音が遠く聞こえてきた。

「すげえ」とスズキ君が言った。

たしかにそれはわくわくする光景でもあったのだ。

「街が封鎖されてるね」とぼくは言った。「ここを抜けないと歯科医院まで行けない」

「そーっと行きましょ」

そこに集まっている人たちはみんな給水塔のある丘の方角に気をとられていたので、ぼくらはまるでビー玉がカーペットの上をころがるみたいに静かに、表通りを渡った。

そのまま文房具店とクリーニング店の間にある路地をぬけて、住宅地に入った。

あとは歯科医院まで走って行けばいいと思ったところで、ぼくらは見回りをしていたらしい制服を着た消防士さんたち三人に見つかってしまった。

「君たち、何をしているの？」

一人が優しい声で言った。「避難勧告が出ているから……」

「よーい、ドン！」

スズキ君がさけんだ。

彼の合図をきっかけにして、ぼくらは一斉に走りだした。消防士のおじさんたちは両手を広げて通せんぼうをしようとしたが、ぼくらはばらばらに走りだしたので、全員をつかまえるのは無理だった。ウチダ君とハマモトさんがつかまるのを横目に、ぼくは消防士さんの間をすり抜けた。

ぼくの目の前をスズキ君が走っている。

「ハマモトさんたちがつかまった！」とぼくがさけぶと、スズキ君は走りながら振り向いた。そのときぼくは肩を後ろからつかまれた。「こら！」という怒った声がした。そのときスズキ君が猛然と引き返してきて、ぼくをつかまえているおじさんの腰にしがみついた。

おかげでぼくはおじさんの手を逃れることができた。

「走れ！　走れ！」

スズキ君の声を背中に聞きながら、ぼくはこれまでの人生で走ったことがないぐらいの速度で走った。あまりにも速かったので、その速度を記録に残しておけなかったことを残念に思う。

そうしてぼくはだれも歩いていない並木道を走っていった。

「海辺のカフェ」の前を通りかかったとき、ぼくはお姉さんが窓辺の席に腰かけているのを見た。彼女はテーブルに肘をついて、うつらうつらしていた。「海辺のカフェ」は明かりが消えて、お客は一人もいない。ヤマグチさんの姿もなかった。みんな避難してしまったのだろう。

ぼくがカフェの中に入って向かいに腰かけると、彼女はパチンと目を開けた。ぼくがそこにいることなんて当然だというみたいに落ち着いていた。ぼくはお姉さんに会えてうれしく思った。

「こんにちは」とぼくは言った。

「こんにちは」

お姉さんはあくびをした。「元気になった？」

「元気になりました。ぼくは、お姉さんは歯科医院にいると思っていました」

「避難勧告が出たでしょう？　今日は歯科医院はおやすみよ。でも避難するなんてバカらしいし、もしかしたら君が来るかもしれないと思って、ここで待ってた」

「ぼくが来るとわかってたんですか？」

「君の考えることなんか、ぜんぶわかるさ」

そのときお姉さんが窓の外を見て、「アッ」と言った。消防士のおじさんたちが追いかけてきたらしい。

ぼくとお姉さんは消防士のおじさんたちが通りすぎるまでかくれていた。

テーブルの下で、お姉さんはぼくの額に自分の額をくっつけるようにして笑った。

「それで少年、謎は解けたわけね？」

ぼくはうなずいた。

○

ぼくはテーブルの下で方眼ノートを見返して、その仮説を整理した。

「お姉さんは人間ではない」とぼくは言った。

「うん、私は人間ではない」

「お姉さんにそのことを教えてもらって、ぼくはアオヤマ仮説を立てました。お姉さんが人間でなくてペンギンに近い存在だとすると、お姉さんの『ごはんを食べない実験』も理解できるし、お姉さんが電車に乗るとペンギンと同じように体調をくずしてしまったことも説明できる。お姉さんはペンギン・エネルギーで生きている」

「ペンギン・エネルギーはどこから来てるの？」

「ぼくはお姉さんの体調と〈海〉について、グラフを比較したことがあります。お姉さんの体調は、〈海〉の直径と連動していました。〈海〉が大きくなり始めると、お姉さんは元気になってくる。逆に〈海〉が小さくなってくると、お姉さんの元気はなくなるのです。お姉さんもペンギンたちも、〈海〉から目に見えないかたちで放射されるエネルギーで生きている。〈海〉が大きくなれば、エネルギーの量も大きくなるから、お姉さんは元気になる。そうすると、お姉さんやペンギンが電車に乗ったときに苦しくなってしまった理由が説明できる。なぜなら、電車にのって一定以上の距離をはなれると、〈海〉からのエネルギーが届かなくなるからです」

「いや、それはおかしいぞ」

お姉さんは手を挙げた。「ペンギンは〈海〉をこわすんでしょう？　行動が矛盾してない？」

「たしかにペンギンは〈海〉をこわして小さくしてしまいます。だからお姉さんがペンギンを作るほど、〈海〉はこわれて縮小し、放射されるペンギン・エネルギーは少なくなり、お姉さんは元気がなくなってしまうんです。そのかわり、ペンギンたちにはジャバウォックという天敵がいます。ジャバウォックたちがペンギンを食べれば、ペンギンの数は少なくなり、〈海〉はふたたび拡大を始める。そしてお姉さんは元気になる」

「食物連鎖みたいだね」

「これをぼくはペンギン・システムと名付けました。ペンギンたちとジャバウォックは対立していて、〈海〉はその間でバランスをとっているみたいに見える。じゃあ、〈海〉というのは何なのだろうか、ということをぼくはずっと考えてきた。ぼくらはこれまで〈海〉のふしぎな性質をいくつも発見しました。特定の光だけを曲げたり、時間旅行を実現したり、空に浮かんでいる雲のかたちを変えたりする。ぼくらはプロジェクト・アマゾンで川を探検していたけれど、その川は〈海〉の浮かぶ草原を通って、同じところを永遠に流れる川でした。そんなことは物理的にあり得ないことだけれども、〈海〉がそれを可能にしてしまうんです」

「物理的にあり得ないなら、あり得ないでしょう」

「ぼくらの世界ではあり得ない。だからぼくはずっと〈海〉というのは信じられないぐらいヘンテコなものだと思っていました。でも、そもそも〈海〉というものは、ぼくらの世界に存在してはいけないものなんだというふうに考えてみた。ぼくらは〈海〉をずっと物体だと思っていました。でも〈海〉は穴だったとしたら？　ぼくらの世界のやぶけたところ、神様が作るのに失敗したところ、その穴がぼくらには〈海〉のように見えるのだったとしたら？」

「ちょっとむずかしいぞ」

「ペンギンたちが〈海〉をこわすという表現は正確ではないんです。〈海〉のほうがこわれている。ペンギンたちはそれを修理している。ペンギンたちの行動が矛盾しているように思えるのは、彼らが〈海〉というこわれた箇所を修理するために存在しているということが、ぼくらにはわからないからです」

お姉さんは手を挙げて、しばらく考えていた。

「それじゃ、私がペンギンたちを作るのは、世界の穴をふさぐため？」と言った。

「ぼくはそう考えます」

「私は最近、ペンギンを作っていないよ」

「お姉さんは夜になるとジャバウォックを作る。森にはたくさんのジャバウォックがいました。スズキ君がつかまえて、大騒ぎになったのもジャバウォックです。ぼくがお姉さんにアドバイスしたんです。ペンギン以外のものを作ってみたほうが元気になるって。つまりお姉さんがペンギン以外のものを作ると、それはジャバウォックになり、ペンギンたちを食べてしまう。〈海〉は大きくなり、お姉さんは元気になる。だからお姉さんは苦しさから逃れるために、ジャバウォックたちを作った。そのかわり、ぼくらの世界のこわれた部分は大きくなっていく。ちょうど今みたいに」

ぼくとお姉さんは窓の外を見た。

ジャバウォックの森のある方角で、空に浮かぶ雲がロウトのようなかたちになっているのが見える。森の中から〈海〉が盛り上がっているのが見えていた。〈海〉は森を飲みこんでいく。

「すごいね。よく考えた」

お姉さんはそう言った。

彼女は両手を腰に当てて、窓の外を眺めていた。その顔はつやつやしていた。ぼくは仮説を立てたけれども、お姉さんが人間ではないなんて本当には信じられなかった。仮説を立てるということは、信じるということとはちがうのだった。

お姉さんは窓の外を見たまま、「行こうか、少年」と言った。

◯

ぼくとお姉さんは「海辺のカフェ」を出て、ひっそりとした住宅地をぬけていった。一度、監視している車に見つかって拡声器で呼ばれたけれど、あとは上手に隠れて進んだ。夏まつりをやった公園から森のほうを見ると、巨大なドームのような〈海〉がのぞき、本物の海のようにうねりながら光っていた。

「森がほとんど飲みこまれてるね」

お姉さんが言った。

「調査隊はあの〈海〉の中にいるはずです」

「〈海〉に入ったらどうなるかね」

「わかりません。探査船は帰ってきませんでした」

「ペンギンたちがいれば大丈夫かな？」

住宅地をぬけていく間に、お姉さんが通るそばから次々にペンギンが生まれた。アスファルトが焼いたモチのようにふくらんでペンギンが生まれ、街灯の電球がペンギンになって降ってきた。自動販売機からペンギンが現れ、空き地にころがっていたジュースの空き缶やバイクの残骸（ざんがい）まで、あらゆるものがペンギンになってしまう。そしてお姉さんが口笛を吹きながら手を挙げると、生まれたばかりのペンギンたちは英国紳士みたいに背筋をのばして、押し合いへし合いしながら追いかけてくる。

市営グラウンドの駐車場までたどりついたとき、ぼくらの背後にはペンギンたちの大群が続いていた。お姉さんが駐車場の手前で立ち止まると、おたがいにぶつかりあいながら停止した。

お姉さんは駐車場をのぞきこんだ。

「だれもいないね」

「みんな逃げてしまったんだと思います」

森が鳴るすごい音が響いていた。木の幹がさけるような音と、たくさんの葉がざわめく音だ。

市営グラウンドの裏に迫っている森の木立の向こうに、ふくれあがった〈海〉が迫っていた。森から聞こえてくるのは、〈海〉にふれている木々がゆれる音らしい。ぼくは目を細めて観察してみたけれど、〈海〉の内部がどうなっているのか、よくわからない。森の奥が明るい海の色に輝いて見えるだけだ。

調査隊の基地はすでに無人になっていた。ならんでいるテントはそのままで、機材も置き去りになっている。調査隊にどんなことが起こったのかよくわからないけれど、ともかくハマモト先生たちの事故が起こって、みんなあわてて退却したのだろう。

お姉さんとぼくとペンギンたちは駐車場に入っていった。

駐車場におかれているあらゆる機材が一斉にふくらんではじけ、それらはすべてペンギンになり、四方八方へよちよち歩きだした。その現象はお姉さんが駐車場を横切っていく間ずっと続いて、そこに住宅地から流れこんできたペンギンたちも加わったから、駐車場はまるで越冬するペンギンたちで埋め尽くされた南極の海岸みたいな風景になった。お姉さんが口笛を吹くと、ペンギンたちは森に向かって動きだす。

「お姉さんはペンギン・サーカス団の団長になれます」

「それはすてきだな。そうすればよかった」

調査隊の基地をぬけた先には、森と駐車場をへだてる高いフェンスが続いていた。調査隊はそのフェンスの端にあるカギのついた扉から出入りしていたようだったけれども、ぼくらにそんな必要はなかった。

森を目指すペンギンたちがフェンスに激突して、ぐいぐいと押し始めた。

お姉さんがフェンスを乗り越えていくので、ぼくもいっしょに乗り越える。フェンスをまたいだかっこうで駐車場をふりかえったお姉さんは「うひゃ！」とさけんだ。

「ペンギンたちが押し寄せてくるぞ！」

ぼくらがフェンスの向こうに飛び降りて木立の奥へ足を踏み入れると、背後でフェンスを押し倒すものすごい音がして、ペンギンたちがキウキウ言いながらなだれこんできた。ぼくとお姉さんはその勢いにおされるようにして、木立の奥へ奥へと進んでいくしかなかった。

「たいへんだ、少年！〈海〉はもう、そこだ！」

お姉さんがさけんだときには、ぼくらのすぐ目の前に〈海〉が迫っていた。森と〈海〉の境界は青緑色に輝きながら渦巻く水の壁だった。向こう側からはほんのり明かりがもれていて、森の中を明るくしている。水の壁からドッジボールぐらいの大きさの水の球が噴き出してきて木立の間をころがると、すぐにペンギンたちがむらがって、それらを分解してしまった。

木立の隙間から、何頭ものジャバウォックたちが出てくるのが見えた。彼らのシロナガスクジラみたいな顔はのっぺりしていて、ものすごい数のペンギンたちを見ても、ちっともびっくりしたふうには見えない。彼らは大きな口を開けてペンギンたちを呑みこんでいくけれど、あまりにもペンギンの数が多くて、とても間に合わなかった。あっという間にジャバウォックたちも黒い津波みたいなペンギンたちの群れに押し流されてしまった。

先を行くペンギンたちが、一羽、また一羽と、水の壁に飛びこんだ。彼らは飛びこむなり、光る水の中でラセンを描くようにくるりと回転して、そのままロケットのように空に向かって飛んでいき、見えなくなった。

ペンギンたちと〈海〉にはさまれて、ぼくとお姉さんは逃げ場がなくなった。

お姉さんがふいにぼくを引き寄せて、抱きしめた。次の瞬間にはペンギンたちの大群がぼくらを押し上げるようにして〈海〉になだれこんだ。

〈海〉の内部空間はふしぎなやわらかい光に満ちていた。カンブリア紀の海の浅瀬は、こんなふうに明るいだろうとぼくは思った。ギュッと目をつぶったお姉さんの顔が、ぼくの顔にくっついている。お姉さんの顔は冷たいようであたたかい。ぼくらといっしょに〈海〉に飲みこまれた何十羽ものペンギンたちが、まるで宇宙ロケットのように白い泡の尾をひいて、たがいに交差しながら、空へのぼっていくのが見えた。

○

気がつくと、ぼくとお姉さんはゆらゆらと水面をただよいながら、青い空を眺めていた。

飛行機雲が一本、空を横切っている。

お姉さんが起き上がって、「ここが〈海〉の中？」とつぶやいた。ぼくも起き上がってあたりを見回した。あたりには見渡すかぎり明るい海が広がっている。下を見ると、ぼくらはペンギンたちが作る巨大な黒いビート板みたいなものに乗っていることがわかった。ときどき大きな波のうねりがやってきて、ぼくらはペンギンたちといっしょにふわりとそのうねりを乗り越える。我らがペンギン号はたいへんすばらしい船だった。

水平線上にはまるで夏のような入道雲がそびえていたけれども、その雲はフィルムを早回しにしたように、次々とかたちを変えていく。だれかが綿菓子のかたちを変えて遊んでいるようである。かと思えば、反対の方角を見ると水平線の上だけが夜のように暗くて、紫色の稲妻が走っていた。

「どうやら我々は生きているようです」

「調査隊はどこにいるんだろうね？」

お姉さんはつぶやいた。「ペンギンたちよ、連れて行っておくれ」

ぼくらはゆっくりと海を進んでいく。

そのふしぎな海には、いろいろな島が散らばっていた。まるで地球がみんな水浸しになって、ほんのわずかに残ったものだけが浮かんでいるような印象だった。

ぼくらが最初に近づいたのは、大きなショッピングセンターだった。半分以上が水にしずんでいた。すっかりシダ植物におおわれて廃墟（はいきょ）のようになっているけれども、それはぼくらの街にあるショッピングセンターだ。ショッピングセンターにはだれも人間はいなくて、まるで難破した船のようでもある。屋上には大きな鳥の大群がとまっていて、海の上を通りすぎていくぼくらをじっと見張っていた。

「いかにも世界の果てみたいなところだね」とお姉さんは言った。

「ぼくは世界の果てに初めて足を踏み入れたのかもしれない。人類代表ということになります」

「ちっちゃな代表だな」

「この一歩は小さな一歩ですが、人類にとっては大きな一歩であります」

ショッピングセンターには上陸するところがなかったので、ぼくらはさらに進んでいった。

ぼくらは高圧鉄塔がいくつも海面に突きだしているところを通り、サバンナみたいな草原におおわれている島の上をシマウマたちが走っているのも見た。はるか彼方の水平線上に、天までのびた一本の線が見えていて、ぼくはそれが宇宙エレベーターではないかと考えたりした。

「あそこ、見てごらん」

お姉さんが立ち上がって指さした。

その島には家がいくつか建っていた。ぼくらの住宅地にあるような小さなかわいい家である。その島はコンクリートで方眼に区切られていて、そのうちの二つだけに家が建っていた。ぼくとお姉さんは上陸して、しばらく島を歩きまわってみた。大半は草の生えた空き地だった。自動販売機がぽつんと一つだけ置いてある。歩きまわっているうちに、ぼくの家族がぼくらの街に引っ越してきたばかりの頃のことを思いだした。まるでそのときのぼくらの街のミニチュアが作られているようだったのだ。

「へんな島ですね」とぼくは言った。

お姉さんは自動販売機にもたれて空を見ながら、「謎だな」と言った。

その島からあまり遠くないところに、もっと大きな島か、大陸があった。ぼくらが上陸するよりも前に、たくさんのペンギンたちがその砂浜に集まっているのが見えた。打ち寄せる波打ち際でぽかんとしているペンギンもいれば、よちよちと砂浜を歩いていくペンギンもある。

ぼくとお姉さんが砂浜に上陸してみると、ペンギンたちの行列が砂浜をずっと続いていた。そのペンギン・ハイウェイの先には砂浜から唐突に街が始まっていた。坂道のような急斜面に作られた街だ。

「あそこに海辺の街がある」

お姉さんが言った。「あれだよ」

ぼくらはペンギン・ハイウェイをたどるようにして、砂浜を歩いていく。波の音がしていた。

歩きながらお姉さんが海の向こうを指さした。「見てごらん」

海の向こうでふしぎな現象が起こっていた。

海のその一角だけがはげしく泡立っていた。風船のような丸いものが海面に浮かび上がってきては、はじけたり融合したりしている。ぼくらの立っている砂浜から風船ぐらいに見えるのだから、本当はお姉さんよりも大きい泡にちがいない。やがて泡の隙間から、シロナガスクジラの頭が現れた。海面下から浮かび上がってきたのではない。海の表面でシロナガスクジラが作られていくのだ。体は海水でできているから、空の青が透けて見えている。巨大な透明のクジラが体をひねるようにして海面から宙に跳ぶ。ふたたび海にもぐる。それを繰り返しているうちに、だんだんクジラの体がくずれていって、首が細長くなってきた。首長竜みたいだなあと思って見ていると、今度は大きな翼が生えてきて、首と頭は溶けるように小さくなったりする。あるいは体から一角獣の角みたいなものがたくさん突きだしたり、ゾウのように長い鼻が波間に見え隠れしたりする。

その壮大な現象はいつまでも続いた。

繰り返し、繰り返し、いろいろなものを作って、気に入るかたちを探しているみたいである。そして気に入らなければあっけなくこわしてしまう。ぼくらの目には見えない大きな子どもが、レゴブロックで遊んでいるようだ。どんどん変わっていくかたちをいつまでも見つめてしまうほど面白かった。

「神様が実験してるみたいだな」

お姉さんはそんなことを言った。

やがて砂浜が尽きるところに来て、そこから先は海辺の街だった。海から山に向かう斜面にたくさんの外国風の家がならんでいて、まるで迷路みたいな坂道がたくさん走っていた。住んでいる人の気配はなかった。細い路地にペンギンたちが行儀よくならんでいるだけだった。建物のトンネルになったようなところや、街路樹のとなりにベンチが置かれている路地をぼくらは歩いていった。高台の上のほうにある白い壁の家の窓が開いて、カーテンがゆれているのが見えた。今にもだれかが窓から身をのりだして、海に向かって両手を広げそうだった。

「もし私が人間でないとして、海辺の街の記憶はなんだろう？」

お姉さんは路地を歩きながら言った。「私だってお父さんやお母さんのことを憶えているし、自分が今まで生きてきた思い出があるよ。それもぜんぶ作りもの？」

「ぼくにはわかりません」

「でも、とりあえず我々は海辺の街に来ているね」

ぼくらはゆっくり坂道をのぼっていく。ふりかえると、ぼくらのあとを追いかけるようにして、ペンギンたちが路地をいっぱいに埋め尽くすようにして、いっしょうけんめいのぼってきていた。

「ペンギンたちは〈海〉をこわすのを待ってくれているんでしょうか？」

「ねえ、もし、この〈海〉が消えて、世界が完全に修理されたら、私はどうなるんだろう」

「ぼくにはわかりません」

「……本当はわかってるんでしょ？」

「ぼくの仮説が正しければ、ペンギンたちは消えるでしょう」

「私は？」

ぼくは言葉につまってしまった。

「それが君の答えか、少年？」とお姉さんは優しい声で言った。

「これはまだぼくの仮説です」

「君が間違っている可能性もあるわけか」

「おおいにあります」

ぼくらの行く手にある高台で黒い煙が上がっているのが見えた。

ぼくらが坂道を上がっていくと、階段の途中に、大学生ぐらいのお兄さんが座っていた。調査隊の基地で叱られてウチダ君が泣いているときに、ハンカチをくれた人だった。彼は坂道をのぼってくるお姉さんとぼくの姿を見て、しばらくは口がきけないぐらい驚いていたようだった。そして彼はふりかえり、「先生！　先生！」とさけんだ。

教会の前は小さな石畳の広場のようになっていて、〈海〉に飲みこまれた調査隊はみんなそこに集まっていた。帰る方法が分からないから、無人島に流れ着いたロビンソン・クルーソーみたいに、そこでたき火をしていたのだ。やがてハマモト先生が走ってきて、しばらく黙ってぼくを見つめていた。先生は本当に困った顔をしていて、ひげもじゃの大きな小学生みたいだった。

「アオヤマ君」とハマモト先生が言った。「君はどうしてここにいる？」

ぼくはおじぎをして、「我々はみなさんを救助するためにやってきました」と言った。

ペンギンたちはぼくたちの背後から次々に押し寄せてきていて、狭い斜面のあらゆるところに入りこんだ。そして自分のいるべき場所を見つけると、そこで直立不動になって空を見上げた。

「そろそろ帰るときかな?」

お姉さんが言って、ペンギンのように空を見上げた。

「〈海〉を少しだけ残すことはできますか?」

「なぜ?」

「少しだけ残っていれば、ペンギン・エネルギーが残る。お姉さんは元気でいられます」

「そんなにうまくいくかな」

お姉さんは高台の路地にある塀の上に飛び乗って、海辺の街を見下ろした。海辺の街は集まってきたペンギンたちに埋め尽くされていた。すべてのペンギンは息をのんでお姉さんの合図を待っているみたいだ。

「それではおうちに帰りましょう」

お姉さんはそう言って、カンブリア紀みたいな青い空に手を挙げた。

集まっていたペンギンたちの間に波のようにざわめきが伝わった。空を見上げていたペンギンたちは順々に、青い空に向かって飛び立ち始めた。一瞬、あたりが暗くなるほどの数だった。それらのペンギンたちは四方八方へ飛んでいき、彼らの飛ぶそばから空には飛行機雲のような軌跡がついて、その軌跡を中心にして青い空が割けていくのをぼくらは見た。

こうして〈海〉は崩壊した。

○

空の裂け目がいくつも集まって大きな裂け目になり、それが巨大なムチをふるうみたいにぼくらに振り下ろされてきたかと思うと、次の瞬間にはぼくらは市営グラウンドの駐車場に立っていた。ぼくらの背後では〈海〉が崩れ落ちて、いろいろな大きさの〈海〉の断片がごろごろと住宅街に流れだす。

ぼくらと調査隊の人たちはグラウンドのスタンドの上に逃げて、それらの〈海〉の残骸(ざんがい)に巻きこまれないようにした。調査隊の人たちはまだ自分たちが何を見ているのか、よくわからないようだった。

ぼくらの目の前で崩壊した〈海〉が森から流れだし、まるで津波のように住宅地に流れていく。音はしなかった。〈海〉の波の上をペンギンたちがすいすいと泳ぎまわっているのが見えた。流れだした〈海〉の表面に、いくつもの小さな虹(にじ)が生まれては消えている。波がちぎれて、グラウンドに球体の〈海〉がころがっていくと、ペンギンたちがそれらを分解してしまった。

「ペンギンたちは何をしているのかね」

ハマモト先生が言った。

「ぼくにはわかりません」とぼくは言った。アオヤマ君、君は何が起こっているのかわかっているんじゃないのか？」

「ぼくはわかっているかもしれません。でもこれはぼくの大事な研究なんです。ぼくはこの研究の秘密をだれにも教えないのです」

ハマモト先生はこわい顔をしてぼくを見つめた。ぼくも先生を見返した。先生はそのままだまってしまった。

スタンドから森の方を見上げていると、木立の向こうにのぞいている給水塔のてっぺんに、ジャバウォックたちがよろよろと集まってきているのが見えた。給水塔を登りきったジャバウォックたちは固まったように動かなくなり、そして順々に水風船がはじけるように消えていくのだった。

やがて〈海〉が完全に崩壊してしまうと、ぼくらの街に押し寄せていた津波の勢いもおさまってきた。

「そろそろ行こうよ」

お姉さんがそう言って、ぼくに手をのばした。ぼくは彼女と手をつないで、スタンドをおりていった。調査隊の人たちはスタンドの上から動けないまま、ぼくらを見送っている。ハマモト先生が一歩進んで、「君たち！」と大きな声で言った。「危険だ。我々といっしょにいなさい」

「先生、ごきげんよう。さよなら」とお姉さんは言った。

「危険だと言っているじゃないか」

「でも先生。私たちには大事な用事があるのよ」

ぼくとお姉さんは調査隊の人たちに手をふってスタンドを下り、市営グラウンドから外へ出て行った。

街のあちこちに崩壊して流れだした〈海〉の残骸がころがっていて、それをぼくらの後からついてくるペンギンたちが少しずつこわしていった。

街にはだれもいなくて、ペンギンたちの鳴き声だけがさみしく聞こえた。ぼくらは世界の果てから帰ってきたのに、まるでこちら側も世界の果てであるようだった。住宅地を歩きながらふりかえると、ジャバウォックの森にそびえていた巨大な〈海〉のドームは、まったく見えなくなっていた。

そのかわりに崩れた〈海〉は住宅地を自由に走って、ぼくらが「海辺のカフェ」にたどりついたときには、歯科医院のとなりの空き地まで迫っていた。お姉さんが波打ち際に立って〈海〉を蹴飛(けと)ばすと、それはビー玉のような小さなまるい玉になって、空中を舞った。そうしてあっけなく消えてしまうのだった。

ぼくらはだれもいない「海辺のカフェ」に入った。

お姉さんはカウンターの中に入って、コーヒーを入れた。「飲めるんだっけ？」と彼女に聞かれたので、ぼくは「はい」と答えた。ぼくらは窓辺のいつもの席に座って、湯気のたつコーヒーカップを持った。体がぬれているので、今になってぼくは寒さを感じ、コーヒーのあたたかさがうれしかった。

「砂糖を入れる？」

「入れません」

「無理しちゃって」

ぼくらはコーヒーを飲みながら、窓の外を眺めた。

「海辺のカフェ」まで迫っていた〈海〉はだんだんと引いていく。あちこちにかかっていたくっきりとした虹も、見えなくなってしまった。

歯科医院のとなりの空き地にペンギンたちが集まってきた。

最初のうちは数羽だけだったけれども、人気（ひとけ）のない住宅地のあちこちから、流れこむようにしてひっきりなしにペンギンたちがやってきた。とても数え切れない。南極に住んでいるペンギンがみんなで引っ越してきたのではないかと思うほど、とてつもない数なのだ。ペンギンたちはよちよちいっしょうけんめい歩いてきて、空き地を埋め尽くしているペンギンの群れに加わると、まるでホッとしたみたいに動きを止める。

ペンギンたちはみんなで空を見上げて、何かを待っているように見えた。

ぼくとお姉さんはチェス盤をテーブルにおいた。

しかし、チェスをしたわけではない。

「少年、〈海〉は完全にこわれたみたいだね」

「ものすごい数のペンギンです」

お姉さんはおだやかな優しい顔をして、窓の外のペンギンたちを見つめていた。空き地からはみだすぐらいたくさんいたペンギンたちが、空を見上げたまま、徐々に消え始めた。小さな竜巻がいくつも起こって、「海辺のカフェ」の窓ガラスをゆらした。ペンギンたちは騒がない。ただそのまま消えていくだけなのだ。

お姉さんは頬杖（ほおづえ）をついてぼくを見た。

「私も、私の思い出も、みんな作りものだったなんて」

「お姉さんは納得しますか？」

「納得できんね」

「ぼくも納得できないと思います」

「アオヤマ君、私はなぜ生まれてきたのだろう？」

「わかりません」

「君は自分がなぜ生まれてきたのか知ってる？」

「ぼくはウチダ君と、ときどきそういう話をします。でもそれはぼくらにはむずかしい。そういうことを考えていると頭がつーんとするってウチダ君は言います」

「そうか、じゃあ、しょうがないね」

「でも自分がなぜ生まれてきたか、いつかわかるかもしれない」

「わかったら教えてくれる？」

「教えます」

お姉さんは立ち上がり、ぼくのとなりに腰かけた。彼女は両腕でぼくをつつんで抱きしめた。ぼくが丘のようだと思ったおっぱいがたいへんやわらかくてあたたかかった。お姉さんの、海の風のようにあたたかくて湿った息がぼくの耳にあたってくすぐったかった。そんなにもあたたかくて湿っているのに、お姉さんはぼくらの世界の生き物ではないということが、ぼくにはどうしても納得がいかなかった。

「私は人類じゃないんだってさ」

「信じられません」

「そういえば君は人類代表だったな」

「そうです。いずれ本当に人類代表になるんだ。ぼくは宇宙にも行く」

「それだけえらくなったら、私の謎も解けるだろうな。そうしたら私を見つけて、会いにおいでよ」

「ぼくは会いに行きます」

ぼくはかつてお姉さんの寝顔を見つめながら、なぜお姉さんの顔はこういうふうにできあがったのだろうと考えたことがあった。それならば、なぜぼくはここにいるのだろう。なぜここにいるぼくだけが、ここにいるお姉さんだけを特別な人に思うのだろう。

なぜお姉さんの顔や、頬杖のつき方や、光る髪や、ため息を何度も見てしまうのだろう。ぼくは、太古の海で生命が生まれて、気の遠くなるような時間をかけて人類が現れ、そしてぼくが生まれたことを知っている。ぼくが男であるから、ぼくの細胞の中の遺伝子がお姉さんを好きにならせるということも知っている。でもぼくは仮説を立てたいのでもないし、理論を作りたいのでもない。ぼくが知りたいのはそういうことではなかった。そういうことではなかったということだけが、ぼくに本当にわかっている唯一のことなのだ。

「それじゃあ、そろそろサヨナラね」

お姉さんはぼくから離れて立ち上がり、歩きだした。

ぼくも立ち上がろうとしたけれど、お姉さんは「海辺のカフェ」の入り口でふりかえって、「君はここにいなさい」と言った。「危ないかもしれないから」

お姉さんはイスに座っているぼくを見て、ニッと笑った。

「泣くな、少年」

「ぼくは泣かないのです」

そしてお姉さんは「海辺のカフェ」の外へ出ていった。

空は明るく晴れ上がっていて、風が吹き始めていた。風にゆれるお姉さんの髪が光った。彼女はのんびり道路をわたって、歯科医院のとなりの空き地に入っていく。ぼくらの街に初めてペンギンたちが現れて、そしてペンギンたちが消えた空き地だ。「海辺のカフェ」の中はしんとしていたけれど、ぼくは彼女が草を踏んで歩く音を想像することができたし、彼女の髪をゆらす風の感触も想像することができた。

お姉さんはふわふわと散歩するような足取りだった。

そして彼女は空き地のまん中に立ち、こちらを向いて手をふった。次の瞬間に大きな風が起こり、「海辺のカフェ」の窓ガラスが大きな音を立てた。風はそのままぼくらの街を渡っていき、おっぱいのように盛り上がったいくつもの丘の緑をゆらし、滝が落ちるような音を響かせたにちがいないとぼくは思う。

その風がやんだとき、もう空き地にはお姉さんの姿はなかった。

ぼくは一人でしばらく座っていた。

そのとき、窓辺の席に一人で座っていたときの気持ちを、ぼくはノートに記録したけれども、それを今になって読み返してみても、そのときの気持ちを記録しているようには思えない。ぼくは正確に再現することができない。そんな気持ちを感じたのは、ぼくの人生に一度しかないのである。人生に一度しかないようなことをノートに記録するのは、たいへんむずかしいことだということをぼくは学んだ。

しばらくしてから、ぼくは「海辺のカフェ」を出た。

だれもいない住宅地に、あたたかい陽射しが降り注いでいた。

街の音に耳を澄ましてみたけれども、不穏な音は何も聞こえてこなかった。ひんやりした風が吹いて、空き地の草をゆらす音が聞こえるだけだった。丘にそびえる給水塔も、道ばたの自動販売機も、がらんとしたアスファルト道路も、森の向こうにそびえている高圧鉄塔も、すべてはそのままだった。

ぼくがケヤキ並木の道を歩いていくと、向こうに消防自動車の赤い行列が見え、大勢の人が集まっているのが見えてきた。救急車のランプが光っている。毛布をかぶった調査隊の人たちと、それを取り囲む消防士の人たち。まるでクマみたいに大きなハマモト先生がしゃがみこんで、何かを抱きしめている。その何かは先生にくらべてあんまり小さかったので、最初のうち、ぼくは先生が一人でうずくまっているのかと思ったほどだ。

消防士の人たちが、道を歩いているぼくに気づいた。

ふいに向こうで慌ただしく何かを叫ぶ声が聞こえ、彼らはぼくを助けるために駆けだそうとした。そのとき先生の腕の中からハマモトさんが飛びだして、だれよりも早く、ぼくのところへ駆けてきた。そうして彼女がぼくに抱きついたとき、ぼくは彼女が泣いていることと、彼女の体が本当に人形みたいに小さくて細いことを知った。

ぼくらはしばらくそのままジッとしていた。

ハマモトさんがため息をつくみたいな小さな声で言った。「あの人は？」

「お姉さんは行ってしまったよ」

ハマモトさんは大きな目でぼくの顔をまじまじと見た。

「アオヤマ君、泣いてるの？」

「ぼくは泣かないことにしているんだ」

お姉さんに言ったとおり、ぼくは泣かなかった。

○

フランスから帰国したとき、父はぼくらの街が新聞やテレビで紹介されているのを見て驚いた。

ぼくらの街で発生した現象はあまりにもふしぎだったので、日本中のえらい人たちが説明してみせようと腕まくりしているようだった。ある人は地震説を唱え、またある人は竜巻説を唱えた。べつのある人はそれらの説を組み合わせて、そこへさらに「粘性の雲」説をくっつけた。そこにまたべつの人が「集団幻覚」説を出す。そんな具合で、いろいろな人たちが仮説を立てているうちに、むずかしくなりすぎて、みんな忘れていった。当然のことだけれども、アオヤマ仮説を唱えた人はいない。

やがて上空を飛びまわるヘリコプターや、テレビ局の車も途絶え、街は静かになった。ぼくはこれまで通りに小学生としての毎日に戻った。取り組むべき研究はあいかわらずたくさんあって、ぼくは多忙だった。

ハマモト先生は〈海〉の中でのできごとについて、公式に何も語らなかったし、ハマモトさんにも何も言わなかったそうだ。

あの事件についてしゃべる人は少なくなった。スズキ君たちがつかまえた生き物も消えてしまい、一瞬だけぼくらの街にあふれ出てきた〈海〉の痕跡(こんせき)もなく、すべては消えてしまった。だれもがまるで夢を見たような気分で、まじめに話をする気持ちになれなかったのだろう。そしてぼくら自身も、〈海〉やお姉さんやペンギンたちについて話をすることを避けているみたいだった。

ある日、ぼくがウチダ君といっしょに市立図書館で磁石の研究をしていると、ハマモトさんがいつの間にかとなりのソファに座っていた。ぼくらはしばらく磁石について話をした。

やがてハマモトさんが「アオヤマ君、〈海〉って何だったと思う？」と言った。たいへん思い切って言った、というふうに感じた。ウチダ君がぼくのことをじっと見つめていた。

「ぼくは今でも考えている」

「仮説は立てた？」

「どうだろうか。ぼくは自分が立てた仮説が好きではないんだ」

「教えてくれない？」

「この研究はとても長い時間がかかる。まだまだこれからだと思う」

「そうなのね。わかった」

ハマモトさんはこくんと頷(うなず)いた。

「アオヤマ君なら、きっとわかるだろうね」とウチダ君が言った。「ぼくはそう思うな」

平日には、ぼくは学校に通い、ハマモトさんとチェスをしたり、ウチダ君と遊んだりする。スズキ君がぼくらに意地悪をすることがなくなったのはうれしい。ぼくらはときどきスズキ君といっしょにゲームをすることさえあるのだ。休日になると、ぼくは図書館に出かけたり、ウチダ君やハマモトさんと街を探検する。相対性理論や生命の起源について議論する。歯科医院にも通うし、「海辺のカフェ」にも出かける。だいたいそんな感じだけれども、変わったことがいくつかある。

ぼくらはいくらがんばっても、ジャバウォックの森の奥にあった草原にたどりつけなくなった。もともと存在してはいけなかった草原は、〈海〉の消失とともにぼくらの世界から消えてしまった。また、プロジェクト・アマゾンでぼくらが探検していた円環となった川は一部が消え、一部は干上がり、もう川ではなくなってしまった。

そして、ぼくはお姉さんに会うことができなくなった。歯科医院に出かけるときも、「海辺のカフェ」に出かけるときも、そこにお姉さんの姿はないのだった。

○

秋が深まったある日、ぼくは父といっしょにドライブに出かけた。

ぼくらはたいへん遠くまで出かけた。綿をのばしたみたいな薄い雲が散らばった空の下を、ぼくらの自動車は走っていった。なだらかな丘をいくつも越えて、ぼくらは遠くの街に到着する。父でさえ知らない小さな鉄道の駅にある喫茶店で、ぼくらはコーヒーを飲んだ。

父がフランスから帰国して以来、その日まで父とぼくは一度もお姉さんのことを話さなかった。

「さみしくなったね」と父は言った。

「そうだね」

「お姉さんから何か聞いたかい?」

「ぼくらはサヨナラをしたよ」

「そうか。しかし急なことだったね」

ぼくと父はしばらくだまってコーヒーを飲んだ。

「父さんは世界には解決しないほうがいい問題もあると言ったね。ぼくの取り組んでいるのがそういう問題だったら、ぼくは傷つくことになると」

「父さんはそう言った」

「それがぼくにはわかるような気もする。でも解決しないわけにはいかなかったよ」

「父さんが言ったのは、解決しないほうが本人にとって幸せという意味だよ。しかしまわりがそれをゆるさないときもある。おまえが言うのはそういうことだね?」

「なぜお姉さんは行ってしまわないといけなかったのだろう」

「それをおまえは理不尽なことだと思うかい?」

「理不尽なことだと思う」

父はテーブルにコーヒーカップを置き、窓の外を見て考えていた。テーブルには父のノートと、ぼくのノートが置かれている。それらは父がフランスで買ってきた新しいノートだ。二冊のノートの表紙は光っている。

「そこにも世界の果てがあるね」と父は言った。

「どこ？」

「おまえが理不尽だと思うことさ。おまえにはどうにもできないのだから」

「ぼくは世界の果てに興味があるよ。でもたいへんやっかいだね」

「それでも、みんな世界の果てを見なくてはならない」

「なぜ見るの？」

「なぜだろうね」

ぼくは考えこんだ。父はたいへんむずかしいことを言う。そういう謎めいたところは、父とお姉さんは似ているように思う。

「世界の果てを見るのはかなしいことでもあるね」

「もちろんそうだよ。だから人は泣く」

「小学校に入ったときから、ぼくはもうずっと泣かない」

「それはおまえの思う通りにすればいいよ」

「ぼくは思う通りにするよ」

ぼくはコーヒーを飲んだ。ぼくは砂糖を入れなかったので、コーヒーはたいへん苦かった。そしてあまりおいしくはなかったのだけれども、ぼくの体はあたたかくなった。

お腹の底にコーヒーが入っていくたびに、ぼくは元気になるようでもあるし、いっそうかなしくなるようでもある。

「父さん、ぼくはお姉さんがたいへん好きだったんだね」とぼくは言った。

「知っていたとも」と父は言った。

○

ぼくが住んでいるのは、郊外の街である。丘がなだらかに続いて、小さな家がたくさんある。駅から遠ざかるにつれて街は新しくなり、レゴブロックで作ったようなかわいくて明るい色の家が多くなる。天気の良い日は、街全体がぴかぴかして、甘いお菓子の詰め合わせのようなのだ。ぼくらの街にはショッピングセンターがあり、高圧鉄塔があり、歯科医院があり、「海辺のカフェ」があり、丘の上には宇宙船みたいな給水タンクがあり、サバンナのような空き地があり、そしてぼくらが通う小学校があり、ぼくらの住んでいる家がある。

ぼくはたいへん早起きをして、まだ夜が明けたばかりの街を一人で探検する。そういうとき、ぼくらの街はがらんとしていて、ぼくは今にも世界の果てに到着できそうに感じる。

ぼくは世界の果てに向かって、たいへん速く走るだろう。みんなびっくりして、とても追いつけないぐらいの速さで走るつもりだ。世界の果てに通じている道はペンギン・

ハイウェイである。その道をたどっていけば、もう一度お姉さんに会うことができるとぼくは信じるものだ。これは仮説ではない。個人的な信念である。

今日計算してみたら、ぼくが大人になるまでに三千と七百四十八日ある。一日一日、ぼくは世界について学んで、昨日の自分を上まわる。どれだけえらくなるか見当もつかない。ぼくはきっと、夜になっても眠くならず、白い永久歯をそなえた、立派な大人になるだろう。背も高くなるだろうし、筋肉もじゅうぶんつくだろう。そうなれば、結婚してほしいと言ってくる女の人もたくさんいるかもしれない。けれどもぼくはもう相手を決めてしまったので、結婚してあげるわけにはいかないのである。ぼくはお姉さんといっしょに夜ふかしもできるだろうし、眠ってしまった彼女をおんぶしてあげることもできるだろう。ぼくはたいへんえらくなっているから、彼女は感心することしきりかもしれない。「すごいね」とほめてくれるかもしれない。でも、「ふうん」と言ってくれるだけでも、ぼくはかまわない。

もう一度、「ふうん」というお姉さんの声が聞きたいとぼくは思うものだ。

○

ぼくらは今度こそ電車に乗って海辺の街に行くだろう。

電車の中で、ぼくはお姉さんにいろいろなことを教えてあげるつもりである。ぼくはどのようにしてペンギン・ハイウェイを走ったか。ぼくがこれからの人生で冒険する場所や、ぼくが出会う人たちのこと、ぼくがこの目で見るすべてのこと、ぼくが自分で考えるすべてのこと。つまりぼくがふたたびお姉さんに会うまでに、どれぐらい大人になったかということ。

そして、ぼくがどれだけお姉さんを大好きだったかということ。

どれだけ、もう一度会いたかったかということ。

解説

萩尾望都

※解説内で物語の重要な部分に触れていますので本編を未読の方はご注意ください。

私たちは小学四年生の頃のことを覚えているだろうか。一日の半分を過ごした学校のこと、授業のこと、放課後の校庭のこと、級友や先生や給食、時間割のこと。空や雨や風のこと。一日一日が長く、一週間先と聞くと無限に先のように思われたこと。毎日がドラマだったが特に事件は無かったこと。

これは小学四年生のアオヤマ君とふしぎなお姉さんの話だ。

彼の住む街や丘、学校や友達、家族や知り合いの人々。毎日努力を怠らないで自覚的に勉強に励む彼が、毎日新しい発見をし謎を見つけ、ノートを取り研究目標を作り、探検し、好奇心と興味をもって彼の世界を広げて行く。ここまではありがちな普通の少年だがその先が少し違う。彼は未来の自分を考える。昨日の自分よりえらくなる。昨日の自分に負けないように、自分に恥ずかしくないように。大人になるまでの長い時間を過ごしている。

いつか人類代表になる。

そしてもう結婚相手を決めている。

アオヤマ君はすこし変わった子供だ。利口だ。利口すぎる。彼は五歳の頃から怒らないと決めている。いいのか？　できるのか？　できる。腹が立つときはおっぱいのことを考える。なるほど。

それはお姉さんのおっぱいだ。それは謎だし、大人びた少年はお姉さんの寝顔を見つめ、その美しさを発見し、遺伝子と進化と出会いのことを考える。

少年とはこんなものか？　これほど分析能力があるのか？　少年とはもっと子供でワチャワチャしていて単純で短絡的な生き物ではないのか？　そう、いじめっ子のスズキ君のように。いじめられっ子のウチダ君のように。典型的な少年モデルのスズキ君は日本文学の中でいつでも顔をだす。

アオヤマ君のタイプは初めて見た。しかし、知っている気がした。ニュートンの子供時代を考える。哲学者か研究者のようだ。自分は「寡黙でしゃべらない人」になるつもりなのにしゃべりすぎると反省している。

そのアオヤマ君とお姉さんはおしゃべりをする。子供で哲学者で探検家のアオヤマ君とモノに動じなそうな中性的なお姉さんのコンビネーションも初めて見る快感だ。ペンギンが出現し、蝙蝠がはばたく場でのお姉さんと少年の会話はいつも抑制が利いててその上リズムがある。「ふうん」そのリズムは少年の弾む足音のように明るい。「ぐんない」大人びた少年は遺伝子と進化のことを考えながらお姉さんに恋をしている。

コーラの缶がメタモルフォーゼしてペンギンに変身する様はあり得ない生物進化の早回しを見ているかのようだ。この変身をスローモーションで表現しているアオヤマ君は動体視力がいいのだなと変な感心をしてしまう。こんなに目がいいのなら目に飛び込んで来る全てのものから脳は刺激を受けるだろう。小学四年生で哲学者になる所以だ。もともと彼には探索の趣味がある。

彼は七歳の時この街に引っ越して来た。空き地の中に建つ家、その家が世界の果てを観測する研究所のように見えた。世界の果てを探検する責任があると感じた。いつか宇宙にも行くつもりでいる。そう、そんな彼だから、お姉さんとペンギンの研究を続けられた。アオヤマ君は草原の中の〈海〉に出会う。この現象の謎を解くのはお姉さんのためでもあり、自分や街の人のためでもあったのだ。ところが草原の〈海〉は溢れ出す。人や街を呑み込んで。

それは、何かが壊れて溢れ出した、時間と空間の海。お姉さんはペンギンを作ってペンギンが海を消す。お姉さんは最初、自分が何をしているのか知らない。お姉さんは自分が人間だと思っている。あまりに人間らしいので。読者もそう思っている。ところがそうではなかった。

お姉さんには壊れた部分を修復する役割がある。だから自分の役割を知ったお姉さんはその仕事を終え、消えてしまう。最後の「海辺のカフェ」での会話。もうあまり残されてない時間の中での会話。

「私は人類じゃないんだってさ」自分が何者なのか自分でも解らない。お姉さんは少年に言う。研究課題だ。

「私の謎も解けるだろうな。そうしたら私を見つけて、会いにおいでよ」

「ぼくは会いに行きます」

海とは何だろう。お姉さんとは何だろう。少年は父親と会話する。

世界の果てを見るのはかなしいことでもあると。

彼は世界の果てに向かって走る。消えてしまったお姉さんにもう一度会えるペンギン・ハイウェイを走る。大人になってお姉さんに会う。そして一緒に海辺の街へ行く。

それはいつのことだろう。人の夢や愛は死ぬまでにどれほど醗酵し熟成するのだろう。それが産まれた瞬間の瑞々しい鮮度を保ちながら。アオヤマ君はきっと、お姉さんとの約束を守る。最後のページを読んだとき、アオヤマ君とこの本を抱きしめたくなる。

アオヤマ君、君はぼくは泣かないのですと言うけど、私は泣きます。

単行本　二〇一〇年五月、角川書店刊

ペンギン・ハイウェイ

森見登美彦（もりみとみひこ）

平成24年 11月25日　初版発行
平成30年 7月25日　23版発行

発行者●郡司 聡

発行●株式会社KADOKAWA
〒102-8177　東京都千代田区富士見2-13-3
電話 03-3238-8521（カスタマーサポート）
http://www.kadokawa.co.jp/

角川文庫 17684

印刷所●旭印刷株式会社　製本所●株式会社ビルディング・ブックセンター

表紙画●和田三造

ISBN978-4-04-100561-3　C0193

角川文庫発刊に際して

角川源義

第二次世界大戦の敗北は、軍事力の敗北であった以上に、私たちの若い文化力の敗退であった。私たちの文化が戦争に対して如何に無力であり、単なるあだ花に過ぎなかったかを、私たちは身を以て体験し痛感した。西洋近代文化の摂取にとって、明治以後八十年の歳月は決して短かすぎたとは言えない。にもかかわらず、近代文化の伝統を確立し、自由な批判と柔軟な良識に富む文化層として自らを形成することに私たちは失敗して来た。そしてこれは、各層への文化の普及滲透を任務とする出版人の責任でもあった。

一九四五年以来、私たちは再び振出しに戻り、第一歩から踏み出すことを余儀なくされた。これは大きな不幸ではあるが、反面、これまでの混沌・未熟・歪曲の中にあった我が国の文化に秩序と確たる基礎を齎らすためには絶好の機会でもある。角川書店は、このような祖国の文化的危機にあたり、微力をも顧みず再建の礎石たるべき抱負と決意とをもって出発したが、ここに創立以来の念願を果すべく角川文庫を発刊する。これまで刊行されたあらゆる全集叢書文庫類の長所と短所とを検討し、古今東西の不朽の典籍を、良心的編集のもとに、廉価に、そして書架にふさわしい美本として、多くのひとびとに提供しようとする。しかし私たちは徒らに百科全書的な知識のジレッタントを作ることを目的とせず、あくまで祖国の文化に秩序と再建への道を示し、この文庫を角川書店の栄ある事業として、今後永久に継続発展せしめ、学芸と教養との殿堂として大成せんことを期したい。多くの読書子の愛情ある忠言と支持とによって、この希望と抱負とを完遂せしめられんことを願う。

一九四九年五月三日

角川文庫ベストセラー

角川文庫ベストセラー

きみが見つける物語
十代のための新名作　こわ～い話編

編／角川文庫編集部

放課後誰もいなくなった教室、夜中の肝試し。都市伝説や怪談——。読者と選んだ好評アンソロジーシリーズ。こわ～い話編には、赤川次郎、江戸川乱歩、乙一、雀野日名子、高橋克彦、山田悠介の短編を収録。

きみが見つける物語
十代のための新名作　不思議な話編

編／角川文庫編集部

いつもの通学路にも、寄り道先の本屋さんにも、見渡してみればきっと不思議が隠れてる。読者と選んだ好評アンソロジー。不思議な話編には、いしいしんじ、大崎梢、宗田理、筒井康隆、三崎亜記の傑作短編を収録。

きみが見つける物語
十代のための新名作　切ない話編

編／角川文庫編集部

たとえば誰かを好きになったとき。心が締めつけられるように痛むのはどうして？　読者と選んだ好評アンソロジー。切ない話編には、小川洋子、萩原浩、加納朋子、川島誠、志賀直哉、山本幸久の傑作短編を収録。

きみが見つける物語
十代のための新名作　オトナの話編

編／角川文庫編集部

大人になったきみの姿がきっとみつかる、がんばる大人の物語。読者と選んだ好評アンソロジーシリーズ。オトナの話編には、大崎善生、奥田英朗、原田宗典、森絵都、山本文緒の傑作短編を収録。

不思議の扉
時をかける恋

編／大森　望

不思議な味わいの作品を集めたアンソロジー。ひとたび眠るといつ目覚めるかわからない彼女との一瞬の再会を待つ恋……梶尾真治、恩田陸、乙一、貴子潤一郎、太宰治、ジャック・フィニイの傑作短編を収録。